Diplômé de littérature anglaise, Lincoln Child a été responsable éditorial aux éditions St. Martin's Press à New York avant de se consacrer entièrement à l'écriture. Il vit aujourd'hui dans le New Jersey.

Douglas Preston a débuté sa carrière comme auteur et éditeur au Muséum d'histoire naturelle de New York. Il a également enseigné à l'université de Princeton. Preston et Child ont débuté leur collaboration dans les années 1990. Vivant à plusieurs centaines de kilomètres l'un de l'autre, ils coécrivent leurs livres par téléphone, fax et via Internet. Leurs thrillers connaissent tous un vif succès.

C comme cadavre

DOUGLAS
PRESTON
&
LINCOLN
CHILD

C comme cadavre

Traduit de l'anglais (États-Unis)
par Sebastian Danchin

Titre original :
GIDEON'S CORPSE

Éditeur original :
Grand Central Publishing, New York, 2012

© Splendide Mendax Inc. et Lincoln Child, 2012

Pour la traduction française :
© L'Archipel, 2013

1

Planté devant la fenêtre de la salle de réunion, Gideon Crew contemplait distraitement l'ancien quartier des abattoirs de Manhattan. Il caressa des yeux les toits goudronnés des bâtiments transformés en boutiques de luxe ou restaurants à la mode, contempla la foule des promeneurs qui arpentaient les allées du High Line Park, et arrêta son regard sur les eaux du fleuve, au-delà des vieux pontons de bois. Sous le soleil pâle de ce début d'été, l'Hudson oubliait provisoirement sa couleur boueuse, sa surface changeante teintée de bleu par la marée montante.

Ce spectacle rappela soudain à Gideon un certain ruisseau serpentant à travers les monts Jemez, le profond bassin d'eau claire dans le secret duquel se cachait une énorme truite sauvage.

Il en avait assez de New York, d'Effective Engineering Solutions et de son étrange patron en fauteuil roulant, Eli Glinn.

— Vous ne m'en voudrez pas, mais je pars retrouver ma canne à pêche, laissa-t-il tomber.

Glinn s'agita sur son fauteuil et poussa un soupir. Une main mutilée s'échappa de la couverture sur ses genoux et tendit un petit paquet enveloppé de papier kraft en direction de son interlocuteur.

— Votre paiement.

Gideon sembla hésiter.

— Vous comptez vraiment me payer ? Après ce qui s'est passé ?

— Il faut reconnaître que vous n'avez guère respecté les termes de notre accord, concéda Glinn.

Il déchira le paquet et compta plusieurs liasses de billets de cent dollars qu'il déposa sur la table.

— Voici la moitié des cent mille dollars convenus.

Gideon s'empressa de prendre les billets avant que son commanditaire change d'avis.

À son grand étonnement, Glinn lui tendit alors l'autre moitié de la somme.

— Et voici le solde. Disons qu'il s'agit d'une avance.

Gideon fourra l'argent dans les poches de sa veste.

— Une avance ? Pour quelle raison ?

— J'ai pensé que vous souhaiteriez rendre visite à l'un de vos vieux amis avant de repartir, répondit Glinn.

— Je vous remercie, mais j'ai rendez-vous avec une truite sauvage à Chihuahueños Creek.

— Quel dommage ! J'étais persuadé que vous trouveriez tout de même le temps d'aller voir cet ami.

— Croyez-moi, j'ai mieux à faire que d'aller voir un ami. Vous me l'avez vous-même gentiment expliqué, il me reste peu de temps à vivre. Et puis quel ami, d'abord ?

— Un certain Reed Chalker. Si je ne m'abuse, vous avez travaillé ensemble à une époque.

— On bossait tous les deux à Los Alamos, ce qui ne signifie pas qu'on travaillait *ensemble*. Ça fait des mois que je n'ai pas vu Reed.

— Eh bien, nous allons remédier à cela. Les autorités aimeraient que vous ayez une petite conversation avec lui.

— Quelles autorités ? Et quelle conversation ? C'est quoi, cette histoire ?

— À l'heure où je vous parle, Chalker retient quatre personnes en otages. Une famille de Queens.

Gideon éclata d'un grand rire.

— Vous plaisantez ? Chalker est un vrai *geek*. Il ne ferait pas de mal à une mouche.

— Il a été pris d'un coup de folie. Délire paranoïaque. Vous êtes la seule personne qui le connaisse ici. La police compte sur vous pour l'amadouer et le convaincre de libérer ses otages.

Gideon observa un long silence.

— Croyez bien que je suis désolé, professeur Crew, mais votre truite sauvage attendra. Assez perdu de temps, pensez aux otages.

Gideon, furieux qu'on lui force la main, sentit la moutarde lui monter au nez.

— Vous n'avez qu'à trouver quelqu'un d'autre.

— Nous n'avons pas le temps. La vie de deux enfants est en jeu, sans parler de celle des parents. Apparemment, Chalker louait un appartement en sous-sol chez ces gens. C'est une chance que vous soyez là.

— Mais enfin, je le connais à peine ! Ce type est un vrai mollusque. Quand sa femme l'a plaqué, il s'est tourné vers la religion avant de disparaître dans la nature, à mon grand soulagement.

— Garza va vous conduire sur place. Vous agirez en liaison avec l'agent Stone Fordyce, du FBI.

— Que vient faire le FBI dans cette histoire ?

— Simple procédure de routine. N'oubliez pas que Chalker a longtemps travaillé dans un laboratoire de recherche nucléaire, comme vous.

Glinn fixait Gideon de son œil valide.

— Je vous en prie. Il s'agit d'une mission toute simple, vous serez libre de rentrer au Nouveau-Mexique dans un jour ou deux.

Gideon, plongé dans ses pensées, ne répondit pas. Pourquoi perdre deux jours alors qu'il lui restait moins d'un an à vivre ? À en croire Glinn, tout du moins. Et si ce dernier lui avait menti ? Ce type était un manipulateur de première en qui Gideon n'avait aucune confiance.

— Deux enfants, de huit et dix ans. Un garçon et une fille, insista Glinn.

Gideon se retourna en laissant échapper un soupir excédé.

— Putain ! C'est bon, je vous accorde vingt-quatre heures, mais vous n'êtes pas près de remonter dans mon estime.

Glinn accepta le compliment en lui adressant un sourire glacial.

2

La plus grande confusion régnait dans le quartier pauvre de Queens où se déroulait le drame. Les otages étaient retenus dans une maison de brique perdue au milieu d'une rangée de constructions anonymes. Des pelouses anémiques, jaunies par le soleil, poussaient tristement au pied des façades, le long d'un trottoir usé. Le grondement de la circulation sur Queens Boulevard traversait l'air, souligné par des effluves de pots d'échappement.

Un flic en uniforme leur fit signe de se garer un peu plus loin. Garza descendit de voiture, imité par un Gideon maussade. On avait bloqué la rue à ses deux extrémités et la chaussée était encombrée de voitures de police, gyrophare allumé. L'adjoint de Glinn montra une pièce d'identité et franchit les barrières de sécurité avec son compagnon, sous le regard des curieux. La plupart des badauds, une bière à la main, arboraient des chapeaux de carnaval, comme pour une fête de quartier.

Bande de cinglés ! pensa Gideon en secouant machinalement la tête.

Les forces de l'ordre avaient dégagé un vaste espace face à la maison dans laquelle Chalker retenait ses quatre otages. Deux équipes des Swat avaient été déployées : l'une en première ligne à l'abri d'un véhicule blindé, la seconde derrière une ligne de barricades en béton. En levant la tête, Gideon distingua les silhouettes de plusieurs tireurs d'élite postés sur les toits. Une voix sortait d'un mégaphone un peu plus loin, sans doute celle du négociateur chargé d'amadouer Chalker.

Fendant la foule des flics armés dans le sillage de Garza, Gideon fut pris de nausées en retrouvant une atmosphère qu'il aurait préféré oublier. Le mégaphone, les hommes des forces spéciales, les tireurs d'élite et les barricades… c'était ainsi que son père avait trouvé la mort, abattu de sang-froid alors qu'il tentait de se rendre, les mains en l'air. Gideon chassa de son esprit ce souvenir pénible.

Les deux hommes franchirent les barrières encerclant le poste de commandement du FBI. Un agent vint à leur rencontre.

— Je vous présente l'agent Stone Fordyce, déclara Garza à Gideon. Stone est l'adjoint du responsable dépêché sur place par le Bureau. Je vous remets entre ses mains.

Gideon dévisagea le nouveau venu d'un air soupçonneux. Avec son costume bleu, sa chemise blanche soigneusement amidonnée, sa cravate en reps et son badge autour du cou, il avait la tête de l'emploi : grand, beau gosse, arrogant, sûr de lui, la silhouette ridiculement musclée.

Fordyce plissa les paupières et posa sur Gideon deux yeux bleus avec la même supériorité que s'il avait observé un insecte.

— C'est vous, *l'ami* en question ? demanda-t-il en l'examinant de la tête aux pieds, s'attardant plus particulièrement sur son jean noir, ses Keds sans lacets, sa chemise froissée et son foulard.

— Je ne suis pas sa vieille tante, si c'est ce que vous voulez savoir, grinça Gideon.

— Laissez-moi vous exposer la situation, lui rétorqua l'agent fédéral sans se démonter. Votre copain Chalker a été pris d'une crise de délire paranoïaque. Un vrai cas d'école. Il se croit victime d'un complot et prétend avoir servi de cobaye à l'État. À l'entendre, on l'aurait irradié volontairement. Persuadé que le propriétaire et sa femme sont complices des autorités gouvernementales, il a décidé de les prendre en otages avec leurs deux gamins.

— Quelles sont ses exigences ? demanda Gideon.

— Ce n'est pas très clair. On sait juste qu'il est armé. Un Colt .45 de type 1911, apparemment. Il a voulu montrer qu'il ne plaisantait pas en tirant quelques balles en l'air, mais il n'est pas prouvé qu'il sache vraiment s'en servir. Savez-vous si ce type-là a l'expérience des armes ?

— Pas à ma connaissance.

— Parlez-moi de lui.

— Reed est un inadapté. Très peu d'amis, une femme totalement cinglée qui lui a tout piqué. Il s'emmerdait dans son boulot et voulait devenir écrivain. Au lieu de quoi il est tombé dans la religion.

— Est-il doué, professionnellement parlant ?

— C'est un garçon compétent, sans être exceptionnel.

— Son intelligence ?

— Il est sûrement plus malin que n'importe quel agent lambda du FBI.

Fordyce encaissa la remarque sans broncher.

— Son dossier précise qu'il travaillait à la conception d'armes nucléaires à Los Alamos. Est-ce exact ?

— Plus ou moins.

— Vous pensez qu'il pourrait avoir dérobé des explosifs ?

— J'en doute. Il avait peur de son ombre.

Fordyce lui adressa un regard sans complaisance avant de poursuivre.

— Chalker refuse de dialoguer avec nous, au prétexte que nous travaillons pour l'État.

— Comment lui donner tort ?

— Nous pensons qu'il pourrait avoir confiance en quelqu'un qu'il connaît. C'est pour cette raison que nous avons fait appel à vous.

Ils furent interrompus par un appel de mégaphone, suivi d'un cri inintelligible.

— C'est *lui* ? s'enquit Gideon d'un air surpris. Pourquoi ne pas négocier avec lui autrement ?

— Il refuse de se servir d'un portable ou d'une ligne ordinaire. Il prétend qu'on veut lui irradier la tête. Il préfère nous répondre en criant, caché derrière la porte.

Gideon tourna son regard vers la maison.

— Si vous êtes prêt, c'est bon pour moi.

— Laissez-moi vous expliquer en deux mots comment traiter avec un forcené, le tempéra Fordyce. Le tout est de faire baisser la tension et d'entamer calmement le dialogue de façon à prolonger la négociation le plus longtemps possible. Faites appel à son humanité. Demandez-lui de libérer les gosses en essayant de trouver une monnaie d'échange. Vous me suivez ?

L'agent fédéral donnait l'impression de douter furieusement des capacités intellectuelles de son interlocuteur.

Celui-ci opina, le visage de marbre.

— Faute d'être investi d'une autorité officielle, vous ne pourrez rien lui promettre. Compris ? Montrez-vous conciliant s'il a des exigences, mais expliquez-lui bien que vous devez en référer aux autorités. Il s'agit de gagner du temps. Le tout est de l'avoir à l'usure en le calmant.

Au grand étonnement de Gideon, les recommandations de son interlocuteur relevaient du bon sens.

Un flic les rejoignit, un gilet pare-balles à la main.

— Nous allons vous équiper, précisa Fordyce à Gideon. Vous serez également protégé par un bouclier blindé en plexiglas.

Gideon, assisté par les deux hommes, retira sa chemise et enfila le gilet dont il coinça les pans dans la ceinture de son pantalon. On le munit ensuite d'une oreillette sans fil. Derrière lui, la conversation continuait entre le mégaphone et le forcené dont les réponses hystériques s'élevaient à intervalles irréguliers.

Fordyce regarda sa montre et se tourna vers Gideon, une moue aux lèvres.

— Un dernier détail : vous allez devoir agir conformément au scénario.

— Le scénario ? Quel scénario ?

— Celui mis au point par nos psychologues. Nous vous soufflerons les questions par le biais de votre oreillette et vous les répéterez à voix haute.

— Si je comprends bien, vous n'avez pas du tout besoin de moi, sinon comme prétexte pour l'approcher.

— On ne peut rien vous cacher. Vous êtes notre cheval de Troie.

— Dans ce cas, pourquoi m'avoir servi tout ce baratin sur l'art de la négociation ?

— Pour que vous preniez la mesure des enjeux. Et puis vous serez peut-être amené à improviser si la conversation prend un tour personnel. Quoi qu'il en soit, ne lui promettez rien. Rassurez-le, rappelez-lui que vous étiez amis, dites-lui que tout va bien se passer, qu'on le prend au sérieux. Restez toujours calme et ne le contredisez sous aucun prétexte.

— Ça paraît logique.

Fordyce dévisagea longuement Gideon. Son hostilité évidente se fissura.

— Nous connaissons notre boulot, vous savez. Vous êtes prêt ?

Gideon hocha la tête en signe d'assentiment.

— Alors, on y va !

3

Fordyce fit franchir à son compagnon une dernière rangée de barrières et l'entraîna jusqu'aux chicanes en béton près desquelles étaient alignés des véhicules blindés et des boucliers de plexiglas. Gideon se sentait engoncé dans son gilet pare-balles.

— *Reed*, grésilla le haut-parleur du mégaphone.

Le négociateur s'exprimait sur un ton posé, presque paternel.

— *Un vieil ami souhaiterait vous voir. Gideon Crew. Acceptez-vous de lui parler ?*

— *Hors de question !* hurla le forcené. *Je ne veux parler à personne !*

La voix s'échappait par la porte entrouverte de la petite maison. Les rideaux tirés empêchaient de voir quoi que ce soit à l'intérieur.

— Professeur Crew, vous me recevez ? nasilla une voix grave dans l'oreillette de Gideon.

— Oui.

— Je m'appelle Jed Hammersmith. Je me trouve dans l'un des véhicules, désolé de ne pas vous accueillir en personne. Écoutez-moi bien. Recommandation numéro un : ne me répondez sous aucun prétexte quand je vous parlerai dans votre oreillette. Il ne doit pas se douter que vous restez en contact permanent avec nous. Chalker doit croire qu'il est votre seul interlocuteur. Compris ?

— Oui.

— *Bande de menteurs ! Arrêtez votre cirque !*

Un frisson parcourut Gideon. Comment Chalker avait-il pu en arriver là ? Il reconnaissait pourtant sa voix, déformée par la peur et la folie.

— *Nous sommes ici pour vous aider*, reprit le mégaphone. *Dites-nous ce que vous voulez...*

— *Vous savez très bien ce que je veux ! Je refuse qu'on m'irradie ! Je refuse qu'on se serve de moi comme cobaye ! Personne n'avait le droit de m'enlever !*

— C'est moi qui vous soufflerai les questions, reprit la voix impassible d'Hammersmith dans l'oreillette de Gideon. Nous allons devoir agir rapidement, ça tourne au vinaigre.

— Je ne vous le fais pas dire.

— *Je vous jure que je lui fais sauter la cervelle si vous continuez à me harceler !*

Un cri suppliant s'éleva des profondeurs de la maison. Un cri de femme, suivi de pleurs aigus d'enfants. Gideon frissonna. Des souvenirs douloureux remontèrent malgré lui : son père debout sur le seuil du bâtiment, Gideon traversant la pelouse à toutes jambes dans sa direction. Chaque nouvel appel du mégaphone le ramenait des années en arrière.

— *Tu es dans le coup avec eux, espèce de salope !* hurla Chalker à la mère de famille. *Tu n'es même pas sa femme, tu es envoyée par le gouvernement. J'en ai marre que tout le monde se foute de ma gueule ! Je refuse de marcher dans vos combines plus longtemps !*

La voix sortant du mégaphone l'interrompit. Le négociateur restait d'un calme ahurissant, s'exprimant comme s'il s'adressait à un enfant.

— *Votre ami Crew souhaite vous parler. Il arrive tout de suite.*

Fordyce glissa un micro dans la main de Gideon.

— C'est un micro HF relié aux haut-parleurs installés sur la camionnette. Allez-y.

Il le poussa en direction d'un abri en plexiglas ouvert sur l'arrière. Le temps d'une ultime hésitation, Gideon quitta la protection du véhicule blindé et pénétra dans la guérite transparente. Il avait l'impression d'être un requin en cage.

— Reed ? prononça-t-il dans le micro.

Un épais silence lui répondit.

— Reed ? C'est moi, Gideon.

Nouveau silence.

— *Mon Dieu ! Ils ont réussi à t'avoir aussi, Gideon ?*

La voix d'Hammersmith retentit dans l'oreillette de Gideon qui s'empressa de répéter ses paroles.

— Personne n'a réussi à m'avoir, vieux. J'étais de passage à New York quand j'ai entendu la nouvelle à la radio. Je suis venu tout de suite en me disant que je pourrais peut-être t'aider. Je suis venu seul.

— *Menteur !* éructa Chalker d'une voix stridente et mal assurée. *Ils ont réussi à t'avoir, toi aussi ? Est-ce que tu ressens déjà les premières douleurs ? Dans ta tête ? Dans ton ventre ? Sinon, je peux t'assurer que ça ne va pas tarder...*

Le forcené se tut, interrompu par un violent hoquet signalant un vomissement.

— Profitez-en pour lui parler, murmura Hammersmith. Prenez le contrôle de la conversation. Demandez-lui en quoi vous pouvez l'aider.

— En quoi puis-je t'aider, Reed ? répéta Gideon.

Un autre hoquet résonna derrière la porte, suivi d'un profond silence.

— Je t'en prie, Reed. Laisse-moi t'aider.

— *Tu ne peux plus rien pour moi ! Sauve-toi le plus vite possible. Ces salauds sont prêts à tout… Regarde ce qu'ils m'ont fait ! Ça me brûle ! Putain, mon ventre… !*

— Demandez-lui de sortir de façon que vous puissiez le voir, insista la voix d'Hammersmith dans l'oreillette.

Gideon se pétrifia en se souvenant brusquement des tireurs d'élite postés aux alentours. Le premier qui tiendrait Chalker en ligne de mire appuierait sur la détente sans l'ombre d'une hésitation.

Comme mon père…

La situation était d'autant plus critique que Chalker tenait en respect quatre membres d'une même famille. Sur le toit de la maison, plusieurs hommes s'apprêtaient à descendre une caméra vidéo le long du conduit de cheminée. *Pourvu qu'ils connaissent leur boulot*, pensa Gideon.

— *Je t'en prie, Gideon ! Demande-leur d'arrêter les radiations !*

— Dites-lui que vous souhaitez vraiment l'aider, mais qu'il doit vous expliquer de quelle manière.

— Reed, tu m'entends ? Je souhaite vraiment t'aider, mais tu dois m'expliquer comment.

— *Dis-leur d'arrêter leurs expériences !*

Gideon crut détecter un léger mouvement derrière la porte entrouverte de la maison.

— *Ils ont décidé de me tuer ! Demande-leur de stopper les radiations, sinon je lui explose la cervelle !*

— Promettez-lui tout ce qu'il veut, reprit la voix désincarnée d'Hammersmith. À condition qu'il sorte de la maison pour que vous puissiez lui parler en tête à tête.

Gideon s'obstina dans le silence, incapable de chasser de sa tête l'image de son père abattu d'une balle en plein front alors qu'il émergeait du bâtiment, les bras levés… Pas question de conseiller à Chalker de sortir. Pas tout de suite, en tout cas.

20

— Gideon, insista Hammersmith. Je sais que vous m'entendez et que...

— Reed ! s'écria Gideon en interrompant la voix dans son oreillette. Je n'ai rien à voir avec tous ces gens. Je ne suis avec personne. Je suis là pour t'aider.

— *Je ne te crois pas !*

— Je ne te demande pas de me croire, mais de m'écouter.

Silence.

— Tu affirmes que ton propriétaire et sa femme font partie du complot, c'est bien ça ?

— Tenez-vous-en au scénario, l'avertit la voix d'Hammersmith.

— *Ce n'est pas mon proprio et sa femme !* s'énerva Chalker, au bord de la crise de nerfs. *Je ne les ai jamais vus de ma vie ! C'est un coup monté. Je ne suis pas venu ici de mon plein gré, c'est un complot d'État ! On m'a enlevé et on m'a retenu prisonnier en me soumettant à des expériences horribles...*

Gideon leva la main.

— Une seconde, Reed. Tu affirmes que c'est un coup monté et que tes proprios font partie du complot. Qu'en est-il des enfants ? Ne me dis pas qu'ils sont impliqués, eux aussi ?

— *C'est un coup monté ! Ahhhh ! Ça me brûle, ça me brûle !*

— Je te rappelle qu'ils ont huit et dix ans.

Un silence pesant ponctua la phrase de Gideon.

— Reed, réponds-moi. Tu crois vraiment que ces gamins sont associés à un complot ?

— *N'essaie pas de m'embrouiller les idées !*

— C'est bien, continuez sur cette lancée, intervint Hammersmith dans l'oreillette.

— Je n'embrouille rien du tout, Reed. Il s'agit d'enfants. Des enfants innocents.

Nouveau silence.

— Relâche-les. Envoie-les-moi. Il te restera deux otages.

Dans un silence pesant, Gideon vit soudain une ombre bouger. Un cri aigu fendit l'air et l'un des gamins apparut sur le seuil. Un petit garçon à la tignasse brune, habillé d'un T-shirt sur lequel était écrit : « J'♥ ma mamie ». Il avança d'un pas hésitant, terrorisé.

Gideon crut un instant que Chalker avait décidé de libérer les deux enfants. Il comprit son erreur en voyant le canon nickelé d'un Colt .45 posé sur la nuque du gamin.

— Vous avez vu ? Je ne plaisante pas ! Cessez immédiatement les radiations ou je l'abats ! Je compte jusqu'à dix. Un, deux...

Des profondeurs de la maison s'élevèrent les hurlements hystériques de la mère.

— Je vous en supplie, ne le tuez pas !

— *Ta gueule, espèce de salope de menteuse ! Ce ne sont pas tes enfants !*

Chalker se retourna et fit feu dans l'obscurité. Les cris de la femme se turent instantanément.

D'un bond, Gideon jaillit de son abri de plexiglas et se dirigea vers la maison. Un tonnerre de cris ponctua son avancée : *Reculez ! Baissez-vous ! Il est armé !*

Il s'arrêta à quelques mètres de la porte.

— Qu'est-ce que vous foutez ? Retournez dans votre abri, il va vous tuer ! cria Hammersmith dans son oreillette.

Gideon arracha l'écouteur qu'il brandit en direction du forcené.

— Reed ? Tu vois ça ? Tu avais raison. Ils me donnaient des ordres, déclara-t-il en jetant l'appareil sur la chaussée. Plus maintenant. On peut parler librement, à présent.

— *Trois, quatre, cinq...*

— Pour l'amour du ciel, arrête ! *Je t'en prie !* insista Gideon d'une voix forte. C'est un enfant. Tu vois bien qu'il crie. Tu crois qu'il fait semblant ?

— *Ta gueule !*

Le petit garçon, livide, tremblait de tous ses membres.

— *Ma tête !* hurla Chalker. *Ma...*

— Tu te souviens des groupes scolaires qui venaient visiter Los Alamos ? poursuivit Gideon en s'efforçant de parler posément. Tu aimais bien ça, tu adorais faire visiter le labo aux élèves. Et ils t'appréciaient tous. Tu te souviens, Reed ?

— *Je brûle !* cria Chalker à tue-tête. *Ils recommencent avec leurs radiations ! Je vais le tuer et c'est toi qui auras son sang sur les mains, pas moi ! TU M'ENTENDS ? SEPT, HUIT...*

— Laisse ce malheureux gamin tranquille, reprit Gideon en avançant d'un pas, anxieux à l'idée que Chalker n'aille même pas jusqu'à dix.

— Relâche-le. Prends-moi en otage à la place.

D'un geste vif, Chalker pointa le canon de son arme sur Gideon.

— *Recule immédiatement, tu travailles avec eux !*

Gideon tendit les bras d'un geste implorant.

— Tu crois vraiment que je fais partie du complot ? Vas-y, tue-moi. Mais libère ce gosse, je t'en supplie.

— *Tu l'auras voulu !*

Et Chalker pressa la détente.

4

Chalker fit feu… et rata sa cible.

Gideon, devinant son intention, s'était jeté à plat ventre sur la chaussée. Son cœur était près d'exploser dans sa poitrine. Il serra les paupières dans l'attente du coup de grâce. Une détonation, suivie d'un éclair de douleur, puis du voile de l'oubli.

Mais aucun coup de feu ne retentit. Un chaos indescriptible régnait autour de lui. Un tourbillon de hurlements, de cris, d'appels au mégaphone. Il rouvrit les yeux avec une lenteur infinie et porta son regard du côté de la maison. Chalker, à peine visible dans la pénombre de la petite entrée, serrait toujours le gamin contre lui. À sa manière de tenir le Colt d'une main tremblante, on devinait qu'il ne s'était jamais servi d'une arme auparavant.

— *C'est un piège !* hurla-t-il. *Tu n'es pas Gideon ! Tu es un imposteur !*

Crew se releva prudemment, les mains bien en vue. Les battements de son cœur refusaient de s'apaiser.

— Reed, procédons à un échange. Prends-moi en otage et relâche ce petit garçon.

— *Dis-leur de stopper les radiations !*

Fordyce avait bien recommandé à Gideon de ne pas contredire le forcené. Le conseil était sage, mais que devait-il répondre à son ancien collègue ?

— Reed, je te jure que tout se passera bien si tu libères le gamin. Et la petite fille.

— *Arrêtez les radiations !* s'énerva Chalker en se servant du garçonnet comme d'un bouclier. *Je suis en train de mourir à petit feu ! Stoppez les radiations ou je lui fais sauter la cervelle !*

— On va trouver une solution, voulut le rassurer Gideon. Tout ira bien, à condition que tu libères cet enfant.

Il tenta un premier pas, puis un autre. Il lui fallait impérativement se rapprocher avant que l'ordre de l'assaut final soit donné. À moins de parvenir à maîtriser Chalker, le petit garçon serait tué et les tireurs d'élite abattraient le forcené. Gideon ne supporterait jamais de revivre un tel enfer.

Chalker poussa un cri déchirant.

— *Arrêtez les radiations !*

Il tremblait de tous ses membres en agitant violemment son arme.

Comment s'y prendre avec un fou ? Gideon tenta de se souvenir des recommandations de Fordyce. *Entamez le dialogue, faites appel à son humanité.*

— Reed, il te suffit de regarder cet enfant pour comprendre qu'il est innocent…

— *Ça me brûle de partout !* s'écria Chalker. *Du coup, j'en ai oublié de compter. Où j'en étais ? Six, huit…*

Il grimaça, les traits déformés par la douleur.

— *Ça recommence ! Ça brûle, ça brûle !*

Il posa à nouveau son arme sur la nuque du jeune otage. Un cri suraigu, inhumain, monta de la gorge de l'enfant.

— Attends ! hurla Gideon. Non, ne fais pas ça !

Il s'élança vers Chalker, les mains en l'air. Plus que vingt mètres... plus que dix... Une poignée de secondes le séparait du forcené.

— *Neuf, DIX ! DIX ! Ahhhh !...*

Gideon se jeta sur Chalker en voyant son doigt se crisper autour de la détente. Au même instant, le père du garçonnet apparut sur le seuil et s'abattit sur le forcené en poussant un rugissement.

Chalker pivota sur lui-même et le coup partit, sans toucher sa cible.

— Vite ! Cours ! cria Gideon au petit garçon en se ruant vers la maison.

Ce dernier, incapable d'obéir, restait pétrifié sur place. Chalker se débattait dans tous les sens, maintenu à bras-le-corps par le père de l'enfant. Il recula sans crier gare et se débarrassa de son adversaire en le plaquant contre le mur de l'entrée. Le père rebondit sur la cloison avec un cri féroce et envoya son poing en direction de Chalker, qui évita le coup et projeta son adversaire au tapis d'un direct du droit.

— Cours ! répéta Gideon à l'intention du petit garçon.

Loin d'obtempérer, ce dernier sauta sur Chalker en le voyant pointer le Colt sur son père, arrosant le forcené d'une pluie de coups.

— Papa ! Va-t'en !

Gideon franchit le trottoir d'un bond.

— Je veux pas que tu fasses mal à mon papa ! hurla le gamin en tambourinant des poings sur le dos de Chalker.

— *Stoppez les radiations !* cria celui-ci en cherchant machinalement une cible à abattre, ses mouvements entravés par l'acharnement de l'enfant.

Gideon sauta sur son ancien collègue, mais celui-ci fit feu avant qu'il ait pu l'atteindre. Il s'abattit lourdement sur Chalker qu'il fit rouler à terre, puis il lui saisit brutalement le bras et le brisa contre la rampe afin de le désarmer. Le forcené poussa un hurlement de douleur.

Un cri déchirant résonna derrière les deux hommes. Gideon tourna la tête et vit le petit garçon se jeter sur le corps inanimé de son père, la tête à demi arrachée.

Chalker, toujours immobilisé par Gideon, se débattait avec l'énergie du désespoir en poussant des rugissements sauvages, entre deux crachats.

Les hommes des forces spéciales firent irruption dans la maison au même instant. Gideon, projeté loin de son adversaire par les assaillants, sentit une pluie de sang et de chair s'abattre sur lui alors que les Swat mettaient un terme définitif aux divagations de Chalker dans un tonnerre de coups de feu.

Le silence oppressant qui suivit la fusillade dura quelques instants à peine. Une voix de petite fille s'éleva des profondeurs de la maison.

— Maman saigne ! Maman saigne !

Gideon, agenouillé par terre, libéra son estomac en vomissant tout ce qu'il pouvait.

5

Un déluge de policiers et de secouristes s'abattit sur la scène du drame. Gideon, assis par terre, hébété, s'essuya machinalement le visage. Personne ne semblait s'intéresser à lui. La tension qui régnait encore quelques instants plus tôt avait cédé la place à un ballet soigneusement orchestré, dans lequel chacun trouvait tout naturellement sa place. On commença par évacuer les deux enfants terrorisés, puis les secours se penchèrent sur les trois victimes. De leur côté, les hommes des Swat procédaient à une fouille rapide de la maison pendant qu'une escouade de flics en uniforme sécurisait la scène à l'aide de bande plastique fluo.

Gideon se releva péniblement. Incapable de tenir debout, il s'appuya contre la cloison, tout tremblant. Un secouriste s'approcha.

— Où êtes-vous blessé ? lui demanda-t-il, s'inquiétant de le voir couvert de sang.

— Ce n'est pas mon sang.

L'homme n'en procéda pas moins à un rapide examen du visage de Gideon.

— C'est bon, conclut-il d'une voix rassurante. Laissez-moi vous nettoyer.

Gideon, submergé par un sentiment d'horreur et de culpabilité, avait du mal à comprendre ce que lui disait son interlocuteur.

Seigneur ! Voilà que ça recommence. Encore et encore !

Le traumatisme intact de la mort atroce de son père, dans des circonstances analogues, provoquait chez lui une sorte de paralysie mentale. Obnubilé par le mot « encore », il était incapable de rassembler ses pensées.

— Vous allez devoir évacuer la zone, s'interposa un flic en les repoussant doucement.

Les spécialistes de l'identité judiciaire tendaient déjà par terre une bâche sur laquelle ils disposaient les sacs de sport renfermant leur équipement.

Le secouriste prit Gideon par le bras.

— Allons-y.

Gideon obéit machinalement tandis que les hommes de la police scientifique sortaient outils, adhésif et éprouvettes avant de protéger leurs chaussures à l'aide de sachets en plastique. La tension et l'hystérie qui avaient accompagné la prise d'otages se dissipaient lentement, laissant place à la banalité du quotidien. En l'espace de quelques instants, le drame vivant qui s'était déroulé là se résumait à une poignée de commentaires rédigés sur des formulaires.

Fordyce se matérialisa brusquement à côté de Gideon.

— Ne vous éloignez pas, lui recommanda-t-il à voix basse en lui serrant le bras. Nous allons devoir prendre votre déposition.

Gideon posa sur lui un regard qui retrouvait sa clarté.

— Ma déposition ? Vous avez assisté à la scène, non ?

Il aurait voulu partir de là, retourner au Nouveau-Mexique, oublier toute cette horreur.

Fordyce haussa les épaules.

— La routine.

Gideon se demanda si on allait lui mettre sur le dos la mort de l'otage. Probablement. À juste titre, car il avait merdé en beauté. Il sentit une nouvelle montée de bile lui envahir la gorge. S'il avait parlé autrement à Chalker, s'il avait su trouver les mots justes, ou bien s'il n'avait pas retiré son oreillette, peut-être les autres auraient-ils anticipé le drame, peut-être lui auraient-ils soufflé la bonne réponse... Il n'avait pas su avoir le recul nécessaire, oublier la mort de son propre père. Il n'aurait jamais dû se laisser influencer par Glinn. À son grand désarroi, il s'aperçut qu'un voile humide lui recouvrait les yeux.

— Hé, le rassura Fordyce. N'en faites pas une maladie. Vous avez sauvé les deux gamins et la mère s'en tirera. Elle n'a été que légèrement blessée.

L'agent lui serra furtivement le bras.

— Il faut y aller, ils sont en train de sécuriser la scène de crime. On ne peut pas rester là.

Gideon se remplit péniblement les poumons.

— D'accord.

Les deux hommes se dirigeaient vers la porte lorsque Gideon vit, du coin de l'œil, l'une des femmes de la police scientifique se pétrifier. Un cliquetis lui parvint. Un bruit familier qu'il était incapable d'identifier, encore bouleversé par le sentiment confus de malaise et de culpabilité qui l'étreignait. Il vit la jeune femme exhumer d'un sac une boîte jaune munie d'un cadran, reliée à un tube par un long fil torsadé. Gideon identifia immédiatement l'appareil, la bouche sèche.

Un compteur Geiger.

La machine émettait un clic régulier, rythmé par les soubresauts de l'aiguille. La femme posa sur l'un de ses collègues un regard étrange. Toutes les conversations s'étaient tues. Dans le silence retrouvé, le clic de l'aiguille était assourdissant. La femme se releva et pivota lentement sur elle-même, le compteur Geiger à

30

bout de bras. Elle sursauta en voyant l'appareil s'affoler. Retrouvant son calme, elle se dirigea vers le cadavre de Chalker, comme à regret.

À mesure qu'elle approchait le tube du corps, le couinement du compteur se fit plus aigu jusqu'à devenir insoutenable, tandis que l'aiguille restait bloquée tout en haut de la zone rouge.

— Mon Dieu, murmura la femme d'un air incrédule, hypnotisée par l'écran.

Elle recula d'un bloc, laissa tomber l'appareil, fit volte-face et s'enfuit de la maison en courant. Le compteur Geiger s'écrasa bruyamment sur le sol tout en continuant à émettre sa stridulation inquiétante.

L'instant suivant, tous les spécialistes de l'identité judiciaire détalaient à leur tour, pris de panique. Photographes, agents en uniforme et membres des Swat, oubliant tout sens de l'ordre et de la hiérarchie, se ruaient vers l'entrée de la petite maison en jouant des coudes.

Gideon et Fordyce, entraînés dans la mêlée, retrouvèrent rapidement la rue. La vérité apparut brusquement au jeune scientifique. Se tournant vers l'agent du FBI, il constata qu'il était blême.

— Chalker brûlait vraiment, murmura Gideon.

— On dirait, approuva Fordyce.

Gideon porta instinctivement la main aux quelques traces de sang coagulé qui lui maculaient la joue.

— Et nous avons été irradiés à notre tour, ajouta-t-il.

6

La métamorphose était stupéfiante chez les policiers, comme chez les officiels agglutinés derrière les barrières métalliques. Alors que chacun vaquait à ses occupations d'un air décidé quelques instants auparavant, tous s'étaient transformés en statues de sel. Les effets de l'étrange découverte se propageaient rapidement, à la façon de ronds dans l'eau. Jusqu'à Fordyce qui restait muet. En l'observant, Gideon comprit que l'agent était pendu à son oreillette.

Fordyce posa un doigt sur le petit appareil en blêmissant.

— Non, répondit-il à son interlocuteur avec véhémence. Pas question. Je n'ai même pas approché le corps de ce type. Vous n'avez pas le droit.

On aurait pu croire que le temps s'était arrêté tant la foule était immobile. Même ceux qui avaient quitté précipitamment la maison restaient figés sur le trottoir. Dès qu'ils reprirent leurs esprits, ils battirent en retraite dans un même mouvement.

Des sirènes trouèrent le silence, accompagnées par le bourdonnement des hélicoptères dans le ciel. Un cortège de camionnettes blanches dépourvues de toute identification franchit les barrages, escorté par des voitures de patrouille. Des spécialistes vêtus de combinaisons antiradiations, armés de tasers et de lance-grenades lacrymogènes, jaillirent des portes arrière. Sous le regard stupéfait de Gideon, ils installèrent des barrières antiémeutes en ordonnant à toutes les personnes présentes de rester sur place, leur bloquant toute retraite.

L'effet fut instantané : à peine les gens prirent-ils la mesure de la situation que la panique les saisit.

— C'est quoi ce bordel ? s'inquiéta Gideon.

— Dépistage de radiations obligatoire, laissa tomber laconiquement Fordyce.

Un flic en uniforme tenta de forcer le barrage, aussitôt repoussé par les hommes en blanc. Ceux-ci canalisèrent la foule en direction d'un enclos grillagé, aménagé à la hâte, où les spécialistes s'employèrent à mesurer individuellement les radiations à l'aide de compteurs Geiger. Si la plupart des gens étaient immédiatement libérés, les moins fortunés étaient dirigés vers les véhicules blancs où les attendaient des examens complémentaires.

Un appel s'échappa d'un haut-parleur : « *Il est demandé à tous de rester sur place. Interdiction formelle de franchir les barrières sans autorisation.* »

— Qui sont ces types ? s'enquit Gideon.

Fordyce fit la grimace.

— Les gars du Sun.

— Le Sun ?!!

— Les équipes du Service d'urgence nucléaire. Des spécialistes rattachés à l'Agence de sûreté nucléaire, chargés de réagir en cas d'attaque terroriste radioactive.

— Vous pensez qu'il peut s'agir d'un acte de terrorisme ?

— Chalker fabriquait des engins nucléaires.

— C'est un peu tiré par les cheveux, non ?

— Vous trouvez ? réagit Fordyce en se tournant lentement vers son interlocuteur. Tout à l'heure, vous nous avez vous-même expliqué que Chalker était « tombé dans la religion », pour reprendre votre expression.

Il marqua une courte pause.

— Si vous me permettez la question... quelle religion ?

— Euh... l'islam.

7

Les personnes trahies par les compteurs Geiger furent poussées sans ménagement à l'intérieur des camionnettes. Les habitants du quartier avaient fui depuis belle lurette, abandonnant sur place canettes de bière et chapeaux de carnaval. Des équipes de spécialistes en combinaisons antiradiations frappaient aux portes, ordonnant l'évacuation des maisons de façon plus ou moins brutale. Les personnes âgées avec leurs déambulateurs, les mères de famille affolées, les enfants en pleurs formaient une longue colonne tragique qui remontait la rue dans le brouhaha des haut-parleurs. Des appels au calme enjoignaient aux habitants d'obtempérer en précisant qu'il s'agissait de simples mesures de précaution. Jamais le mot « radiation » n'était prononcé.

Gideon, pris dans la mêlée, s'installa tant bien que mal sur un banc de bois à l'arrière d'une camionnette qui démarra, ses portes à peine refermées. Assis en face de lui, Fordyce observait un silence grave au milieu des regards inquiets. Parmi les passagers se trouvait un personnage à la chemise ensanglantée dont Gideon comprit qu'il s'agissait d'Hammersmith, le psychologue avec qui il avait communiqué par le biais de son

35

oreillette. Il reconnut également l'un des commandos qui avaient abattu Chalker à bout portant, sa tenue maculée de sang. Du sang *radioactif*.

— On est dans la merde, grommela le type des Swat, un grand gaillard dont la voix aiguë tranchait curieusement avec sa carrure imposante et ses bras musclés. On va tous y passer. Les radiations, ça ne pardonne pas.

Gideon préféra ne pas répondre, stupéfait de constater l'ignorance de ses congénères en matière de radioactivité.

— Putain, j'ai mal à la tête, se plaignit le géant. Ça y est, ça commence.

— Ta gueule, gronda Fordyce.

— Va te faire foutre, s'énerva l'autre. Je suis pas entré dans les Swat pour vivre ce genre de merde.

Fordyce serra les mâchoires.

— T'as entendu ? insista le type, de plus en plus énervé. Je suis pas entré dans les Swat pour vivre ce genre de *merde* !

Gideon le regarda droit dans les yeux.

— Votre tenue est couverte de sang radioactif, déclara-t-il d'une voix calme. Vous feriez mieux de la retirer. Vous aussi, ajouta-t-il à l'intention d'Hammersmith. Tous ceux qui ont sur eux des taches de sang du forcené, enlevez vos vêtements.

Son conseil déclencha une réaction paniquée à l'intérieur du fourgon, alors que tous s'empressaient de se déshabiller et d'essuyer les taches de sang qu'ils avaient sur la peau et les cheveux. Tous, à l'exception du type des Swat.

— À quoi bon ? On est foutus, je vous dis. On va tous pourrir d'un cancer quelconque. On est déjà morts.

— Personne ne va mourir, lui expliqua Gideon. D'autant qu'on ne sait même pas de quel type de radiation était atteint Chalker, ni à quel degré.

Le géant releva la tête et posa sur lui des yeux rouges.

— Qu'est-ce qui t'autorise à jouer les petits génies du nucléaire ?

— Le fait d'être un petit génie du nucléaire, justement.

— Tant mieux pour toi, connard. Dans ce cas, tu sais mieux que personne qu'on est foutus et tu nous racontes des putains de bobards.

Gideon préféra ignorer la remarque.

— Espèce de péquenaud.

Péquenaud ? Au comble de l'agacement, Gideon regarda son interlocuteur en se demandant un instant si les radiations ne l'avaient pas rendu fou, lui aussi. Non, l'autre imbécile réagissait sous l'effet de la panique, rien de plus.

— Je te parle, pauvre connard. Arrête de raconter des bobards.

Gideon chassa d'une main les cheveux rebelles qui masquaient son visage et fixa le sol de la camionnette. Il se sentait las de tout : las de la bêtise humaine, de la vie elle-même. Il ne se sentait pas la force de discuter avec un individu aussi primaire.

Sans crier gare, le type des Swat jaillit de son banc et l'agrippa par le col, l'obligeant à se mettre debout.

— Je t'ai posé une question. Arrête de fuir mon regard.

Gideon regarda son agresseur droit dans les yeux. La lèvre tremblante, il était cramoisi, les veines du cou tendues à craquer, le front trempé de sueur. Il portait si bien sa bêtise sur son visage que Gideon ne put contenir son rire.

— Tu trouves ça marrant ?

Le type des Swat serra le poing, prêt à frapper.

Le coup dans l'estomac, asséné par Fordyce à la vitesse de l'éclair, le prit par surprise et il s'effondra en poussant un grand *wouuuuf !* L'instant d'après, Fordyce l'immobilisait d'une clé et lui murmurait quelques mots à l'oreille, trop faiblement pour que Gideon puisse entendre. Fordyce relâcha le bras du géant qui s'écroula sur le sol, tête en avant. Le temps de reprendre sa respiration, il se mit péniblement à genoux.

— Reprends ta place et reste tranquille, lui ordonna Fordyce.

L'autre ne se fit pas prier, les yeux remplis de larmes.

Gideon ajusta sa chemise.

— Merci, dit-il.

Fordyce ne répondit rien.

— Maintenant, on sait, reprit Gideon après un battement.

— On sait quoi ?

— Que Chalker n'était pas fou. Il avait bien été gravement irradié. Sans doute par des rayons gamma. Ce genre d'irradiation à haute dose provoque des troubles du cerveau.

Hammersmith releva la tête.

— Comment le savez-vous ?

— Tous ceux qui manipulent des radionucléides à Los Alamos sont au courant des accidents de criticité survenus au début de l'histoire du centre à des gens comme Cecil Kelley, Harry Daghlian, Louis Slotin. Le « cœur du démon ».

— Le cœur du démon ? répéta Fordyce, perplexe.

— Le surnom donné au cœur de plutonium sur lequel travaillaient ces chercheurs. Les responsables des deux erreurs de manipulation survenues successivement à l'époque sont morts très rapidement, et plusieurs de leurs collègues ont été gravement irradiés. Le même cœur de plutonium a finalement servi à la fabrication de la bombe *Able*, testée sur l'atoll de Bikini en 1946. Les accidents survenus au cœur du démon nous ont montré qu'une dose élevée de rayons gamma rend fou. Les symptômes que présentait Chalker sont caractéristiques : confusion mentale, divagations, maux de tête, vomissements, douleurs intestinales aiguës.

— Voilà qui éclaire l'affaire d'un jour nouveau, remarqua Hammersmith.

Gideon hocha la tête.

— Les déclarations délirantes de Chalker posent un certain nombre de questions. Pourquoi affirmait-il qu'on lui irradiait le crâne ? De quelles expériences parlait-il ?

— J'ai bien peur qu'il ne s'agisse d'une forme courante de schizophrénie, suggéra Hammersmith.

— Peut-être, à ceci près qu'il n'était pas schizophrène. Pour quelle raison prenait-il ses propriétaires pour des agents du gouvernement ?

Fordyce releva la tête et fixa Gideon.

— Ne me dites pas que vous croyez *vraiment* que ce malheureux père de famille était un agent à la solde de l'État ?

— Bien sûr que non. En revanche, j'avoue être intrigué par les allusions de Chalker à toutes ces expériences dont il prétendait avoir été victime. Je trouve également étrange qu'il ait nié avoir vécu dans cet appartement. Cette histoire n'a aucun sens.

Fordyce secoua la tête.

— Je ne suis pas d'accord.

— Expliquez-vous, rétorqua Gideon.

— Reprenons les éléments dont nous disposons. Ce type travaille au centre de Los Alamos où il contribue à la conception d'engins nucléaires. À peine converti à l'islam, il disparaît des radars. On le retrouve quelques mois plus tard à New York, gravement irradié.

— Et alors ?

— Alors ce salopard a rejoint le djihad ! Grâce à lui, ils ont pu mettre la main sur un cœur de réacteur nucléaire. Suite à une erreur de manipulation comparable à celle du cœur du démon dont vous parliez, Chalker aura été irradié.

— Chalker n'avait rien d'un extrémiste, le contredit Gideon. C'était un garçon très discret, qui gardait pour lui ses opinions religieuses.

Fordyce laissa échapper un rire amer.

— Les gens discrets sont *toujours* les plus dangereux.

Un silence pesant s'installa dans le fourgon. Pas une des paroles échangées n'avait échappé aux autres passagers. En y réfléchissant, Gideon s'apercevait avec horreur que la théorie de Fordyce était plausible. Chalker était la proie rêvée pour un groupe terroriste. Un paumé qui redonnait un sens à son existence en rejoignant le djihad. Comment expliquer autrement l'énorme dose de rayons gamma à laquelle il avait été exposé ?

— Autant en prendre notre parti, reprit Fordyce alors que la camionnette ralentissait. Notre pire cauchemar est devenu réalité : les djihadistes ont réussi à mettre la main sur une bombe atomique.

8

Les portes arrière du fourgon à peine ouvertes, les irradiés découvrirent un vaste garage souterrain qu'ils traversèrent avant de s'engager dans un long tunnel de plastique transparent. Aux yeux de Gideon, qui soupçonnait l'exposition aux radiations d'être mineure, un tel luxe de précautions confinait au ridicule. Il y voyait un protocole mis au point par quelque bureaucrate zélé.

On les dirigea vers une salle rutilante qui n'avait jamais dû servir auparavant. Un univers de chrome, de carrelage et d'acier brossé, dans lequel luisaient faiblement une multitude d'écrans. Les femmes d'un côté, les hommes de l'autre, tous furent invités à se déshabiller avant de passer sous trois douches successives. Le temps d'un examen approfondi et d'une prise de sang, on leur administra une piqûre, puis on leur distribua des vêtements propres avant de les soumettre à de nouveaux examens. Cette étape achevée, ils furent conduits dans la salle voisine.

Ce centre souterrain ultramoderne avait été érigé au lendemain du 11 Septembre en cas d'attaque nucléaire. Gideon était surpris d'y découvrir des appareils de décontamination infiniment plus sophistiqués que ceux dont disposait le centre de recherche de Los Alamos. À bien y réfléchir, ce n'était pas aussi étonnant qu'il y paraissait : en cas d'attaque, un centre de décontamination tel que celui-là n'aurait rien de superflu dans une ville surpeuplée comme New York.

Un chercheur en blouse blanche, le visage souriant, rejoignit les contaminés. Depuis leur montée dans les camionnettes du Sun, c'était le premier interlocuteur dépourvu de combinaison qu'ils voyaient. À côté du scientifique se tenait un petit homme à la mine aussi sombre que son costume. Gideon reconnut immédiatement Myron Dart, qui occupait les fonctions de directeur adjoint lorsqu'il avait intégré les équipes de Los Alamos plusieurs années plus tôt. Gideon, sans le connaître intimement, avait gardé le souvenir d'un homme compétent et droit. Restait à voir comment il allait gérer une crise de cette ampleur.

— Je suis le docteur Berk, se présenta le chercheur. Je suis heureux de vous annoncer que vous avez tous été décontaminés avec succès, poursuivit-il avec la même satisfaction que s'ils avaient intégré une grande école. Il ne nous reste plus qu'à procéder à des entretiens psychologiques individuels avant de vous laisser reprendre une vie normale.

— Avons-nous subi des radiations importantes ? s'inquiéta Hammersmith.

— Pas du tout. Nos psychologues vous communiqueront vos résultats individuels. Le forcené n'a pas été irradié sur le lieu de la prise d'otages et les radiations, à l'inverse du virus de la grippe, ne sont pas contagieuses.

Dart avança et Gideon l'observa. L'homme avait vieilli, son visage s'était creusé et ses épaules s'étaient voûtées. Toujours élégant, il portait un costume gris à très fines rayures, de bonne coupe, auquel une cravate violette en soie apportait une touche de couleur. Très sûr de lui, il prit la parole d'une voix claire :

— Je suis le professeur Myron Dart, responsable du Service d'urgence nucléaire. Avant tout, je souhaite insister sur un point d'une importance capitale.

Les mains dans le dos, Dart dévisagea son auditoire de son regard gris, donnant l'impression de s'adresser à chacun personnellement.

— La nouvelle de cet incident radioactif ne s'est pas ébruitée jusqu'à présent. Je vous laisse imaginer la panique qu'une annonce de ce type ne manquerait pas de déclencher. Je vous demanderai donc d'afficher la plus grande discrétion. Contentez-vous de retenir trois mots simples : *Pas de commentaires*. Cette recommandation vaut pour tous ceux qui vous poseront des questions, qu'il s'agisse de proches ou de journalistes. Et ne vous bercez pas d'illusions, on vous posera des questions.

Il marqua un temps d'arrêt.

— Nous vous ferons signer un engagement de confidentialité avant de vous laisser repartir. Cette condition n'est pas négociable. Vous vous exposez à de graves poursuites si vous ne respectez pas les termes de cet engagement. Merci de votre compréhension.

Un silence de mort accueillit la menace à peine voilée de Dart.

— Croyez bien que je regrette la gêne et la peur occasionnées par cet incident. Fort heureusement, il semble que l'exposition aux radiations ait été minime, voire inexistante chez certains d'entre vous. Je vous laisse à présent entre les mains expertes du docteur Berk en vous souhaitant à tous une bonne soirée.

Sur ces mots, il s'éclipsa.

Le médecin se pencha sur son porte-bloc à pince.

— Voyons… Nous allons procéder par ordre alphabétique, proposa-t-il sur un ton de moniteur de colonie de vacances. Sergent Adair et inspecteur Corley, si vous voulez bien me suivre ?

Des interjections étouffées s'élevèrent des entrailles de l'immense centre de décontamination. En balayant l'assistance du regard, Gideon constata que le membre des Swat qui avait perdu son sang-froid lors du transfert était absent. Il crut reconnaître sa voix.

La porte s'écarta brusquement et Myron Dart pénétra à nouveau dans la pièce, accompagné de Manuel Garza. Le directeur du Sun paraissait fort mécontent.

— Monsieur Crew ?

Son regard se posa sur Gideon, donnant l'impression de le reconnaître.

Le jeune scientifique se leva.

— Allons-y, fit Garza en s'approchant.

— Mais...

— Pas de discussion.

Gideon s'empressa d'emboîter le pas à Garza. Quand il passa devant Dart, celui-ci lui adressa un sourire glacial.

— Vous avez des amis pour le moins intéressants, monsieur Crew.

9

Perdu au milieu des embouteillages, Garza gardait le silence, les yeux rivés sur le volant. La nuit était tombée et les rues de New York composaient un festival de néons, de rumeurs et de gens. Gideon, imperméable à l'hostilité muette de son compagnon, réfléchissait à la confrontation qui l'attendait. Car il savait déjà ce que Glinn allait lui demander.

À sa mort, son père travaillait pour l'Inscom, le centre de renseignement de l'armée américaine, au sein des équipes chargées d'imaginer de nouveaux systèmes de cryptage. Un beau jour, les hauts responsables du service avaient hâtivement lancé un nouveau chiffre que les Soviétiques avaient réussi à décoder en moins de quatre mois. Cet exploit leur avait permis d'arrêter en une nuit vingt-six agents infiltrés, tous torturés et passés par les armes dans la foulée. Ce triste épisode était entré dans les annales comme l'un des fiascos les plus terribles de la guerre froide, et le père de Gideon en avait été jugé responsable. Anéanti par une telle injustice, il avait craqué sous le poids des accusations et s'était emparé d'un otage dans l'espoir de rétablir la vérité. Ce coup d'éclat lui avait été fatal, il avait péri sous les balles d'un tireur d'élite au moment où il se rendait.

Gideon, témoin de cette scène terrible, avait traversé des années difficiles après le drame. Sa mère s'était mise à boire et les hommes se succédaient dans son lit. La mère et le fils déménageaient constamment, selon que la première changeait de compagnon ou que le second se faisait renvoyer du lycée. À mesure que les économies laissées par Crew père s'épuisaient, ils étaient passés d'une maison à un appartement, puis à un mobile home, avant de finir dans des pensions et des motels miteux. De ces années, Gideon avait conservé le souvenir d'une mère vissée à la table de la cuisine avec les *Nocturnes* de Chopin en fond sonore, un verre de chardonnay à la main, perdue au milieu d'un épais nuage de fumée de cigarette, le visage ravagé et le regard terne.

Gideon s'était consolé en entretenant sa passion pour les mathématiques, la musique, la peinture et la littérature. À dix-sept ans, un énième déménagement l'avait conduit avec sa mère à Laramie, dans le Wyoming. Un jour d'école buissonnière, il avait trouvé refuge dans les locaux de la société d'histoire locale, persuadé que personne ne penserait à venir le chercher dans un lieu aussi improbable. La Société d'histoire avait ses quartiers dans une vieille demeure victorienne dont les pièces poussiéreuses regorgeaient de reliques de l'époque du Far West : des six-coups avec lesquels avaient été abattus d'obscurs hors-la-loi, des objets indiens, des curiosités ayant appartenu à des pionniers anonymes – éperons rouillés et autres couteaux de chasse –, ainsi qu'une mine de dessins et de tableaux.

Gideon avait élu domicile dans une pièce isolée qui lui servait de cabinet de lecture. Après qu'il eut passé tant d'heures dans ce décor, son attention avait été attirée par une petite gravure sur bois, perdue au milieu de la masse des œuvres accrochées de guingois aux murs. Cette gravure, intitulée *Trois pins*, était l'œuvre d'un certain Gustav Baumann dont il n'avait jamais entendu parler. Elle figurait un bosquet de résineux rabougris poussant sur une crête désolée. À force de le contempler, Gideon avait éprouvé pour ce dessin dépouillé une véritable fascination : de façon remarquable, presque miraculeuse, l'artiste avait su donner à ces trois pins une dignité et une noblesse inattendues.

De ce jour, cette pièce oubliée de la Société d'histoire de Laramie était devenue son refuge de prédilection. Personne ne venait jamais le déranger là, au point qu'il y grattait tranquillement sa guitare sans que la vieille dame sourde de l'accueil l'entende.

De façon inexplicable, Gideon était tombé amoureux de ces arbres difformes.

Et puis sa mère avait perdu son boulot. À la perspective de devoir déménager une fois de plus, Gideon n'avait pu se résoudre à dire adieu à cette gravure.

Aussi avait-il pris la décision de la voler.

L'excitation ressentie ce jour-là tenait davantage de l'euphorie que de la peur, d'autant que l'opération s'était révélée d'une facilité déconcertante. Quelques questions innocentes lui avaient permis de s'assurer que le bâtiment était dépourvu de système d'alarme ; quant au catalogue des collections, personne ne le consultait jamais. Choisissant un jour particulièrement glacial, Gideon était arrivé dans la vieille maison muni d'un petit tournevis à l'aide duquel il avait décroché la gravure avant de la glisser sous son épais manteau. Il s'était alors éclipsé après avoir pris la précaution d'essuyer le mur à l'endroit où la poussière trahissait l'emplacement du cadre, et de déplacer légèrement deux autres œuvres afin de dissimuler à la vue les trous laissés par les vis disparues. L'opération n'avait pas duré cinq minutes et personne ne remarquerait jamais l'absence de ces trois pins. Un crime parfait, dont Gideon s'absolvait au prétexte que nul ne prêtait attention à une œuvre que la Société d'histoire laissait croupir dans un coin obscur. L'adolescent avait même trouvé son acte vertueux, à l'image d'un père de famille adoptant un orphelin abandonné de tous.

Ce premier larcin lui avait procuré une sensation délicieuse. Le cœur battant, tous les sens aux aguets, il s'était senti revivre pour la première fois depuis des années. L'espace de quelques semaines, le monde ne lui avait plus semblé aussi terne.

À peine installé à Stockport, dans l'Ohio, il avait accroché la gravure au-dessus de son lit sans que sa mère lui adresse la moindre observation. Sans doute n'avait-elle même pas remarqué sa présence.

Gideon, persuadé que l'œuvre n'avait aucune valeur marchande, était tombé des nues quelques mois plus tard en découvrant, dans des catalogues de ventes aux enchères, que des gravures similaires, signées du même artiste, atteignaient six ou sept mille dollars. Sa mère traversait une mauvaise passe financière et il avait eu la tentation de la vendre, avant de s'apercevoir qu'il était incapable de s'en séparer.

D'ailleurs, l'heure était venue de nourrir sa nouvelle passion.

Jetant son dévolu sur le musée de Muskingum où était exposée une jolie collection de dessins, de gravures et d'aquarelles, il avait volé l'une de ses œuvres préférées, une lithographie de John Steuart Curry intitulée *L'Homme des plaines*.

Une paille.

L'œuvre, tirée à deux cent cinquante exemplaires, était impossible à identifier, et donc facile à vendre au grand jour. Internet était en plein essor, facilitant les contacts et l'anonymat. Gideon avait tiré huit cents dollars de sa lithographie, et sa carrière de voleur dans les musées et les sociétés d'histoire avait pris son envol. De ce jour, sa mère n'avait plus jamais connu de fins de mois difficiles. Gideon s'inventait des petits boulots obscurs dont elle ne questionnait jamais l'existence, hébétée par l'alcool et pressée par la faim.

Gideon volait pour vivre. Il volait aussi par amour de certaines œuvres, et plus encore pour gratifier son besoin de sensations fortes. Dérober un tableau le faisait planer mieux qu'aucune drogue, lui procurant une sensation de supériorité qui l'élevait au-dessus de la masse.

Tout en ayant conscience de la prétention d'un tel raisonnement, pourquoi aurait-il résisté à la tentation de l'interdit dans un monde aussi pervers ? Il ne faisait de mal à personne. À l'instar de Robin des Bois, il prenait des œuvres mal-aimées à des institutions mal gérées afin de les mettre entre les mains d'individus sensibles à leur beauté.

Au sortir d'une courte expérience universitaire, Gideon s'était installé en Californie où il avait consacré tout son temps au pillage de musées, bibliothèques et autres sociétés d'histoire locales, ne revendant le produit de ses larcins qu'en cas de besoin.

Son destin avait basculé le jour où l'administration d'un hôpital de Washington lui avait annoncé par téléphone que sa mère était en fin de vie. Sur son lit de mort, elle lui avait alors révélé la vérité : non seulement son père était innocent du crime qu'on lui imputait, mais c'était même lui qui avait attiré l'attention de sa hiérarchie sur les dangers du nouveau code utilisé par les services de renseignement. Lorsque ses prédictions s'étaient révélées exactes, on lui avait fait porter le chapeau, à l'initiative du général en charge du projet litigieux. Celui-là même qui avait donné l'ordre de l'abattre alors qu'il se rendait.

Son père avait servi de bouc émissaire avant d'être assassiné.

Gideon s'était littéralement métamorphosé en apprenant la vérité. Cette révélation lui avait fourni le sens qu'il cherchait à donner à sa vie depuis tant d'années. Transformé, il était rentré dans le rang en faisant des études, couronnées par une thèse de physique qui lui avait permis d'intégrer Los Alamos. Dans le même temps, en arrière-plan de ses activités officielles, il n'avait jamais renoncé à rechercher des preuves afin de réhabiliter son père et punir le général responsable de son assassinat.

Il lui avait fallu des années pour assouvir cette vengeance, mais sa patience avait été récompensée. Le général mort, son père pouvait reposer en paix.

Pourtant, si la vengeance soulage, elle ne ramène pas les disparus à la vie, pas plus qu'elle ne rend les années perdues et ne répare les destins brisés. Gideon en avait pris son parti, décidé à profiter de l'existence, jusqu'à l'annonce, un mois plus tôt, d'une nouvelle catastrophique.

On lui avait révélé qu'il était atteint d'une affection rare, un « anévrisme de l'ampoule de Galien ». En termes simples, il s'agissait d'une malformation des artères et des veines du cerveau. Inopérable, impossible à traiter, la maladie lui laissait moins d'un an à vivre.

Du moins était-ce l'opinion d'Eli Glinn, l'homme qui lui avait confié sa première mission[1].

Il me reste moins d'un an à vivre...

À mesure que Garza, empêtré dans les embouteillages, se rapprochait du siège d'Effective Engineering Solutions sur la 12ᵉ Rue Ouest, Gideon devinait confusément que Glinn souhaitait lui voler un peu du répit

---

1. Le détail de ces éléments est raconté dans *R pour Revanche* (L'Archipel, 2012). *(Toutes les notes sont du traducteur.)*

que lui accordait l'existence en lui confiant une nouvelle mission. Sans savoir comment le patron d'EES comptait s'y prendre, il comprenait déjà que l'affaire était liée au drame dont venait d'être victime Chalker.

Gideon se promit d'afficher la plus grande fermeté. Pas question de se laisser piéger. Et si Glinn refusait de se laisser convaincre, il lui dirait d'aller au diable.

10

Il était minuit lorsque les deux hommes regagnèrent le siège d'EES. Gideon se sentit immédiatement happé par l'atmosphère feutrée de l'imposante cathédrale blanche. Même à cette heure tardive, des nuées de scientifiques s'activaient autour de maquettes étranges, de plans incompréhensibles, de tables couvertes d'appareils mystérieux. Garza l'entraîna jusqu'à l'ascenseur qui les conduisit au dernier étage avec une lenteur exaspérante. Quelques instants plus tard, il retrouvait la salle de réunion. Eli Glinn trônait à sa place habituelle dans son fauteuil roulant, à l'extrémité de l'immense table en bois de bubinga. La fenêtre près de laquelle Gideon se tenait quelques heures plus tôt était désormais obscurcie par un store.

— Café ? lui proposa son hôte dont l'œil valide pétillait malicieusement.

— Oui, soupira Gideon, épuisé, en se laissant tomber dans un fauteuil.

Garza quitta la pièce en affichant une mine courroucée et revint quelques minutes plus tard, un mug à la main. Gideon y ajouta du lait et du sucre avant de le vider d'un trait.

— J'ai de bonnes nouvelles et de moins bonnes nouvelles, commença Glinn.

Gideon tendit le dos.

— La bonne nouvelle est que vous avez été fort peu exposé aux radiations. À en croire les statistiques, la dose reçue devrait accroître de moins d'un pour cent vos chances de mourir d'un cancer au cours des vingt prochaines années.

Gideon accueillit la nouvelle avec un rire amer qui se répercuta sur les murs nus de la pièce. Personne ne crut bon de l'imiter.

— La mauvaise nouvelle est que nous sommes confrontés à un problème de sécurité nationale d'une extrême gravité. Reed Chalker a visiblement été irradié lors d'un accident de criticité en manipulant des matériaux fissiles. Il a été touché par un mélange de particules alpha et de rayons gamma, liés à ce qui est très certainement une bombe à uranium 235. On estime la dose des radiations à 80 gray, soit 8 000 rad. Il s'agit donc d'une dose *massive*.

Gideon se redressa sur son siège, ébahi.

— Je suis heureux de constater que vous prenez la mesure du désastre, approuva Glinn. Dix kilos de matériaux fissiles suffiraient à peine à provoquer des dégâts aussi importants. C'est-à-dire beaucoup plus que n'en nécessite la fabrication d'un engin nucléaire normal.

Gideon accusa le coup. C'était pire que tout ce qu'il avait imaginé.

Glinn lui laissa le temps de digérer l'information avant de reprendre :

— Il est probable que Chalker fabriquait une bombe nucléaire en prévision d'une attaque terroriste lorsque l'accident est survenu. Il aura été gravement irradié. Nos experts sont également convaincus que les terroristes avec qui il travaillait étaient persuadés qu'il allait mourir et l'ont abandonné à son sort en emportant la bombe avec eux. À ceci près que les radiations tuent lentement et qu'il n'est pas mort aussi vite qu'ils l'espéraient. Frappé de folie, il a pris ces gens en otages. Nous n'en savons pas davantage.

— Avez-vous pu déterminer le lieu où il fabriquait cette bombe ?

— C'est notre priorité. L'endroit est forcément proche du quartier de Sunnyside où s'est déroulée la prise d'otages, puisqu'il s'y est rendu à pied. Des appareils de détection des radiations survolent actuellement la ville. Nous ne devrions pas tarder à obtenir des résultats, sachant qu'un accident de criticité de ce type aura nécessairement laissé une signature radioactive dans l'atmosphère.

Pour un peu, Glinn se serait frotté les mains.

— Vous qui connaissiez Chalker, Gideon…

— Non, le coupa le jeune chercheur en se levant.

Il était temps de lui mettre les points sur les *i*.

— Acceptez au moins de m'écouter jusqu'au bout. Vous êtes l'homme de la situation, et vous le savez. En outre, il n'est plus question de vous confier une mission secrète comme la dernière fois. Vous serez libre d'agir au grand jour.

— Pas question.

— Vous ferez équipe avec Fordyce. La direction de l'Agence de sûreté nucléaire l'exige. Cela dit, vous disposerez d'une grande marge de manœuvre.

— Je refuse.

— Donnez l'impression de travailler avec Fordyce, tout en sachant que vous agirez seul, sous votre seule autorité. Libre à vous de vous affranchir du cadre de la loi chaque fois que bon vous semblera.

— J'ai déjà fait un effort en acceptant de parler à Chalker, rétorqua Gideon. Au cas où vous ne l'auriez pas remarqué, j'ai merdé et trois personnes ont été tuées ou blessées par balle. Que ça vous chante ou non, je rentre chez moi.

— Vous n'avez commis aucune erreur et vous ne pouvez pas rentrer chez vous. C'est une question de jours, peut-être d'heures. Gideon, *des millions de vies humaines sont en jeu*. Voici l'adresse où vous êtes attendu, précisa-t-il en fourrant une feuille de papier dans la main de Gideon. Pas une minute à perdre. Fordyce vous attend.

— Allez vous faire foutre, mon vieux. Et je ne mâche pas mes mots. *Allez vous faire foutre !*

— Assez tergiversé, l'arrêta Glinn avant d'ajouter, après une légère hésitation : Vous croyez qu'il est vraiment utile d'occuper les quelques mois qui vous restent en allant à la pêche ?

— J'y ai réfléchi, figurez-vous. Cette mort annoncée, cette maladie incurable ! Vous êtes le plus grand bluffeur que j'aie jamais rencontré. Si ça se trouve, cette histoire est un bobard de première signé Eli Glinn. Comment savoir si les radios que vous m'avez fournies sont bien les miennes ? Le nom du patient en a été soigneusement découpé.

Glinn secoua la tête.

— Au fond de vous, vous savez que je disais la vérité.

Gideon s'empourpra sous l'effet de la colère.

— Attendez une minute ! Pourquoi moi, quand vous disposez du NYPD, du FBI, du Sun et de la CIA, sans compter tous les services secrets ? Je rentre chez moi, point barre.

— Vous mettez le doigt sur la difficulté, rétorqua Glinn d'une voix qui trahissait son énervement, en tapant sur la table de sa main mutilée. La réaction de tous les services officiels est disproportionnée par rapport à l'adversaire. Tous nos calculs de psycho-ingénierie indiquent que ces agences seront incapables de prévenir l'attaque, tout bonnement parce qu'elles se neutraliseront réciproquement.

— Vos calculs de psycho-ingénierie ! répéta Gideon sur un ton sarcastique. Que du vent !

Il atteignait la porte lorsque Garza se planta devant lui, une moue dédaigneuse aux lèvres.

— Écartez-vous.

Les deux hommes s'affrontèrent du regard, jusqu'à ce que Glinn siffle la fin de la récréation.

— Manuel, laissez-le sortir.

Garza s'écarta avec une lenteur agressive.

— Rendez-moi un dernier service lorsque vous arpenterez les rues de la ville, reprit Glinn. Observez les visages des gens que vous croiserez et pensez un instant aux bouleversements qui les attendent.

Gideon poussa précipitamment la porte pour ne plus l'entendre. Quelques instants plus tard, il enfonçait d'un doigt rageur le bouton de l'ascenseur, qui entama sa descente avec une lenteur insoutenable. Parvenu au rez-de-chaussée, il traversa au pas de course l'immense salle et remonta le couloir jusqu'au sas d'entrée. Un grésillement lui signala l'ouverture électronique de la porte.

Un peu plus loin dans la rue, il avisa un hôtel branché devant lequel attendaient plusieurs taxis. Pourquoi perdre de précieuses minutes à récupérer ses bagages ? Le mieux était encore de se rendre directement à l'aéroport, de rentrer au Nouveau-Mexique et de se terrer dans son cabanon en attendant que tout soit consommé. Il avait assez donné.

Il atteignait le premier taxi lorsqu'il fut pris d'une hésitation en voyant le ballet des bobos qui entraient et sortaient de l'hôtel. Se souvenant de la requête de Glinn, il les trouva répugnants. Qu'ils crèvent tous ! Lui-même vivait bien avec une épée de Damoclès au-dessus de la tête, pourquoi pas eux ?

Voilà pour Glinn.

Le cours de ses pensées fut interrompu par l'arrivée d'un homme en smoking, visiblement éméché, qui prit un malin plaisir à lui ravir son taxi en le repoussant d'une bourrade. Le type claqua la portière et passa la tête par la fenêtre en affichant un large sourire parfumé à l'alcool.

— Désolé, mon vieux. Il ne faut jamais hésiter dans la vie, c'est mauvais pour la santé... Bon retour dans l'Iowa !

Le type partit d'un grand éclat de rire et le taxi s'éloigna en laissant dans son sillage un Gideon abasourdi.

« Pensez un peu aux bouleversements qui les attendent. »

Les paroles de Glinn résonnèrent une nouvelle fois dans sa tête. Le monde, les gens, l'abruti qui venait de l'insulter méritaient-ils d'être sauvés ? La méchanceté bête de cet imbécile en smoking le frappait bien davantage que n'aurait pu le faire la gentillesse désintéressée d'un inconnu serviable. Le type ne manquerait pas d'amuser ses copains traders, le lendemain matin, en leur racontant la mésaventure du pauvre cul-terreux à qui il avait piqué son taxi. Après tout, tant mieux. Qu'ils aillent tous au diable. C'était la preuve qu'ils ne méritaient pas d'être sauvés. Que ces connards se démerdent tout seuls pendant que Gideon se reposerait tranquillement dans son cabanon des monts Jemez.

Sa pensée à peine formulée, il fut pris de remords. De quel droit jugeait-il ses semblables ? L'humanité n'était pas uniforme. S'il se retirait dans son cabanon et que New York fût rayé de la carte par une bombe nucléaire, comment réagirait-il ? Personne ne pourrait le tenir responsable d'une telle catastrophe, bien sûr. Mais en fuyant ses responsabilités, il tombait encore plus bas que l'enfoiré en smoking.

Qu'il lui reste onze mois ou un demi-siècle à vivre, chaque jour serait pour lui une punition.

Il hésita un long moment. Puis, bouillant de rage et de frustration, il rebroussa chemin et remonta la 12ᵉ Rue Ouest jusqu'à la porte anonyme d'Effective Engineering Solutions. On aurait pu croire que Glinn l'attendait, car le battant s'ouvrit à l'instant précis où il arrivait.

11

La dépouille de Chalker reposait sur une table en porcelaine enfermée dans un grand cube de verre, telle une
offrande à un dieu des hautes technologies. Le corps,
ouvert en deux lors de l'autopsie, présentait un tableau
rouge sang sur fond d'acier brossé, de verre et de
chrome. Le cœur, le foie, l'estomac et d'autres organes
dont Gideon préférait ne rien savoir étaient disposés
tout autour du cadavre. Cette intimité avec les
entrailles d'un homme qu'il avait bien connu était infiniment plus dérangeante que n'importe quelle photo-
graphie macabre de victime à la une d'un tabloïd.

Les effets personnels de Chalker étaient alignés près
du corps : ses vêtements, son portefeuille, ses clés, sa
ceinture, ses cartes de crédit, ses papiers, de la menue
monnaie, de vieux tickets, un Kleenex... tous soigneusement étiquetés. Et tous radioactifs.

Installés derrière un pupitre, médecins et techniciens
actionnaient les huit bras robotisés, équipés d'instruments divers (scalpels, forceps, scies, écarteurs, burins,
pinces et autres outils de dissection), que l'on voyait
s'agiter derrière la paroi transparente. Le travail, très
avancé, n'était pas tout à fait terminé.

— Nous avons eu de la chance d'arriver avant la fin, remarqua Stone Fordyce en sortant un calepin de sa poche.

— C'est drôle, je pensais exactement le contraire, dit Gideon.

L'agent fédéral lui jeta un regard en coin et leva les yeux au ciel.

Surpris par un crissement aigu, Gideon vit s'agiter un bras robotisé muni d'une scie circulaire. La lame s'approcha du crâne de Chalker, accompagnée par le murmure des techniciens.

— Si Torquemada avait connu ce genre d'engin de torture, je suis sûr qu'il aurait adoré.

— Nous arrivons pile poil pour l'extraction du cerveau, remarqua Fordyce.

Il s'humecta l'index et feuilleta son calepin, à la recherche d'une page vierge.

La scie émit un crissement étouffé en pénétrant dans la boîte crânienne. Un liquide noirâtre s'écoula aussitôt le long de la gouttière courant le long de la table d'autopsie. Gideon détourna le regard, feignant de s'intéresser aux documents rangés dans son attaché-case. Au moins la cage de verre le protégeait-elle des odeurs…

— Agent Fordyce ? Professeur Crew ?

Gideon releva la tête. Un technicien avec de grosses lunettes et une queue-de-cheval, un porte-bloc à la main, leur lançait un regard interrogateur.

— M. Dart est prêt à vous recevoir.

Ravi de l'interruption, Gideon suivit le nouveau venu jusqu'à un box situé à l'extrémité de la pièce. Fordyce leur emboîta le pas, grommelant son mécontentement à l'idée de rater la fin de l'autopsie.

Les deux enquêteurs découvrirent une pièce sobre de trois mètres sur quatre. Dart, installé derrière un petit bureau couvert d'épais dossiers, se leva et tendit la main à Fordyce, puis à Gideon.

— Asseyez-vous, je vous en prie.

Des chaises pliantes attendaient les deux hommes face à leur hôte, qui profita de l'intermède en organisant méticuleusement ses dossiers. La maigreur de son visage laissait deviner la forme de son crâne ; quant à ses yeux, très animés, ils brillaient au fond d'orbites profondément creusées. À l'époque où il travaillait à Los Alamos, Dart jouissait d'une réputation particulière liée à son parcours. Médecin modèle issu de la prestigieuse université CalTech, il avait intégré les rangs de l'armée à l'époque de l'opération Tempête du désert où son ardeur au combat lui avait valu deux Silver Stars et un Purple Heart.

Le directeur du Sun leva la tête de ses dossiers.

— J'ai cru comprendre qu'on vous avait confié une mission un peu particulière.

Fordyce acquiesça.

— En ma qualité de responsable du Service d'urgence nucléaire, poursuivit Dart, j'ai déjà fourni toutes les informations nécessaires au FBI, mais il semble que vous souhaitiez en savoir davantage.

Gideon resta silencieux. Si quelqu'un devait en prendre pour son grade, autant laisser à Fordyce le soin de monter en première ligne et d'attirer sur lui les foudres des autorités gouvernementales.

— Nous travaillons indépendamment de tout organisme, précisa l'agent fédéral. À ce titre, nous vous sommes très reconnaissants d'accepter de nous recevoir, monsieur.

Il s'exprimait d'une voix aimable et douce, en homme qui connaît les règles du jeu.

Dart posa un regard aigu sur Gideon.

— D'après mes informations, vous êtes ici sur la requête d'une entreprise privée dont le nom n'a pas été divulgué.

Gideon hocha la tête.

— Il me semblait bien vous avoir reconnu. Nous nous sommes croisés à Los Alamos. Par quel concours de circonstances êtes-vous arrivé jusqu'ici ?

— C'est une longue histoire. Je suis actuellement en congé du laboratoire pour une durée indéterminée.

— Vous faisiez partie de la même équipe que Chalker, si je ne m'abuse.

À la façon faussement anodine dont Dart avait prononcé la phrase, Gideon se demanda jusqu'à quel point il connaissait son dossier.

— On a fait appel à moi dans l'espoir de l'apaiser... mais la manœuvre a échoué.

Gideon sentit le rouge lui monter aux joues.

Dart balaya l'argument d'un geste.

— J'en suis désolé. J'imagine que ce n'était pas facile. On me dit que vous avez pu sauver les deux enfants.

Gideon rougit de plus belle.

— Très bien, n'en parlons plus, conclut Dart en ouvrant un dossier.

Fordyce, calepin et stylo en main, était sur les starting-blocks. Gideon préféra écouter, sachant depuis ses années d'université que la prise de notes altérait sa vision globale d'un problème.

Dart s'exprimait sur un ton vif, tout en consultant les documents posés devant lui.

— L'autopsie et l'analyse des effets personnels de Chalker ne sont pas achevées, mais nous disposons de résultats préliminaires.

Fordyce entama une page de son calepin.

— La spectrométrie nucléaire des échantillons prélevés sur les mains de Chalker, tout comme leur analyse par activation neutronique, ont révélé la présence d'uranium 235 hautement enrichi au niveau des doigts et des paumes. Cet U-235 avait été manipulé depuis moins de vingt-quatre heures. Les vêtements de Chalker étaient contaminés par des isotopes radioactifs imprégnés notamment de cérium 144, de baryum 140, d'iode 131 et de césium 137. Il s'agit de produits de fission classiques, présents en cas d'accident de criticité impliquant de l'U-235. L'iode 131 ayant une durée de vie de huit jours, les niveaux élevés découverts sur Chalker nous ont permis de déterminer que l'accident était survenu il y a moins de vingt-quatre heures.

Dart se tourna vers Fordyce.

— Si vous avez du mal à suivre, monsieur Fordyce, le professeur Crew aura tout le loisir de vous fournir par la suite les explications utiles.

Il se replongea dans l'examen de ses documents.

— En procédant à l'inventaire du contenu de ses poches, nous avons découvert un ticket d'entrée au musée de l'Air et de l'Espace. Il était daté de vendredi dernier.

Fordyce s'empressa de gribouiller l'information.

— Si vous continuez comme ça, vous allez attraper une tendinite, le railla Gideon.

— Il était également en possession d'un billet de train acheté hier après-midi, un aller simple Washington-New York. Sur un morceau de papier figuraient les coordonnées d'un site Web, ainsi que plusieurs numéros de téléphone que nous sommes en train d'analyser.

Fordyce releva la tête.

— Quel site Web ?

— Je ne suis malheureusement pas autorisé à vous révéler cette information.

Son refus fut accueilli par un silence.

— Excusez-moi, insista Fordyce, mais j'avais cru comprendre que nous aurions accès à tous les éléments.

Dart posa sur lui deux yeux étincelants.

— Une enquête comme celle-ci nécessite certains cloisonnements. Chaque enquêteur dispose des éléments dont il a strictement besoin.

Il porta son regard sur Gideon.

— À titre d'exemple, on a refusé de me communiquer le nom de l'entité qui vous emploie. C'est ainsi.

Il ponctua sa phrase d'un sourire avant de poursuivre :

— Le contenu stomacal de Chalker nous indique qu'il avait pris son dernier repas aux environs de minuit. Potage au crabe, pain, jambon-frites, salade de laitue et tomate.

— Pas étonnant qu'il soit radioactif, remarqua Gideon.

Dart ne releva pas la boutade.

— Son portefeuille contenait deux cartes de crédit, un permis de conduire, sa carte professionnelle de Los Alamos et d'autres papiers du même ordre. Nos spécialistes les analysent à l'heure où je vous parle.

— Qu'a révélé l'autopsie ? s'enquit Fordyce.

— Les premiers résultats font apparaître des lésions au niveau de la thyroïde, ce qui est normal compte tenu de son exposition à l'iode 131. Cette dernière est un produit de fission de l'U-235, précisa-t-il à l'intention de Fordyce. Cela confirme que Chalker a été exposé à de petites doses de radioactivité avant même la survenue de cet accident.

— Sait-on depuis quand ? l'interrogea Gideon.

— Plus de onze jours, selon les examens de nécrose, ajouta Dart qui fouilla ses notes avant de reprendre : Nos analyses confirment une irradiation survenue lors d'un accident de criticité. Chalker a été exposé à une dose de 8 000 rad. L'épiderme et les organes internes présentent tous les symptômes afférents, avec des brûlures de rayons bêta et gamma. L'exposition a eu lieu de face, et les mains ont été les plus touchées. Les traces d'uranium hautement enrichi découvertes sur ses doigts indiquent qu'il manipulait la matière concernée au moment de l'accident.

— Il ne portait pas de gants ? s'étonna Gideon.

Dart le regarda.

— Non. C'est l'un des éléments qui nous intriguent le plus. Pour quelle raison ne portait-il pas de combinaison antiradiations ? Difficile à expliquer, sauf s'il se savait condamné.

La phrase se perdit dans un court silence que Dart rompit en refermant son dossier.

— Vous connaissez à présent l'ensemble des éléments que nous possédons pour l'heure.

— Si c'est le cas, le temps nous est compté, remarqua Gideon.

— Pour quelle raison ?

— Tout laisse à croire qu'il était en train de fabriquer la bombe.

— Qu'en savez-vous ? l'interrogea Fordyce en fronçant les sourcils.

— Le seul engin à la portée d'un groupe terroriste se présenterait sous la forme d'un fusil : au moment de la détonation, deux fragments d'U-235 lancés l'un contre l'autre à l'intérieur d'un cylindre provoquent une réaction nucléaire. Avec ce genre d'engin, il est indispensable de conserver les deux fragments bien séparés jusqu'au moment d'assembler la bombe. Les doses d'U-235 sont introduites dans la bombe juste avant la mise à feu, lorsque tout est prêt. Si jamais les deux doses entrent en contact trop tôt, elles atteignent le niveau de criticité en libérant une explosion de rayons gamma. C'est précisément ce qui est arrivé à Chalker.

— Si je comprends bien, vous êtes en train de nous dire que Chalker a fait une erreur de manipulation en voulant assembler sa bombe.

— Exactement.

— L'engin est donc inutilisable.

— Pas du tout. Il est sans doute dangereux, mais pas de quoi inquiéter l'auteur d'un attentat suicide.

L'accident de criticité aura provoqué des modifications au sein du cœur de l'engin, renforçant malheureusement son pouvoir détonant. La bombe est encore plus puissante qu'avant.

— Saloperie, grommela Fordyce entre ses dents.

— Excellent, professeur Crew, approuva Dart. Mes équipes sont arrivées à des conclusions identiques.

Fordyce s'interposa.

— Qu'a-t-on trouvé dans son ordinateur ? J'avais cru comprendre qu'il y en avait un dans son appartement.

— Son contenu est encrypté, nous n'avons pas encore réussi à extraire les informations du disque dur.

— Dans ce cas, le mieux serait de me laisser y jeter un coup d'œil. J'ai récemment participé à un stage de six mois au sein de l'unité de cryptologie du Bureau.

— C'est très aimable à vous, monsieur Fordyce, mais nous disposons des meilleurs spécialistes. Vos talents nous seront plus utiles ailleurs.

Fordyce laissa s'écouler un court silence avant de réagir.

— Sait-on quelle est leur cible ?

— Pas encore, répondit Dart en le regardant droit dans les yeux.

Fordyce prit une longue inspiration.

— Nous allons avoir besoin de visiter l'appartement de Chalker.

— Bien évidemment, une fois que les équipes du Sun en auront terminé.

Dart consulta un calendrier.

— Pas avant une quinzaine de jours, j'en ai peur. La liste des agences gouvernementales prioritaires est longue.

Gideon, qui s'attendait à ce que Fordyce rue dans les brancards, fut déçu de constater qu'il n'en était rien. Les deux hommes se levèrent.

— Puis-je vous dire un mot en tête à tête, monsieur Fordyce ? s'enquit Dart.

Gideon afficha sa surprise.

— Désolé, professeur Crew, réagit Dart. Vous n'avez pas votre place dans cette conversation.

⁂

Fordyce se demanda à quoi jouait le directeur du Sun en voyant Crew quitter la pièce. Dart lui donnait l'impression d'être droit dans ses bottes, mais Fordyce était bien placé pour savoir que chacun veille jalousement sur ses prérogatives au sein des agences gouvernementales. Lui-même avait toujours pris garde à n'abattre ses cartes qu'une fois connues celles de ses adversaires. Une stratégie qui lui avait permis d'éviter bien des pièges à l'intérieur du FBI.

La porte du petit bureau refermée, Dart croisa les doigts en regardant Fordyce.

— Je vous prierai de garder pour vous ce que je vais vous révéler. Je vous avoue franchement trouver étrange la mission qui vous a été confiée.

Fordyce opina.

— J'ai croisé la route du professeur Crew à Los Alamos. C'est un garçon extrêmement brillant pour qui j'ai le plus grand respect. Cela dit, il a la réputation de quelqu'un de solitaire qui s'affranchit volontiers des règles. Ses qualités intellectuelles et scientifiques ne font pas nécessairement de lui un enquêteur idéal. Je vous demanderai de le surveiller de près et de vous assurer qu'il ne parte pas... en vrille. C'est tout.

Tout au long de ce monologue, Fordyce avait veillé à conserver une expression neutre. Il était le premier à penser que Gideon ne se prenait pas pour de la merde. Dart n'avait pas tort sur ce point. D'un autre côté,

Fordyce faisait équipe avec Crew, ce qui était sacré à ses yeux.

— Très bien, monsieur.

Dart se leva.

— Merci, et bonne chance.

Fordyce quitta son siège à son tour et serra la main qu'on lui tendait.

12

Gideon ouvrit des yeux ronds en retrouvant le quartier de Sunnyside, au cœur de Queens. Il avait beau être 2 heures du matin, Fordyce avait été contraint de se garer à plusieurs rues de l'appartement de Chalker à cause de la quantité de véhicules de secours, de voitures officielles, de points de contrôle et de QG de campagne qui bloquaient les environs. Des flics pullulaient dans tous les coins en aboyant des ordres, entre deux postes de sécurité. Heureusement pour Gideon, le badge de Fordyce et son air mauvais leur permirent d'échapper à toutes les tracasseries.

Une forêt de barrières contenait la meute des journalistes, des photographes, des cameramen, des badauds et des riverains chassés de force de leurs maisons. La plupart de ceux-ci criaient leur mécontentement en agitant des pancartes improvisées. Par miracle, les autorités avaient réussi à garder secrète la présence de radiations, tout comme l'existence d'un groupe terroriste équipé d'un engin nucléaire.

Gideon ne se faisait guère d'illusion, la nouvelle finirait par s'ébruiter. Dieu sait comment réagirait le grand public le jour où il apprendrait la vérité.

En jouant des coudes à travers la masse des enquêteurs de tout poil, les deux hommes parvinrent à gagner le centre de commandement : trois caravanes disposées en U, leurs toits constellés de paraboles. Une unité de sécurité, comparable à celle d'un aéroport, filtrait tous ceux qui souhaitaient accéder à la portion de rue où s'agitaient des équipes en combinaison antiradiations, dans le voisinage immédiat de la maison de Chalker.

— Bienvenue dans la capitale mondiale du bordel, plaisanta Gideon.

Fordyce tendit la main à un collègue portant un blouson du FBI.

— Agent Fordyce, se présenta-t-il.

— Agent Packard, Unité des sciences du comportement.

— Nous voudrions accéder à l'appartement.

Packard émit un ricanement cynique.

— Faites la queue, comme tout le monde. Désolé.

— Il y en a pour longtemps ? insista Fordyce.

— Les six types qui s'y trouvent sont entrés il y a plus de trois heures, et une centaine d'autres attendent leur tour. Les secours étaient mieux organisés le jour du 11 Septembre, fit le type en secouant la tête. Tu fais partie de quelle unité ?

— Je travaille en liaison avec une société privée.

— Une société privée ? Putain, tu ferais mieux de prendre quinze jours de vacances à Hawaï et de revenir quand tu seras bronzé.

— Qui est autorisé à visiter le site en priorité ?

— Les gars du Sun, évidemment.

Gideon tapota l'épaule de Fordyce et désigna l'un des spécialistes en combinaison antiradiations.

— Vous ne connaissez pas l'adresse de son tailleur, par hasard ? murmura-t-il.

Fordyce fronça les sourcils, puis se tourna vers Packard.

— Où trouve-t-on des combinaisons ?

Packard lui montra une camionnette du menton.

— Là-bas.

— Merci, vieux frère, dit Fordyce en serrant chaleureusement la main de son collègue.

Gideon attendit de se trouver à l'écart pour poser la question qui lui brûlait les lèvres :

— Alors, vous êtes prêt à entrer en dissidence ? Face à des djihadistes armés d'une bombe nucléaire, il est hors de question d'attendre quinze jours.

Fordyce ne répondit pas, se contentant de se frayer un chemin en direction de la camionnette. À voir son visage impassible, Gideon ne pouvait que deviner les pensées de son coéquipier.

Une tente pleine de combinaisons et de masques avait été installée derrière le fourgon. Chacune des tenues était munie d'un appareil de mesure des radiations attaché à l'une des manches. Fordyce se glissa à l'intérieur de la tente, aussitôt imité par Gideon, et se dirigea vers un portant.

Un homme du Sun en uniforme s'approcha.

— C'est pour quoi ? demanda-t-il.

Fordyce lui accorda un regard candide en lui brandissant sous le nez le badge qu'il portait autour du cou.

— On a besoin d'entrer. Tout de suite.

— Combien de fois faudra-t-il vous dire que le tour du FBI viendra en temps utile ? s'énerva le type.

Fordyce le fusilla du regard.

— Personne du FBI n'a encore pénétré dans l'appartement ?

— Personne. Le Sun a besoin de temps. Le protocole en cas d'incident nucléaire nous donne la priorité.

Gideon comprit au silence buté de Fordyce qu'il allait devoir prendre la situation en main. Son coéquipier ne pouvait se permettre d'outrepasser les ordres s'il tenait à sa carrière, alors que Gideon n'avait rien à perdre.

— Dieu soit loué, soupira-t-il en choisissant une combinaison qu'il entreprit d'enfiler. Pas étonnant que Dart nous ait demandé d'aller seconder ses équipes.

Fordyce lui adressa un regard mortifère.

— Allez, dépêche-toi, poursuivit-il avec un sourire enjôleur. Tu connais Dart, il sera furax s'il ne trouve pas notre rapport sur son bureau demain à la première heure.

Le visage de l'employé du Sun se détendit.

— Désolé, je ne savais pas que vous interveniez à la demande du Sun.

— Pas de souci, le rassura Gideon en s'assurant du coin de l'œil que Fordyce jouait le jeu. Allez, Stone, on n'a pas toute la vie devant nous.

Après une dernière hésitation, l'agent fédéral saisit une combinaison, au grand soulagement de Gideon.

— Attendez, s'interposa le type du Sun. J'ai besoin de voir vos autorisations. Je dois aussi vous expliquer le fonctionnement des tenues.

Fordyce afficha un large sourire en remontant la fermeture Éclair de sa combinaison.

— Les papiers seront là dans un instant. Et ne vous inquiétez pas, on sait comment ça marche.

— Montrez-moi au moins vos papiers.

— Parce que vous vous imaginez qu'on va retirer tout ce bazar rien que pour vous montrer nos papiers ?

— Je ne peux pas vous laisser entrer comme ça.

Fordyce posa la main sur l'épaule de son interlocuteur.

— Comment vous vous appelez ?

— Ramirez.

— Très bien, Ramirez. Alors, passez-moi les respirateurs.

Ramirez obtempéra. Fordyce en tendit un à son compagnon.

— Dart nous a confié cette mission personnellement. Vous n'avez qu'à l'appeler si vous avez des questions.

— C'est-à-dire que... Dart n'aime pas tellement être dérangé pour rien.

Fordyce enfila son respirateur, mettant un terme à la conversation. Gideon fit de même et constata que le masque était équipé d'une radio. Il l'alluma, la régla sur un canal privé et fit signe à Fordyce de l'imiter.

— Vous m'entendez, Fordyce ?

— Cinq sur cinq, grésilla la voix de l'agent fédéral.

— Allons-y avant qu'il ne soit trop tard.

Ramirez se réveilla timidement en les voyant sortir de la tente.

— Je dois vraiment vérifier vos papiers.

Gideon releva son respirateur.

— On vous les montrera au moment de rendre les combinaisons. Sinon, vous n'avez qu'à appeler Dart. Mais faites gaffe, il est plutôt chatouilleux en ce moment.

— Tu parles, approuva Ramirez.

— Je vous laisse imaginer le tableau si on met des bâtons dans les roues des deux types à qui il a personnellement confié une mission.

Gideon remit le respirateur en place avant que Ramirez ait pu réagir. Le temps de franchir la dernière barrière et ils approchaient de la maison.

— Vous avez de la chance de travailler au FBI, ricana Gideon dans sa radio. Sauf que votre costard et votre badge ne vous servent à rien.

— Vous trouvez ça drôle ? s'énerva Fordyce. Depuis le temps que je suis en butte à toutes ces conneries, je peux vous dire qu'il n'y a pas de quoi en rire. Si jamais on me pose la question, je dirai à qui veut l'entendre que c'était votre idée.

**

Les deux hommes descendirent au sous-sol de la petite maison où se trouvait l'appartement dans lequel Chalker vivait depuis deux mois : une pièce minuscule attenante à l'entrée, une cuisine et une salle de bains de fortune, ainsi qu'une chambre qu'éclairait une unique fenêtre. Le lieu, d'une propreté impeccable, sentait le désinfectant. Six hommes du Sun s'activaient avec précaution, divers appareils de mesure à la main, en procédant à des prélèvements de fibres et de poussière. Un de leurs collègues prenait des photos.

La première pièce était vide, à l'exception d'un paillasson sur lequel étaient alignées plusieurs paires de claquettes, à côté d'un magnifique petit tapis persan.

Gideon s'arrêta, surpris de découvrir un objet aussi beau dans ce cadre médiocre.

— C'est un tapis de prière, lui expliqua Fordyce dans sa radio. Il est dirigé vers La Mecque.

— Bien sûr ! Vous avez raison.

Le seul meuble de la pièce était un lutrin sculpté sur lequel était ouvert un coran. Fordyce constata qu'il s'agissait d'une édition bilingue, en anglais et en arabe. L'ouvrage, traversé de nombreuses ficelles marque-page, avait abondamment servi.

Curieux de savoir quels étaient les passages préférés de Chalker, Gideon se pencha sur le livre saint. Un verset souligné attira instantanément son attention :

T'est-il parvenu, le récit de l'enveloppante ?
Ce jour-là, il y aura des visages humiliés,
Préoccupés, harassés.
Ils brûleront dans un feu ardent,
Et seront abreuvés d'une source bouillante.

Il se tourna vers Fordyce, qui s'intéressait au même passage, et acquiesça lentement.

L'agent fédéral lui désigna la cuisine et s'y rendit pour l'examiner en détail. Elle était aussi propre et dénudée que le reste de l'appartement. Chaque objet se trouvait à sa place.

— Vous croyez qu'on peut ouvrir le frigo ? demanda Gideon à son compagnon.

— Le mieux est encore de ne pas poser la question.

Gideon tira la porte et découvrit une brique de lait, un paquet de dattes séchées, un reste de pizza dans sa boîte, du fromage, des plats chinois à emporter... Le congélateur contenait des côtes d'agneau, de la glace Ben & Jerry's, ainsi qu'un sac d'amandes. Gideon refermait le battant lorsqu'il remarqua un calendrier orné d'une photo du Taj Mahal, fixé sur la paroi du frigo à l'aide d'un aimant. Un certain nombre d'annotations manuscrites figuraient à des dates diverses. Gideon s'y intéressa de plus près, tandis que Fordyce tentait de déchiffrer les gribouillis par-dessus son épaule.

Les pages des mois écoulés étaient également constellées de notes et de rendez-vous.

— Putain ! murmura-t-il dans sa radio en laissant retomber les feuillets précédents. Vous avez vu ça ?

— Quoi ? s'étonna Fordyce. La suite est vierge, et alors ?

— Justement. Il n'y a plus une seule annotation après le 21 de ce mois.

— En clair ?

— En clair, ça ressemble furieusement au calendrier d'un kamikaze. Les rendez-vous de Chalker s'arrêtent dans exactement douze jours.

13

Quittant l'appartement sombre, Gideon cligna des paupières, aveuglé par les lampes à vapeur de sodium de la rue.

— Douze jours, répéta Fordyce en secouant la tête. Vous croyez qu'ils s'en tiendront à leur planning initial après ce qui s'est passé ?

— Je ne serais pas surpris qu'ils décident *d'avancer* l'échéance.

— Seigneur !

Un hélicoptère passa en rase-mottes au-dessus de leurs têtes, traînant dans son sillage une batterie de détecteurs de radiations. D'autres appareils, visibles dans la nuit grâce à leurs lumières, survolaient les divers quartiers de la ville.

— Ils cherchent le labo des terroristes, remarqua Fordyce. Quelle distance a pu parcourir Chalker, atteint comme il l'était ?

— Moins d'un kilomètre.

Ils atteignaient les barrières de sécurité lorsque Gideon retira son respirateur.

— On ferait mieux de garder ces combinaisons.

Fordyce le regarda droit dans les yeux.

— Je vais finir par croire que vous adorez foutre la merde.

— Il nous reste douze jours, alors autant la remuer.

— À quoi nous serviront ces tenues ?

— À pénétrer dans le labo des terroristes, que nous devons localiser le plus rapidement possible. Les entrepôts de Long Island City se trouvent de l'autre côté de Queens Boulevard, autant commencer par là. Vous me posiez vous-même la question il y a un instant : Chalker n'a pas pu aller très loin après son accident. Il devait à peine tenir debout.

Fordyce acquiesça. Quelques instants plus tard, les deux hommes rejoignaient leur voiture et se débarrassaient des tenues antiradiations sur la banquette arrière. Gideon prit la précaution de ne pas retirer son oreillette et de garder la radio dans sa poche, histoire de suivre les conversations des équipes du Sun.

Fordyce démarra. Ils traversaient lentement la foule des curieux, encore nombreux alors qu'il était 3 heures du matin, lorsqu'ils notèrent un changement inopiné dans le comportement des gens : ceux-ci refluaient soudain sous l'effet de la peur, voire de la panique. Les premiers cris éclatèrent, et les badauds se mirent à courir.

— C'est quoi ce bordel ? gronda Fordyce.

Gideon baissa sa vitre.

— Hé ! Vous !

Un ado en skateboard les dépassa à toute allure, suivi de quelques autres. Un personnage rubicond, le souffle court, s'agrippa à la poignée de la portière arrière.

— Que se passe-t-il ? lui cria Gideon.

— Laissez-moi monter ! hurla-t-il. Ils ont une bombe !

Gideon tenta de le repousser.

— Désolé, trouvez-vous un autre taxi.

— Ils veulent faire sauter la ville avec une bombe atomique ! insista l'inconnu en secouant la poignée. Laissez-moi monter !

— Qui ça ?

— Les terroristes ! Ils l'ont annoncé à la télé !

L'homme voulut lancer une jambe à l'arrière de l'auto, mais Gideon, plus rapide que lui, referma brutalement la portière tandis que Fordyce actionnait la fermeture automatique.

Le gros type tambourina à la vitre en laissant sur la vitre des traces moites.

— Il faut quitter la ville ! J'ai de quoi vous payer ! Aidez-moi ! Je vous en supplie !

— Ne vous inquiétez pas, tout ira bien ! lui cria Gideon à travers le carreau. Vous n'avez qu'à rentrer chez vous regarder *Dexter* !

Fordyce enfonça la pédale d'accélérateur et la voiture bondit en avant. Quelques minutes plus tard, elle traversait le boulevard à toute allure et s'enfonçait dans une petite rue d'un quartier industriel, loin de la foule paniquée. Les lumières des immeubles d'habitation voisins s'allumaient les unes après les autres.

— L'information n'aura pas été tenue secrète longtemps, remarqua Fordyce. On n'est pas au bout de nos peines.

— Il fallait bien que ça arrive, dit Gideon.

Dans son oreillette, les échanges se faisaient de plus en plus nombreux, à mesure que les gens paniqués sollicitaient les équipes en poste près de la maison irradiée.

La voiture remontait à présent Jackson Avenue, dans un décor morne de friches industrielles.

— Autant chercher une aiguille dans une botte de foin, déclara Fordyce. Nous n'y arriverons jamais seuls.

— Peut-être, mais il suffit qu'ils découvrent le labo en premier pour qu'on nous interdise d'y mettre les pieds. Surtout après notre petit numéro de tout à l'heure.

Un pli barra le front de Gideon.

— Il faudrait trouver une piste à laquelle personne d'autre n'a pensé.

— Une piste à laquelle personne d'autre n'a pensé ? Bonne chance ! rétorqua Fordyce en rebroussant chemin en direction de Queens Boulevard.

— Ça y est ! Je sais ! s'exclama brusquement Gideon.

— Quoi ?

— Nous n'avons qu'à nous rendre au Nouveau-Mexique, fouiller le passé de Chalker. La clé se trouve forcément là-bas. On ne trouvera jamais rien ici.

Fordyce fronça les sourcils.

— Sauf que tout se passe ici, et non au Nouveau-Mexique.

— Raison de plus pour laisser le champ libre à tous ces bureaucrates. Là-bas, au moins, on aura nos chances. Vous avez une meilleure idée ? ajouta-t-il.

Contre toute attente, Fordyce lui répondit par un grand sourire.

— L'aéroport de La Guardia est à moins de dix minutes d'ici.

Gideon ouvrit de grands yeux.

— Vous approuvez mon plan ?

— Absolument. Nous aurions même intérêt à partir tout de suite. Dans quelques heures, je doute qu'il reste un seul billet d'avion disponible au départ de New York.

Un hélicoptère survola la voiture, ses détecteurs à la traîne. Au même moment, une voix interrompit les échanges dans l'oreillette de Gideon.

— *Je viens de repérer une signature radioactive !*

La suite se perdit dans un déluge de voix, au milieu des grésillements.

— *… Pearson Street, près des garde-meubles…*

— Ils viennent de repérer un signal radioactif à hauteur de Pearson Street, s'exclama Gideon.

— Pearson Street ? Mais c'est au prochain carrefour !

— Nous serons les premiers sur place. Il était temps que la chance tourne en notre faveur.

Fordyce enclencha les quatre roues motrices et la berline s'engagea sur Pearson Street dans un long crissement de pneus. Plusieurs hélicoptères survolaient déjà le site, à la recherche de l'emplacement précis. Les premières sirènes hululèrent dans le lointain.

Pearson se terminait en cul-de-sac près des voies ferrées. Le dernier bâtiment de la rue, un garde-meubles, élevait sa silhouette massive en face d'un terrain vague débordant de détritus. La chaussée s'arrêtait au pied d'un entrepôt ferroviaire en piteux état.

— Là ! s'écria Gideon en pointant du doigt le vieux bâtiment.

Fordyce lui lança un regard dubitatif.

— Comment pouvez-vous savoir… ?

— Le cadenas a été forcé. Allons jeter un œil.

Fordyce arrêta le véhicule le long du trottoir. Le temps de récupérer les combinaisons à l'arrière et des lampes de poche dans la boîte à gants, les deux hommes rejoignaient l'entrepôt au pas de course. Le grillage qui l'entourait était crevé en de multiples endroits et ils n'eurent aucune peine à franchir l'obstacle. La porte coulissante était retenue par une chaîne, rendue inefficace par un cadenas brisé.

Gideon la fit glisser et Fordyce alluma sa torche avant de tendre sa sœur jumelle à son compagnon. Les deux faisceaux lumineux révélèrent une montagne de rails, de traverses, d'outils rouillés, ainsi que des monticules de gravier et de sel de neige.

Gideon avait beau scruter dans tous les coins, rien ne laissait supposer la présence d'un laboratoire secret.

— Vacherie, marmonna Fordyce. Le repaire des terroristes devait se trouver dans l'un des autres bâtiments devant lesquels nous sommes passés.

Gideon le fit taire d'un geste, les yeux rivés sur le sol crasseux. De nombreuses traces de pas signalaient le passage récent de plusieurs personnes. Les empreintes se dirigeaient toutes vers le fond du hangar, où se devinait dans la pénombre la grille d'un monte-charge. Gideon s'y précipita.

— Le bâtiment comporte un sous-sol, remarqua-t-il en se penchant sur les boutons de l'appareil.

Il les enfonça les uns après les autres, sans résultat.

En faisant courir autour de lui le rayon de sa lampe, Gideon repéra rapidement l'accès à l'escalier de secours. Il poussa la porte et découvrit des marches plongées dans l'obscurité.

Les sirènes étaient toutes proches à présent. Des portières claquèrent au milieu des échanges radio et des cris.

Guidés par leurs torches, les deux hommes gagnèrent le sous-sol. Dans la vaste pièce quasiment vide flottait une odeur âcre de plastique brûlé. En avançant, Gideon distingua une série de niches au fond desquelles gisaient des outils abandonnés.

Il s'approcha et un frisson lui parcourut l'échine.

— J'ai déjà vu ce genre d'équipement sur les vieilles photos du projet Manhattan exposées au musée de Los Alamos, expliqua-t-il à son compagnon. Des rails, des poulies et des cordes pour manipuler sans risque la matière radioactive. Un système rudimentaire, mais parfaitement efficace si vous avez l'âme d'un martyr et que vous vous moquez des radiations.

À mesure qu'il explorait les niches successives, il découvrait d'autres indices concordants : des coffrets en plomb, des écrans de protection, des boîtes vides de détonateurs, ainsi qu'un interrupteur à transistor cassé.

— Seigneur ! murmura-t-il, la gorge nouée. Ils ont tout ce qu'il faut pour fabriquer une bombe. Même un interrupteur à transistor, l'élément le plus difficile à se procurer après le plutonium.

— C'est quoi, ce truc ? s'écria Fordyce en montrant du doigt une cage et des restes de nourriture.

— On dirait une cage pour chien. Une grosse bête, à en juger par la taille de la caisse. Ils se servaient probablement d'un rottweiler ou d'un doberman pour éloigner les curieux.

Fordyce examinait méthodiquement chaque indice.

— Il reste des traces de radioactivité résiduelle importantes, fit remarquer Gideon en regardant le cadran de l'appareil accroché à sa manche.

Il tendit le doigt en direction d'une machine.

— C'est sans doute là qu'a eu lieu l'accident provoqué par Chalker. L'aiguille s'affole.

— Gideon ? Ça vous ennuierait de venir jeter un coup d'œil par ici ?

Gideon trouva Fordyce agenouillé près d'un tas de cendres. Des cris et des bruits de pas résonnèrent au-dessus de leur tête, signe que les spécialistes du Sun avaient pénétré dans le bâtiment.

Gideon se mit à genoux à côté de Fordyce en veillant à ne pas disperser les cendres. Les terroristes avaient entassé là documents, CD et DVD de données informatiques avant de les arroser d'essence et d'y mettre le feu. Fordyce tendit un doigt en direction d'un grand fragment resté intact. En se penchant, sa torche à la main, Gideon reconnut les restes d'un plan de Washington sur lequel avaient été portées des annotations en arabe. Plusieurs sites étaient entourés, à commencer par la Maison Blanche et le Pentagone.

— J'ai bien peur que nous n'ayons découvert leur cible, commenta Fordyce d'un air sombre.

Une petite troupe dévalait l'escalier de secours. Un groupe de techniciens en combinaison blanche se rua dans la pièce.

— Qui êtes-vous ? fit une voix dans la radio.

— L'équipe d'avant-garde du Sun, répondit Fordyce avec aplomb. Nous vous laissons sécuriser les lieux.

— Allons-y, approuva Gideon en devinant le signe que lui adressait Fordyce à la lueur de la torche.

14

Après avoir passé plus d'une heure au siège de l'antenne du FBI à négocier un véhicule et des frais de mission, Fordyce et Gideon quittaient Albuquerque en empruntant la route de Santa Fe. Les monts Sandia dessinaient leurs silhouettes majestueuses sur la droite tandis que les eaux du Rio Grande défilaient à gauche.

Un flot ininterrompu de voitures surchargées circulait en sens inverse.

— De quoi ont-ils peur ? s'étonna Fordyce.

— Ici, tout le monde sait qu'en cas de guerre nucléaire, Los Alamos sera la première cible visée par l'ennemi.

— Je veux bien, mais qui parle de guerre nucléaire ?

— Le jour où une bombe atomique explosera à Washington, Dieu sait quelle catastrophe se produira. Comment réagira le gouvernement si l'on apprend que les terroristes se sont procuré l'engin auprès du Pakistan ou de la Corée du Nord ? Vous imaginez peut-être qu'il n'y aura pas de représailles ? Il ne manque pas de scénarios possibles pour voir surgir un joli petit champignon au-dessus de ces collines. Trente kilomètres seulement séparent Los Alamos de Santa Fe, sans compter les vents qui remontent le plus souvent vers la ville.

Fordyce leva les yeux au ciel.

— Vous allez un peu vite en besogne, Gideon.

— Ce n'est pas l'avis de tous ces automobilistes.

— Quand je pense à tout ce temps perdu ! Il reste moins de onze jours avant le jour N, s'énerva Fordyce, usant de l'expression consacrée en cas d'attaque nucléaire.

Il poursuivit sa route en silence.

— Je déteste tous ces ronds-de-cuir, reprit l'agent fédéral. Je ferais mieux de me laver la tête.

Il sortit un iPod de son attaché-case, le brancha sur l'autoradio et chercha un enregistrement en se servant de la molette de l'appareil.

— Vous n'aimez pas la musique d'ascenseur, au moins ? demanda Gideon, inquiet.

La mélodie d'*Epiphany* retentit dans les haut-parleurs.

— Waouh ! fit Gideon, surpris. Un agent fédéral qui écoute Thelonious Monk ? Vous avez décidé de me chambrer ?

— Pourquoi ? Parce que je devrais écouter des cours du soir sur cassettes, peut-être ? Ne me dites pas que vous êtes fan de Monk.

— C'est le pianiste le plus génial de toute l'histoire du jazz.

— Que faites-vous d'Art Tatum ?

— Trop de notes, pas assez de musique, si vous voyez ce que je veux dire.

Fordyce avait une fâcheuse tendance à rouler vite. Alors que l'aiguille frisait les cent soixante kilomètres heure, il extirpa de la boîte à gants un gyrophare qu'il fixa d'un geste sur le toit de la voiture. Le ronflement de l'air par la fenêtre et le ronronnement des pneus sur l'asphalte tissaient un décor inattendu autour des arpèges et des accords explosifs de Monk.

Les deux hommes se plongèrent dans la musique.

— Vous qui connaissiez Chalker, parlez-moi de lui, finit par demander Fordyce. Quel genre de type était-ce ?

Gideon s'agaça que l'on puisse croire qu'il avait entretenu avec Chalker une relation d'amitié.

— Je ne sais pas quel « genre de type » c'était, pour reprendre votre expression.

— Que faisiez-vous à Los Alamos, tous les deux ?

Gideon s'enfonça dans son siège, histoire de se détendre, en constatant que la voiture restait collée derrière une file de véhicules ralentis par un semi-remorque. Fordyce déboîta au dernier moment, et l'appel d'air provoqué par le dépassement du camion secoua les tympans des deux passagers.

— Nous étions employés dans l'unité de gestion des stocks.

— C'est-à-dire ?

— Il s'agit d'une unité top secret. Les engins nucléaires vieillissent, comme n'importe quel type d'armement. Depuis l'annonce du moratoire sur les essais nucléaires, nous n'avons plus la possibilité de les tester. Notre boulot consiste à nous assurer par d'autres moyens qu'ils sont opérationnels.

— Super, grinça Fordyce. Quel était le rôle exact de Chalker dans tout ça ?

— Il simulait des explosions sur le calculateur du labo de façon à pointer du doigt les défaillances éventuelles des divers composants.

— Un boulot top secret ?

— Tout ce qu'il y a de plus top secret.

Fordyce se caressa le menton d'un doigt.

— Dans quel coin a-t-il grandi ?

— En Californie, si je ne m'abuse. Il parlait rarement de son passé.

— Comment était-il personnellement ? Au boulot, avec sa femme ?

— Il est arrivé à Los Alamos il y a une demi-douzaine d'années, fraîchement diplômé de l'université de Chicago où il avait soutenu sa thèse. Il venait de se marier et sa femme l'accompagnait. Une fille originaire du Sud, style baba cool New Age. Elle détestait Los Alamos et les problèmes ont commencé très tôt.

— Mais encore ?

— Elle n'a jamais caché sa haine du nucléaire, ni sa désapprobation du travail de son mari. En plus, elle avait tendance à picoler. Je me souviens d'une fête au bureau où elle avait trop bu. Elle dénonçait à tue-tête le complexe militaro-industriel et traitait tout le monde d'assassins en lançant tout ce qui lui tombait sous la main. Elle a trouvé le moyen de bousiller la voiture de Chalker et de se prendre plusieurs amendes pour conduite en état d'ivresse avant de perdre son permis. Chalker a tout tenté pour sauver son couple, mais sa femme l'a finalement quitté pour un autre type avec qui elle s'est installée à Taos dans une communauté New Age.

— Quelle sorte de communauté ?

— Un groupe extrémiste hostile au gouvernement. Ils vivent en autarcie en faisant pousser leurs propres tomates et leur herbe. Des gauchistes décalés, adeptes de la philosophe Ayn Rand et partisans du port d'armes.

— Ça existe ? s'étonna Fordyce.

— Dans le coin, croyez-moi, on trouve de tout. J'ai entendu dire que la femme de Chalker était partie en emportant ses cartes de crédit après avoir vidé son compte en banque, ce qui lui a permis de payer son ticket d'entrée dans la communauté. Chalker a fini par perdre sa maison il y a deux ans et il s'est mis en faillite personnelle, ce qui lui a joué des tours au boulot avec les services de sécurité. Du coup, il a été muté à un poste moins important.

— Comment a-t-il réagi ?

— Très mal. Il était complètement paumé. Il avait perdu toute confiance en lui, se contentait de vivre au jour le jour sans savoir où il allait. Il s'est beaucoup raccroché à moi. Il aurait voulu qu'on devienne amis. J'ai essayé de garder mes distances, mais ce n'était pas facile. On a déjeuné ensemble deux ou trois fois. Il était tellement seul, il lui arrivait de se joindre à nous quand on allait boire un verre après le boulot entre collègues.

Sur le compteur, l'aiguille approchait dangereusement les deux cents kilomètres à l'heure et la voiture tanguait terriblement. Le ronflement de l'air qui s'engouffrait par la vitre ouverte, ajouté au rugissement du moteur, avait définitivement noyé la musique.

— Comment occupait-il son temps libre ?

— Il prétendait vouloir devenir écrivain.

— Il écrivait ?

— Pas à ma connaissance.

— Et sur le plan religieux ? Avant sa conversion, je veux dire ?

— Il ne m'en a jamais parlé.

— Comment s'est-il converti ?

— Il me l'a raconté un jour. Il avait loué un hors-bord pour se promener sur le lac Abiquiu, au nord de Los Alamos. Quand il m'en a parlé, j'ai cru comprendre qu'il était dépressif et souhaitait en finir avec la vie. Quoi qu'il en soit, il a sauté par-dessus bord, ou bien il est tombé à l'eau, et le poids de ses vêtements l'a entraîné vers le fond. Il allait se noyer quand il a senti des bras musclés le remonter à la surface, tandis qu'une voix récitait dans sa tête : *Au nom d'Allah, le Clément, le Miséricordieux.*

— Il s'agit du premier verset du Coran.

— Il a trouvé la force de remonter dans son bateau, qu'un vent invisible avait miraculeusement ramené dans sa direction. En rentrant chez lui ce jour-là, il est passé devant la mosquée Al-Dahab, à quelques kilomètres du lac Abiquiu. L'incident était survenu un vendredi et c'était l'heure de la prière. Il s'est arrêté, les musulmans qui se trouvaient là l'ont accueilli à bras ouverts, et il s'est converti sur-le-champ.

— Drôle d'histoire.

Gideon acquiesça.

— Il s'est débarrassé de tout ce qu'il possédait pour vivre en ascète. Il faisait la prière cinq fois par jour, mais je dois avouer qu'il s'y prenait avec beaucoup de discrétion.

— Vous dites qu'il a tout donné ?

— Ses fringues inutiles, ses bouquins, ses bouteilles d'alcool, sa chaîne hi-fi, ses CD, ses DVD.

— À part ça, comment a-t-il changé ?

— Sa conversion semblait l'apaiser. Il paraissait nettement plus équilibré. Il travaillait mieux, se montrait enjoué. Il ne me collait plus comme avant, ce qui m'arrangeait bien. En un mot, il donnait l'impression d'avoir trouvé un sens à son existence.

— A-t-il cherché à vous convertir ?

— Jamais.

— Comment les services de sécurité de Los Alamos ont-ils réagi en apprenant qu'il était devenu musulman ?

— Ils n'ont rien dit. La religion n'est pas censée entrer en ligne de compte. Chalker a continué comme si de rien n'était. De toute façon, il n'avait plus accès aux secteurs protégés depuis qu'on l'avait rétrogradé.

— Aucun signe d'extrémisme chez lui ?

— À ma connaissance, il était apolitique. Jamais je ne l'ai entendu prononcer la moindre tirade hostile au système, ni même critiquer la guerre en Irak et en Afghanistan. Il restait en dehors de toute controverse.

— Ce n'est pas surprenant. Ces gens-là veillent soigneusement à ne jamais attirer l'attention sur eux.

Gideon haussa les épaules.

— Si vous le dites.

— Parlez-moi de sa disparition.

— Un beau matin, il n'est pas venu travailler. Personne ne savait où il était.

— Il s'était comporté différemment les temps précédents ?

— Je n'avais rien remarqué.

— Ce que vous me dites correspond en tout point au schéma habituel, murmura Fordyce en secouant la tête. Un vrai cas d'école.

Ils venaient de franchir La Bajada et Santa Fe leur apparut, au creux des monts Sangre de Cristo.

Fordyce fronça les sourcils.

— Je m'attendais à une ville plus grande.

— Croyez-moi, c'est déjà bien assez grand comme ça, réagit Gideon. Que fait-on, à présent ?

— Commençons par avaler un triple expresso brûlant.

Gideon fit la grimace. Il avait beau être amateur de café, il n'arrivait pas à la cheville de Fordyce.

— Je ne sais pas comment vous pouvez en ingurgiter autant. Vous allez finir avec un cathéter et une poche à urine, plaisanta-t-il.

— Je me contenterai de vous pisser dessus, rétorqua Fordyce.

15

La journée était bien avancée lorsque les deux hommes poussèrent la porte de Collected Works, une librairie-café de Galisteo Street connue pour la qualité de ses expressos. Gideon ne comptait plus les litres avalés par Fordyce, qui n'en avait pas moins passé l'après-midi à se plaindre de la piètre qualité du café local.

— Voilà ce que j'appelle du café ! soupira d'aise l'agent fédéral en vidant sa tasse d'un trait. En attendant, je commence à en avoir ma claque. On aurait été mieux inspirés de rester à New York. Impossible de faire un pas sans croiser des nuées d'enquêteurs. Nous n'avons pas avancé d'un pouce en quarante-huit heures. Vous avez pu jeter un coup d'œil à cette mosquée, au moins ?

— Impossible d'approcher. Ça n'aurait pas été pire si Ben Laden l'avait choisie pour retourner sur terre avec ses soixante-douze vierges.

Lorsque Gideon avait voulu se rendre dans le sanctuaire fréquenté par Chalker, un cirque inénarrable l'attendait : le dôme doré du bâtiment était à peine visible derrière la masse des voitures officielles, leur gyrophare allumé. Il avait bien demandé l'autorisation de visiter les lieux, mais sa requête s'était perdue dans les méandres de l'administration.

En règle générale, les deux hommes avaient été désagréablement surpris de découvrir Santa Fe au bord de la crise de nerfs. Sans atteindre le même degré de panique qu'à New York, l'inquiétude y était palpable.

Leur départ de la Grosse Pomme avait d'ailleurs été mouvementé. Ils avaient éprouvé les plus grandes difficultés à trouver un vol au départ de La Guardia lorsqu'ils avaient relié l'aéroport à l'aube. Le hall débordait de voyageurs affolés, pour la plupart sans billet, prêts à fuir par tous les moyens en dépit du chaos indescriptible qui régnait autour d'eux. À force d'agiter son badge sous les yeux de ses interlocuteurs, Fordyce avait obtenu de haute lutte deux billets pour le Nouveau-Mexique, en échange de la promesse d'assurer la sécurité des passagers sur le vol à destination d'Albuquerque.

Gideon savoura son café en laissant Fordyce ruminer sa mauvaise humeur. L'entraide entre services s'était révélée totalement inefficace. Non seulement les portes de la mosquée leur restaient fermées, mais ils n'avaient pu accéder ni au domicile de Chalker, ni à son bureau de Los Alamos. L'enquête était entièrement verrouillée par les équipes du Sun.

Au sein du FBI, seuls les agents agréés par Dart avaient les coudées franches. Le petit numéro de Gideon et Fordyce dans l'appartement de Chalker était parvenu aux oreilles de l'ancien médecin qui s'était empressé de les placer sur liste noire.

L'agent fédéral était aux toilettes lorsque la serveuse rousse s'approcha de la table où se trouvait Gideon.

— Je ressers votre ami ?

— Non, il est assez énervé comme ça. En revanche, je ne dirais pas non, répondit-il en tendant sa tasse avec un sourire enjôleur.

Elle s'exécuta avec grâce.

— Du lait ?

— Je vous laisse juge.

— Personnellement, je mets du lait dans mon café.

— Dans ce cas, je suivrai votre exemple. Avec beaucoup de sucre.

Le sourire de la jeune femme s'élargit.

— Beaucoup beaucoup ?

— Je vous arrêterai.

Fordyce, de retour, remarqua immédiatement le manège de Gideon.

— J'ai oublié de vous poser la question : les piqûres d'antibiotiques sont efficaces pour votre MST ? s'enquit-il en reprenant sa place.

La serveuse s'éclipsa sans demander son reste.

— Vous jouez à quoi ? s'agaça Gideon.

— On a du pain sur la planche. Vous ferez du gringue à la serveuse en dehors des heures de service.

Gideon poussa un soupir.

— Vous m'avez cassé la baraque.

— Il n'y avait pas grand-chose à casser, ricana Fordyce. À propos, vous serez gentil de troquer votre jean noir et vos baskets contre une tenue moins rock'n'roll. Votre accoutrement punk nous dessert dans le boulot.

— Je vous rappelle qu'on n'a pas eu le temps de boucler la moindre valise.

— Je compte sur vous pour enfiler un costume digne de ce nom demain. Si ça ne vous dérange pas trop.

— Ça me dérange, justement. C'est toujours mieux que votre look estampillé Quantico.

— Vous avez un problème avec mon look ?

— Si vous croyez que vous fringuer comme un agent du FBI pur et dur déliera les langues, vous vous trompez.

Fordyce secoua la tête d'un air impatient en faisant tinter sa tasse vide avec un crayon.

— Il doit bien y avoir un angle d'attaque auquel personne n'a pensé, finit-il par grommeler.

Son BlackBerry émit un bip pour la millième fois de la journée. Il le sortit de sa poche et laissa échapper un juron en lisant le message qui venait d'arriver.

— Ces connards du Sun n'ont toujours pas terminé d'éplucher les dossiers, grinça-t-il.

La vue du BlackBerry donna une idée à Gideon.

— Et si on regardait de près les fadettes de Chalker ?

Fordyce fit non de la tête.

— Encore faudrait-il y avoir accès. À cette heure, elles doivent se trouver sous bonne garde.

— Peut-être, mais j'ai ma petite idée. Chalker était une vraie tête de linotte, il était du genre à perdre son téléphone, quand il n'oubliait pas de le mettre en charge, de sorte qu'il passait son temps à emprunter ceux des autres.

Fordyce releva la tête, intrigué.

— Quels autres ?

— Un peu tout le monde, mais plus particulièrement celui de la fille qui travaillait dans le box voisin du sien.

— Son nom ?

— Mélanie Kim.

Un pli barra le front de l'agent fédéral.

— Kim ? Attendez un instant…

Il sortit de son attaché-case un dossier qu'il feuilleta.

— Elle figure sur la liste des témoins, ce qui signifie qu'on n'obtiendra jamais l'autorisation de lui parler.

— Pourquoi lui parler ? Ce sont ses fadettes qui nous intéressent, pas elle.

Fordyce secoua la tête d'un air navré.

— En être réduits à de telles extrémités ! Comment identifier les appels de Chalker sur ses factures ?

Gideon fronça les sourcils. La question méritait réflexion. Fordyce reprit son manège avec le crayon et la tasse.

— Il y a six mois, l'interrompit Gideon d'une voix lente, Chalker a cassé son iPhone en le faisant tomber. Il s'est servi du téléphone de Mélanie pendant une semaine.

Une lueur d'espoir traversa le regard de Fordyce.

— Vous pouvez retrouver la date ?

Gideon se creusa la cervelle.

— C'était en hiver.

— Tu parles d'une date.

Gideon se serait giflé d'avoir une telle passoire en guise de cerveau.

— Attendez ! Je me souviens que Mélanie était furax parce qu'elle avait besoin de préparer sa soirée de la Saint-Sylvestre à New York et que Chalker monopolisait son téléphone. C'était donc avant le Nouvel An.

— Probablement même avant Noël. J'imagine que le labo était fermé entre Noël et le Nouvel An.

— Absolument, approuva Gideon. L'an dernier, les vacances de Noël ont débuté le 22 décembre.

— L'incident se serait donc produit pendant les dix jours précédents ?

— Exactement.

— Dans ce cas, commençons par remplir une demande officielle, soupira Fordyce.

Gideon le fusilla du regard.

— Et puis quoi encore ?

Il sortit son iPhone et composa un numéro.

— Vous perdez votre temps, l'avertit Fordyce. La loi interdit aux compagnies téléphoniques de fournir les fadettes à leurs clients autrement qu'en les expédiant à leur adresse e-mail personnelle. On aura besoin d'une autorisation du juge.

Gideon, sans se démonter, composa le numéro du service client.

— Allô ? dit-il en imitant une voix chevrotante de vieille dame. Bonjour, chère madame. Mélanie Kim à l'appareil. On vient de me voler mon téléphone.

— Non ! s'écria Fordyce en se bouchant les oreilles. Je ne veux rien savoir !

À l'autre bout du fil, l'opératrice demanda à son « interlocutrice » les quatre derniers chiffres de son numéro de Sécurité sociale, ainsi que le nom de jeune fille de sa mère.

— Voyons… balbutia Gideon. Où ai-je rangé ce fichu numéro ? Je vais devoir vous rappeler, le temps de mettre la main dessus.

Et il raccrocha.

— Vous ne serez pas allé loin, le railla Fordyce en se retirant les doigts des oreilles.

Gideon composa derechef le numéro de Mélanie Kim.

— Salut, c'est Gideon, dit-il en entendant sa collègue décrocher.

— Gideon ! s'exclama la jeune femme. Si tu savais ! J'ai passé la journée à répondre aux questions des enquêteurs du FBI et…

— À qui le dis-tu ! la coupa Gideon sur un ton de conspirateur. Ils m'ont mis sur la sellette, moi aussi. Figure-toi qu'ils m'ont posé toutes sortes de questions sur *toi*.

— Moi ?!!

La voix de Kim trahit sa panique soudaine.

— Ils sont persuadés que Chalker et toi… enfin, que vous sortiez ensemble.

— Chalker ? Un salopard pareil ? N'importe quoi !

— Écoute, Mélanie. J'ai dans l'idée qu'ils vont te passer sur le gril, et je voulais te prévenir. Ils ne rigolent pas.

— Mais enfin ! Je n'ai rien à voir avec Chalker, je ne pouvais pas le sentir !

— Ils m'ont même posé des questions sur ta mère.

— Ma *mère* ? Mais elle est morte il y a cinq ans !

— À certaines allusions, j'ai cru comprendre qu'elle avait des sympathies communistes à l'époque où elle était étudiante à Harvard.

— Harvard ? Ma mère avait trente ans quand elle a débarqué de Corée !

— Ta mère était coréenne ?

— Bien sûr !

— En tout cas, ils m'ont posé toutes sortes de questions et j'ai fini par leur dire que je la croyais irlandaise… Je ne sais pas où je suis allé chercher ça, j'en étais persuadé. Désolé.

— Irlandaise ? Ma mère, *irlandaise* ? Tu es complètement givré ou quoi, Gideon ?

— Quel était son nom de jeune fille ? Que je puisse rattraper mon erreur.

— Kwon ! Jae-hwa Kwon ! Et je te conseille *vraiment* de rattraper ta bourde !

— Je te le promets. Un autre détail…

— Ah non ! Quoi encore ?

— Ils s'intéressent de près à ton numéro de sécurité sociale. Ils affirment que tu as fourni un faux pour obtenir une carte verte.

— Une carte verte ? Mais enfin, je suis citoyenne américaine ! C'est quoi ce cauchemar ?

Gideon éprouva un certain remords en voyant Mélanie tomber dans le panneau. Il l'interrompit gentiment.

— Ils s'intéressaient surtout aux quatre derniers chiffres de ton numéro de sécurité sociale, qu'ils trouvaient bizarres.

— Bizarres ? Bizarres comment ?

— Ils trouvaient bizarre la séquence « 1 2 3 4 ». Comme si tu avais bidonné ton numéro.

— 1 2 3 4 ?!! N'importe quoi ! c'est 7 6 0 6 !

Gideon recroquevilla la main autour du micro du portable et murmura d'une voix inquiète :

— Mélanie ! Ils m'appellent, je vais devoir raccrocher. Ne te fais pas de bile, je rattrape le coup. Quoi qu'il arrive, ne dis à personne que je t'ai appelée !

— Attends !...

Gideon mit fin à la conversation et poussa un soupir. Comment avait-il pu manipuler la malheureuse d'une façon aussi ignoble ? L'étape suivante ne serait guère plus reluisante.

Fordyce l'observait avec un visage de marbre.

Gideon composa le numéro de la compagnie téléphonique et fournit à l'opératrice les informations de sa voix de vieille dame affolée. Prétextant le vol de son téléphone, il demanda le blocage du téléphone, l'annulation de la ligne et le transfert du contenu du portable sur le BlackBerry de son fils. Lorsque l'opératrice précisa à Gideon que le transfert ne serait pas effectif avant vingt-quatre heures, il fondit en larmes et lui débita une histoire incompréhensible de bébé, de chien handicapé, de cancer et de maison incendiée.

Quelques instants plus tard, il raccrochait.

— Affaire réglée. Nous aurons l'info dans moins d'une demi-heure.

— Vous êtes quand même un sacré enfoiré, commenta Fordyce avec un sourire canaille.

16

La lecture du journal d'appel de Mélanie Kim pour la semaine précédant Noël montra que soixante et onze coups de fil avaient été passés pendant les heures de bureau. Il avait été facile aux deux hommes d'éliminer les numéros figurant sur le carnet d'adresses de la jeune femme. Les trente-quatre appels restants étaient regroupés, signe que Chalker avait joint plusieurs correspondants chaque fois qu'il empruntait l'iPhone de sa collègue.

En l'espace d'une demi-heure, ils avaient pu identifier tous les numéros suspects grâce aux bases de données du FBI.

Gideon et Fordyce se penchèrent sur la liste. À première vue, les noms qu'ils découvraient semblaient bien inoffensifs : des collègues de travail, un médecin, un teinturier, une succursale de Radio Shack, l'imam de la mosquée, quelques autres encore. Fordyce se leva, gagna le comptoir et commanda un triple expresso qu'il vida avant même de se rasseoir sur sa chaise.

— Il a joint la Maison des écrivains à trois reprises, remarqua Gideon.

Fordyce lui répondit par un grognement dubitatif.

— Il écrivait peut-être un bouquin. Comme je vous l'ai dit, il était passionné d'écriture.

— Ça ne coûte rien de les appeler.

Gideon sortit son téléphone et obtempéra. Quelques instants plus tard, il raccrochait et adressait un sourire à son compagnon.

— Il s'était inscrit à un atelier d'écriture.

— Comment ça ? réagit Fordyce, une lueur d'intérêt dans les yeux.

— Un atelier à l'intitulé intéressant : « Comment écrire sa vie ».

Fordyce accueillit cette révélation par un sifflement grave.

— Il comptait rédiger ses mémoires, c'est ça ?

— Apparemment. C'était il y a quatre mois. Six semaines plus tard, Chalker quitte son job, disparaît et rejoint le djihad.

Le visage de Fordyce s'éclaira.

— Des mémoires… C'est trop beau pour être vrai. Où se trouve cette Maison ?

— À Santa Cruz, en Californie.

— Je vais les appeler…

— Attendez, le tempéra Gideon. Il serait préférable de nous y rendre. Vous risquez de mettre un coup de pied dans la fourmilière en les appelant. Si jamais les enquêteurs officiels l'apprennent, ils s'empresseront de nous court-circuiter.

— Je suis censé obtenir l'aval du Bureau pour tout déplacement, remarqua Fordyce d'une voix lente, comme s'il se parlait à lui-même. Si on emprunte un avion de ligne, j'ai besoin de leur permission… Cela dit, rien ne nous oblige à prendre un avion de ligne. On pourrait très bien louer un appareil privé.

— Ouais, et qui se chargera de le piloter ?

— Moi. J'ai passé ma licence, répondit Fordyce en sortant son portable.

— Qui appelez-vous ?

— L'aérodrome local.

Gideon assista à la conversation d'un air maussade. La perspective de monter à bord d'un coucou ne l'enchantait guère, mais il n'était pas question de le montrer à Fordyce.

Ce dernier reposa son téléphone.

— Il n'y a aucun avion privé disponible avant après-demain.

— C'est trop long. Allons-y par la route.

— Pas question de perdre un temps aussi précieux à traverser la moitié du pays en voiture. De toute façon, j'ai rendez-vous avec l'antenne du Bureau à Albuquerque demain à 14 heures.

— Que fait-on en attendant ?

Comme Fordyce gardait le silence, Gideon émit une proposition :

— Je vous ai expliqué tout à l'heure que Chalker avait distribué presque toutes ses affaires.

— Oui.

— Il m'a proposé de me donner sa bibliothèque. Essentiellement des romans et des polars. Quand j'ai refusé, il m'a dit qu'il offrirait ses bouquins à l'une des écoles indiennes de la région. Celle de San Ildefonso, je crois.

— San Ildefonso ?

— Un *pueblo* amérindien situé sur la route de Los Alamos. Ses habitants sont connus pour leurs rituels et leurs poteries noires. Avant sa conversion, Chalker s'intéressait à leurs danses traditionnelles.

— Que leur a-t-il donné ? Son ordinateur ? Ses archives ?

— Non, uniquement les trucs qu'il jugeait décadents : les livres, les disques, les DVD. Pourquoi ne pas aller jeter un œil à ses bouquins à San Ildefonso ?

Fordyce secoua la tête en signe de dénégation.

— On n'y découvrira rien, puisqu'ils datent d'avant sa conversion.

— On ne sait jamais. Une feuille coincée entre deux pages, une note dans la marge. C'est encore le meilleur moyen de ne pas rester les bras croisés. En outre, ajouta Gideon en se penchant vers son interlocuteur, c'est le seul endroit où personne ne nous aura précédés.

Fordyce hocha la tête, le regard perdu de l'autre côté de la fenêtre.

— Je ne vous donnerai pas tort sur ce point.

17

Myron Dart prit place dans la salle de réunion, au huitième sous-sol du centre d'urgence du ministère de l'Énergie. Il posa un dossier noir bien en évidence devant lui. Dans son dos, l'horloge murale affichait 23 h 58. Au bord de l'épuisement, il tenait par la seule force de sa volonté, mais avait-il vraiment le choix ? Les situations de crise de ce genre ne lui faisaient pas regretter son passage chez les marines, où un entraînement impitoyable lui avait appris à repousser ses limites au-delà du possible.

La porte s'écarta et la silhouette fantomatique de Miles Cunningham, son assistant, s'encadra sur le seuil. Le nouveau venu lui adressa un petit mouvement de tête sans que son visage trahisse la moindre émotion. Il n'était pas un jour où Dart ne remerciait le ciel de lui avoir envoyé un collaborateur aussi compétent et ascétique. Les autres cadres du Sun pénétrèrent dans la pièce à la suite de Cunningham et s'installèrent silencieusement autour de la table de bois poli.

Dart se retourna brièvement à l'instant précis où l'aiguille des minutes s'arrêtait en position verticale. Minuit pile. Tant de ponctualité ravissait cet homme d'ordre.

Il écarta le rabat du dossier noir.

— Merci d'assister à cette réunion d'urgence en dépit de son annonce tardive. Je souhaitais vous détailler les derniers développements.

Il posa les yeux sur la première feuille.

— Commençons par quelques bonnes nouvelles : les spécialistes de cryptologie du FBI ont réussi à pénétrer dans l'ordinateur de Chalker ; nous avons également les résultats des analyses pratiquées sur les objets retrouvés dans les poches de Chalker, ainsi que ceux du contenu de son appartement.

Il balaya du regard son auditoire.

— Il en ressort ceci : à ce stade, on a uniquement repéré dans son ordinateur des fichiers contenant des élucubrations de djihadistes, quelques prêches d'imams radicaux sur vidéo, ainsi que des tracts appelant à « punir les infidèles ». Le journal de son navigateur Internet fait apparaître de nombreuses visites sur des sites radicaux. Rien de très prometteur. Aucun échange d'e-mails avec des individus suspects, aucun lien avec des groupes terroristes de type Al Qaïda ou autre. Bref, l'ordinateur de Chalker ne nous éclaire en rien sur l'identité précise de ses complices, l'attentat qu'il préparait, ou la façon dont il s'est procuré un engin nucléaire.

Son regard gris fit à nouveau le tour de la table.

— L'un ou l'autre d'entre vous aurait-il une remarque à ce stade ?

L'un des participants se décida à rompre le silence.

— Cet ordinateur n'était-il pas un simple disque de sauvegarde ?

— Je me suis posé la même question. D'autres réactions ?

— Qui nous dit qu'il n'a pas été placé là pour nous égarer ?

— C'est une autre possibilité.

La discussion se prolongea pendant quelques minutes avant que Dart y mette un terme en passant au point suivant.

— J'ai demandé à nos équipes de voir si Chalker ne possédait pas d'autres ordinateurs. Cela dit, insista-t-il, nous avons découvert sur celui dont nous disposions de nombreuses photos et vidéos de cinq monuments de Washington : le Lincoln Memorial, le Capitole, le Pentagone, la Smithsonian Institution et la Maison Blanche. Rien sur New York.

Une vague de murmures parcourut l'assistance.

— Washington ? répéta une voix.

— Tout à fait.

— Il peut s'agir d'une diversion.

— C'est ce que nous avons pensé d'abord, jusqu'à ce que nous parvienne l'analyse des effets de Chalker. Nous avons notamment récupéré dans l'une de ses poches l'adresse manuscrite d'un site Internet. Ladite adresse a été parlante. Le site en question avait été fermé et les informations qu'il contenait retirées du serveur yéménite qui l'abritait. Nous avons toutefois réussi à le reconstituer grâce à la CIA qui a mis ses meilleurs spécialistes sur l'affaire. Nous avons ainsi découvert un certain nombre de détails édifiants sur le modèle de bombe, ainsi qu'une liste de cibles contenant les cinq monuments déjà cités, et trois autres apparemment abandonnés par les terroristes : le musée de l'Air et de l'Espace, l'immeuble Dirksen abritant certains bureaux du Sénat, ainsi que l'immeuble Cannon, affecté au Congrès. Le site ne nous a rien enseigné d'autre, mais j'attire votre attention sur le fait qu'a été retrouvé dans une poche de Chalker un billet du musée de l'Air et de l'Espace.

Dart passa à la page suivante de son dossier.

— Nous avons découvert chez Chalker d'autres tracts religieux, des DVD, divers documents, et un coran en anglais dont certains passages relatifs à Armageddon avaient été soulignés.

Nouveau changement de page.

— Sur le réfrigérateur de Chalker était accroché un calendrier faisant mention de ses rendez-vous, sous forme d'initiales. De façon significative, ce calendrier est entièrement vierge après la date du 21 de ce mois.

Il dévisagea chacun de ses interlocuteurs afin de s'assurer que tous avaient pris la mesure de l'information.

— Les analyses montrent que Chalker a été irradié sur le lieu d'assemblage de la bombe, mais tout semble indiquer que l'engin a pu être achevé. Le laboratoire souterrain avait été vidé et incendié, mais on a déniché les restes d'un plan de Washington sur lequel les cinq lieux déjà cités étaient entourés.

Il referma le dossier et se pencha en avant, la mine sombre.

— Nous sommes parvenus à la conclusion suivante : la cible choisie par les terroristes est la ville de Washington, et non New York. Selon toute vraisemblance, l'attentat devait être commis le 21 de ce mois. À la lumière des événements actuels, il est possible que les terroristes décident d'avancer la date fatidique. Nous disposons donc d'un laps de temps très limité.

L'un des responsables du Sun leva la main. Dart lui accorda la parole d'un battement de paupières.

— Pourquoi avoir procédé au montage de la bombe à New York si la cible choisie est Washington ?

— Excellente question. Il nous semble que New York offre davantage de possibilités à des terroristes. Il s'agit d'une métropole anonyme et cosmopolite où personne ne met son nez dans les affaires du voisin. En outre, il y a à New York une importante population favorable à l'islam radical. Washington est une ville plus fermée, mieux surveillée, et les musulmans y sont peu nombreux.

Nouveau silence.

— À la lumière de ces conclusions, il a été décidé de transférer notre quartier général à Washington. Je vous demande de vous préparer immédiatement. L'ordre de départ sera donné incessamment.

Dart se leva et entama une ronde impatiente derrière son fauteuil, les mains dans le dos.

— L'ordinateur de Chalker n'a révélé aucun contenu probant et les autres éléments dont nous disposons sont très insuffisants. En dépit de certains faux pas, les terroristes ont manifesté la plus grande prudence. Nous possédons cependant deux informations vitales : le lieu et la date probable. Je vous demanderai à tous de vous trouver à vos postes respectifs dès demain matin, dans le nouveau quartier général qui nous a été attribué à Washington. Vous verrez dans vos dossiers le détail du transfert et des mesures de sécurité. Comme vous pouvez vous en douter, nous avons toute latitude de solliciter les services de police ou de renseignement susceptibles de nous aider, qu'il s'agisse du FBI, des autorités locales ou des forces armées.

Il s'immobilisa.

— À l'heure où je vous parle, le président et le vice-président emménagent dans le Centre opérationnel d'urgence présidentiel. Au cours des prochaines vingt-quatre heures, le gouvernement, le Congrès et l'ensemble des hauts fonctionnaires attachés à l'appareil d'État intégreront le bunker du Congrès ainsi que plusieurs autres lieux tenus secrets. La Garde nationale a été mobilisée en vue de l'évacuation des civils.

Dart dévisagea une nouvelle fois ses subordonnés.

— Forts des éléments dont nous disposons, nous espérons parvenir à enrayer cette attaque. Nous devons toutefois afficher la plus grande prudence dans la gestion des citoyens. Nous avons pu constater les effets de la panique sur la population new-yorkaise et les marchés financiers. On doit s'attendre à une réaction plus dramatique encore à Washington dès que l'ordre d'évacuation aura été donné. La seule façon de gérer la crise consiste à maîtriser la presse. Les gens demandent à être tenus au courant, tout soupçon de rétention d'information serait catastrophique. Il nous est donc impossible de dissimuler le lieu probable de l'attentat. *En revanche, il est crucial que la date probable reste secrète.* Parce que nous ne sommes sûrs de rien, et parce qu'une telle révélation serait explosive. La moindre fuite de votre part relèverait de la haute trahison. Qu'on se le dise.

Tous manifestèrent leur approbation.

— Vous avez des questions ?

— A-t-on pu déterminer l'origine des matériaux fissiles ?

— Jusqu'à présent, aucune fuite n'a été constatée au niveau de notre propre arsenal, mais certaines données sont incomplètes ou manquantes. Nous enquêtons parallèlement sur les autres sources d'approvisionnement possibles, qu'il s'agisse du Pakistan, de la Russie ou de la Corée du Nord.

Les questions épuisées, Dart mit un terme à la réunion.

— Très bien. Vos services respectifs devront être opérationnels dès demain matin à Washington. J'ai bien conscience que la nuit sera longue pour nous tous. Je vous propose de nous retrouver à midi dans notre QG de la 12e Rue. Je vous souhaite le bonsoir.

La salle de réunion se vida aussi rapidement qu'elle s'était remplie. Ses collaborateurs partis, Dart saisit son dossier et s'en servit pour taper sur la table.

Cunningham, son assistant, s'approcha aussitôt.

— À vos ordres, monsieur.

— Prenez langue avec l'agent Fordyce du FBI. Demandez-lui si sa virée à Santa Fe avec Crew a donné des résultats. Leur position de francs-tireurs pourrait bien les servir. Il faut les tenir à l'œil.

18

Le *pueblo* San Ildefonso s'étalait le long du Rio Grande au cœur d'un bois de peupliers, à l'embranchement de la route de Los Alamos que l'on voyait partir à l'assaut des monts Jemez. Comme nombre d'employés de son laboratoire, Gideon connaissait bien l'endroit pour avoir assisté à de nombreuses cérémonies sur la place du village, à commencer par la célèbre « danse du grand chevreuil ». Les rues bordées de vieilles masures en adobe étaient désertes lorsque la voiture pilotée par Fordyce traversa le *pueblo*.

Les deux hommes croisèrent un pick-up surchargé qui couvrit instantanément leur véhicule d'une fine couche de poussière.

Même les Indiens décampent, pensa Gideon.

Quelques hommes enveloppés dans des couvertures mexicaines palabraient à l'ombre, assis sur des tabourets de bois alignés le long de l'un des murs de la *plaza*. Ils buvaient tranquillement leur café du matin devant une rangée de tambours, visiblement épargnés par la panique ambiante.

— Je vais leur parler, déclara Fordyce en se rangeant sous un vénérable peuplier.

— Pourquoi ?

— Je peux toujours leur demander de m'indiquer le chemin.

— Si c'est ça, je sais où se trouve l'école...

Mais Fordyce avait ouvert sa portière et s'éloignait déjà. Agacé, Gideon lui emboîta le pas.

— Bonjour à tous, fit Fordyce à l'adresse des buveurs de café.

Les hommes le regardèrent approcher, impavides. Gideon savait d'avance que l'intervention de son compagnon ne pourrait que les déranger alors qu'ils s'apprêtaient à jouer du tambour, probablement en prévision d'un rituel.

— Vous présentez des danses aujourd'hui ? s'enquit Fordyce.

L'un des hommes laissa s'écouler un battement avant de répondre.

— Les danses ont été annulées.

Fordyce brandit son badge.

— Stone Fordyce, du FBI. Désolé de vous déranger.

Un silence de mort accueillit son geste. Gideon, intrigué, se demanda quelle mouche avait piqué l'agent fédéral.

Ce dernier rangea son badge et un sourire amical illumina ses traits.

— Vous avez sans doute entendu parler des événements dramatiques qui se déroulent actuellement à New York.

— Il faudrait être sourd, répliqua laconiquement l'un des Indiens.

— Mon collègue et moi enquêtons sur l'affaire.

La réaction fut immédiate.

— C'est vrai ? s'écria l'un des joueurs de tambour. Vous êtes sur une piste ?

Fordyce leva les mains.

— Désolé, les gars. Je ne suis pas en mesure de vous en révéler davantage, mais je pensais que vous accepteriez peut-être de m'aider en répondant à quelques questions.

— Et comment, rétorqua celui qui donnait l'impression d'être le chef du petit groupe, un homme trapu et musclé au visage grave surmonté d'un bandana.

— Le type qui est mort à New York après avoir reçu des radiations, Reed Chalker. Figurez-vous qu'il avait fait don de sa bibliothèque personnelle à l'école de San Ildefonso. Vous étiez au courant ?

L'étonnement des Indiens fournit la réponse à son interrogation.

— J'ai cru comprendre qu'il s'intéressait à vos danses.

— Ce n'est pas le premier à descendre de Los Alamos les jours de fête, objecta le chef. En fait, beaucoup des nôtres travaillent pour le Centre.

— C'est vrai ? Vous autres, par exemple ?

— Los Alamos est le premier employeur du *pueblo*.

— C'est intéressant. Certains d'entre vous connaissaient Chalker ?

Les Indiens haussèrent les épaules.

— C'est possible. Il faudrait qu'on pose la question.

Fordyce sortit de sa poche plusieurs cartes de visite qu'il distribua à la ronde.

— Bonne idée. N'hésitez pas à m'appeler si vous croisez quelqu'un qui connaissait Chalker, même superficiellement. D'accord ? Il n'aura pas donné ses livres à l'école du *pueblo* sans raison précise. Je serais curieux de savoir laquelle. Je suis convaincu que vous pourriez aider l'enquête en vous renseignant. En attendant, nous allons jeter un coup d'œil à l'école avec mon collègue. Par où faut-il passer ?

— C'est facile. Vous continuez tout droit, vous tournez à gauche et vous tombez dessus. Il n'y aura probablement pas grand monde. Beaucoup des nôtres ont décidé de s'en aller.

— Je comprends, approuva Fordyce en offrant une poignée de main chaleureuse à chacun des Indiens.

À peine s'éloignait-il que les hommes se lançaient dans une discussion animée.

— Bien joué, approuva Gideon, impressionné.

Fordyce lui sourit.

— C'est comme la pêche. Il est toujours préférable de mouiller sa ligne.

— Ne me dites pas que vous êtes amateur de pêche !

— J'adore ça. Quand j'ai le temps.

— La pêche à la mouche ?

— Au ver.

Gideon s'esclaffa.

— C'est pas de la pêche, ça ! J'ai cru un instant que nous avions une autre passion commune.

À travers les arbres, les eaux du Rio Grande renvoyaient les rayons du soleil près d'un gué de pierre. Cette image fit remonter dans la mémoire de Gideon le souvenir lointain d'une rivière où il pêchait la truite avec son père, avant que le bonheur ne l'abandonne. Ce jour-là, son père lui avait expliqué que le secret d'une pêche réussie, comme celui d'une existence heureuse, était affaire de patience.

« La chance est un mélange de préparation et d'opportunité. La mouche figure l'opportunité, le lancer est le résultat d'une bonne préparation. Quant au poisson, il est le fruit de la chance. »

Il s'empressa de chasser ce souvenir, comme chaque fois que le visage de son père s'imposait à lui.

Voir les habitants quitter ce village indien éloigné de tout le perturbait. Comment leur en vouloir, si près de Los Alamos ?

L'école se dressait au bord du fleuve près du bois de peupliers, entre un terrain de baseball et des courts de tennis poussiéreux. C'était un jour de semaine, mais les classes étaient quasiment toutes désertes. Un silence pesant enveloppait le bâtiment.

Les deux hommes remplirent le cahier des visiteurs dans le bureau de l'administration, puis on les escorta jusqu'à la modeste bibliothèque de l'école, dont les fenêtres donnaient sur le terrain de football.

La bibliothécaire, une femme solide au visage encadré de longues nattes noires, d'épaisses lunettes sur le nez, était occupée à ranger une pile d'ouvrages. Elle ne cacha pas son intérêt en découvrant que ses visiteurs s'intéressaient aux livres donnés par Chalker. Gideon fut le premier surpris de la voir répondre aux questions de Fordyce d'aussi bonne grâce.

— Oui, reconnut-elle en frissonnant. Je le connaissais. Je n'arrive pas à croire qu'il soit devenu un terroriste. C'est *inouï*. Ils ont vraiment réussi à mettre au point une bombe ?

— Je suis désolé, mais je ne suis pas autorisé à vous fournir de tels détails, répliqua Fordyce d'une voix douce.

— Quand je pense qu'il nous a fait don de ses livres. Tout le monde ici se fait un sang d'encre. Figurez-vous qu'ils ont décidé d'arrêter l'école plus tôt que prévu. C'est pour ça qu'il n'y a presque personne. J'entame moi-même mes congés d'été demain.

— Vous souvenez-vous de Chalker ? l'interrompit gentiment Fordyce.

— Très bien. Il est venu me voir il y a deux ans, à peu près.

Le souvenir de cette rencontre oppressait la bibliothécaire, qui peinait à respirer.

— Il m'a appelée en me demandant si nous voulions ses livres et je lui ai répondu que nous serions ravis. Il les a apportés le jour même. Il y en avait deux ou trois cents. Un garçon tout à fait charmant ! Je n'arrive pas à croire…

— Vous a-t-il expliqué les raisons de son geste ? insista Fordyce.

— Je ne me souviens plus. Je suis désolée.

— Pourquoi les donner à l'école du *pueblo* ? Pourquoi pas à la bibliothèque de Los Alamos, par exemple ? Connaissait-il quelqu'un ici ? Un ami ?

— Il n'a rien précisé.

— Où se trouvent ses livres ?

Elle embrassa les rayonnages d'un geste ample.

— Un peu partout. Je les ai rangés avec les autres.

Gideon grimaça intérieurement. La pièce comptait plusieurs milliers d'ouvrages. L'opération se révélait plus difficile que prévu.

— Vous souvenez-vous de certains titres en particulier ? s'enquit Fordyce en sortant son calepin.

Elle haussa les épaules.

— Il s'agissait essentiellement de romans policiers et de thrillers, tous en édition originale. Plusieurs d'entre eux portaient la signature de l'auteur, signe qu'il était bibliophile. Ce n'est pas ce qui m'intéressait. L'important, à mes yeux, c'est le contenu.

Gideon s'approcha des rayonnages de fiction, tirant au hasard des volumes dont il feuilletait les pages. Il ne souhaitait pas l'avouer à Fordyce, mais son idée était probablement une perte de temps. À moins de tomber par miracle sur un document intéressant dans l'un des bouquins de Chalker. Quant à découvrir une note manuscrite en marge du texte, mieux valait ne pas y compter. Les bibliophiles répugnent tous à annoter leurs livres, surtout lorsqu'il s'agit d'éditions signées.

Il remonta les étagères à l'envers en commençant par la lettre Z, se laissant guider par la chance. Vincent Zandri, Stuart Woods, James Rollins... Il feuilletait un volume ici, un autre là, dans l'espoir de découvrir une annotation de la main de Chalker. Ou peut-être un croquis de bombe atomique ? L'idée le fit sourire. Derrière lui, Fordyce assaillait de questions la bibliothécaire. Gideon en parvenait presque à éprouver de l'admiration pour ce type méthodique et scrupuleux qui ne dissimulait pas son impatience face aux lourdeurs bureaucratiques.

Anne Rice, Tom Piccirilli... Gideon passait en revue les ouvrages avec un agacement croissant.

Il s'arrêta en découvrant un exemplaire d'un roman de David Morrell, *L'Éclat*. L'auteur avait apposé sa signature sur la page de garde, précédée de la mention « Bien à vous ».

Il feuilleta l'ouvrage et le remit à sa place. L'expérience se répéta un peu plus loin avec un roman de Tess Gerritsen, *Le Voleur de morts* : « À Reed, sincèrement », puis avec *Du fond de l'abîme* de Lee Child : « À Reed, cordialement ». Chalker ne manquait pas de goût en matière de littérature policière.

Arrivé à la lettre B, Gideon découvrit une dédicace moins anonyme en ouvrant *L'Abbaye d'Oakwood* de Simon Blaine : « À Reed, chaleureusement ». La formule était signée *Simon*.

Il marqua un temps d'arrêt avant de ranger le livre à sa place. Simon Blaine avait-il pour habitude de signer ses livres de son seul prénom ? Gideon pouvait aisément s'en assurer en consultant *La Mer de glace*, un autre roman de Blaine rangé à côté du premier. « À Reed, bien cordialement, Simon B. »

Fordyce rejoignit Gideon.

— Chou blanc, murmura-t-il.

— Peut-être pas, répliqua Gideon en montrant à son compagnon les deux livres dédicacés.

Fordyce les feuilleta rapidement.

— Je ne comprends pas.

— « Chaleureusement » ? Et signé de son seul prénom ? Blaine connaissait visiblement notre homme.

— J'en doute.

Gideon resta plongé quelques instants dans ses pensées, puis il se tourna vers la bibliothécaire.

— J'aimerais vous poser une question.

— Oui ? répondit-elle en se précipitant, ravie d'être à nouveau sollicitée.

— J'ai remarqué que vous possédiez plusieurs ouvrages de Simon Blaine.

— Nous avons tous ses livres. Je crois même me souvenir qu'ils nous ont été donnés par M. Chalker.

— Ah ? s'étonna Fordyce. Vous ne me l'aviez pas dit.

Elle lui répondit par un sourire gêné.

— Je n'y pensais plus.

— Chalker connaissait donc Blaine ?

— J'avoue que je ne sais pas. C'est possible, surtout que Blaine vit à Santa Fe.

Bingo, pensa Gideon en adressant un coup d'œil triomphal à Fordyce.

— Je ne m'étais donc pas trompé.

Fordyce fronça les sourcils.

— Je vois mal comment un homme tel que Blaine, auteur de best-sellers et récompensé par le National Book Award, comme le précise la couverture, aurait pu se lier d'amitié avec un *geek* de Los Alamos.

— Votre remarque me blesse, cher ami, plaisanta Gideon.

Fordyce leva les yeux au ciel.

— Vous avez remarqué la date ? Ce bouquin a été publié deux ans avant la conversion de Chalker. Le simple fait qu'il ait fait don des romans de Blaine avec les autres n'est pas clairement le signe d'une amitié indestructible. Franchement, je ne vois aucune piste dans ces dédicaces. J'en arrive même à me demander si cette petite virée ne nous fait pas perdre un temps précieux.

Gideon fit la sourde oreille.

— Autant rendre une visite à Blaine.

Fordyce secoua la tête.

— On perd notre temps.

— On ne sait jamais.

Fordyce posa une main sur l'épaule de Gideon.

— Vous avez raison. Dans ce métier, les idées les plus folles sont parfois payantes et je ne veux pas vous décourager. Cela dit, vous irez voir Blaine tout seul. N'oubliez pas que j'ai rendez-vous à Albuquerque tout à l'heure.

— C'est vrai. Vous n'avez pas besoin de moi ?

— Il vaut mieux que j'y aille seul. J'ai l'intention de secouer le cocotier en exigeant de visiter la mosquée et le labo, sans parler des collègues de Chalker. Il est temps qu'on nous laisse prendre part à l'enquête.

Gideon afficha un sourire moqueur.

— Vas-y, ma grande.

19

Simon Blaine habitait une grande maison à un kilomètre de la *plaza* de Santa Fe, le long de l'Old Santa Fe Trail. Fordyce ayant pris la voiture pour se rendre à Albuquerque, Gideon décida d'aller chez l'écrivain à pied pour profiter du temps splendide. La ville connaissait l'une de ces journées estivales de rêve que l'altitude préserve des trop fortes chaleurs. Le ciel était d'un bleu soutenu, seuls quelques nuages s'étaient formés à l'horizon, au-dessus des monts Sandia. Encore fallait-il que Blaine ait résisté à la tentation de fuir la ville, à l'instar de la moitié de la population.

Plus que neuf jours avant le jour N. La situation était cependant nettement moins tendue au Nouveau-Mexique qu'à New York. Wall Street, le quartier du World Trade Center et celui de Midtown, près de l'Empire State Building, étaient littéralement à l'abandon, avec leur lot de pillages et d'incendies. Le maire avait demandé l'intervention de la Garde nationale. Depuis quelques jours, les attaques politiques contre le président frisaient l'hystérie. Certaines figures de proue des médias s'étaient ruées dans la brèche en attisant les peurs du public. L'Amérique tout entière réagissait à la crise de façon irrationnelle.

Gideon chassa les sombres pensées qui l'assaillaient. La maison de Blaine se dissimulait derrière un mur en adobe, haut de plus de deux mètres. C'est tout juste si l'on apercevait les cimes des trembles agités par le vent, au-dessus de l'enceinte. Le portail de bois plein, renforcé par des barres de fer forgé, interdisait tout regard indiscret à l'intérieur de la propriété. Repérant un interphone, Gideon appuya sur le bouton et attendit.

Aucune réponse.

Il insista, sans succès.

Il existait bien un moyen simple de s'assurer que la maison était vide. S'agrippant d'un bond à la partie supérieure de l'enceinte, il se hissa sur le mur en s'aidant des pieds. Quelques instants plus tard, il se laissait tomber à l'intérieur de la propriété, près d'un bosquet d'arbres qui le rendait invisible. L'eau d'une fontaine s'écoulait paisiblement dans une mare artificielle un peu plus loin. Au-delà d'une pelouse d'un vert vif se dressait une maison de plain-pied, surmontée d'une dizaine de cheminées, que prolongeaient plusieurs vérandas.

Gideon vit bouger une silhouette derrière les portes vitrées. Il y avait donc quelqu'un. Furieux qu'on n'ait pas daigné répondre à ses coups de sonnette, il vérifia dans sa poche qu'il avait bien la carte du FBI que Fordyce lui avait prêtée à regret, puis il gagna le portail qu'il ouvrit de l'intérieur afin de donner l'impression qu'il était entré normalement. Il remonta l'allée et sonna à l'entrée.

Comme rien ne se produisait, il recommença. Un faible bruit de pas se fit entendre de l'autre côté de la porte. Celle-ci s'ouvrit et il se trouva nez à nez avec une jeune femme svelte affichant une mine maussade. Dans les vingt-cinq ans, elle était vêtue d'un jean, d'une chemise blanche cintrée et de bottes de cow-boy. Sa longue chevelure blonde faisait ressortir ses yeux brun foncé.

— Qui êtes-vous ? demanda-t-elle sur un ton agressif, les mains sur les hanches, en rejetant d'un mouvement de tête rebelle une mèche qui la gênait. Comment êtes-vous entré ?

Gideon, qui hésitait jusque-là sur l'attitude à adopter, n'eut aucun scrupule en voyant l'amabilité avec laquelle on l'accueillait. Un grand sourire aux lèvres, il glissa la main dans sa poche de chemise avec une lenteur insolente, sortit sa carte et imita l'exemple de Fordyce en la collant sous le nez de son interlocutrice.

— Gideon Crew, FBI.

— Pas besoin de me fourrer vos papiers en pleine figure !

Sans se départir de son sourire, Gideon laissa tomber d'une voix calme :

— Vous feriez mieux de les regarder, car je ne vous les montrerai pas deux fois.

La jeune femme afficha en retour un sourire glacial et tendit le bras. Mais au lieu de s'emparer du document, elle repoussa violemment la main de Gideon.

Celui-ci fut un instant désarçonné. Elle le regardait d'un air provocateur et ses yeux lançaient des éclairs. Une vraie tigresse. Il sortit son portable, regrettant presque d'en arriver à une telle extrémité. Il composa un numéro et demanda à parler au représentant de la police locale avec lequel Fordyce avait pris contact.

— Gideon Crew à l'appareil. J'ai besoin de renfort au 990 Old Santa Fe Trail. J'ai été victime d'une agression de la part d'une personne résidant à cette adresse.

— Je ne t'ai pas agressé, espèce de connard !

La fille ne manquait pas de répondant.

— Repousser ma main relève de l'agression, rétorqua-t-il avec un sourire mauvais. Vous n'êtes pas au bout de vos peines, mademoiselle dont je ne sais pas le nom.

Elle le fusilla de son regard sombre. Soudain, son expression s'adoucit. La panthère n'était donc pas aussi dure qu'elle voulait le montrer.

— Vous êtes vraiment du FBI ? demanda-t-elle en examinant son jean noir, sa chemise violette et les Keds qu'il avait aux pieds. On ne peut pas dire que vous ayez le look.

— Je travaille en *liaison* avec le Bureau, pour être précis. J'enquête actuellement sur l'attentat terroriste de New York. J'étais venu poser quelques questions à M. Simon Blaine.

— Il est absent.

— Dans ce cas, j'attendrai.

Un hululement de sirène s'éleva dans le lointain.

Décidément, la police de Santa Fe ne perd pas de temps.

La jeune femme tourna les yeux en direction du bruit.

— Vous n'auriez pas dû les appeler, dit-elle. Vous n'aviez pas le droit d'entrer ici, c'est une propriété privée.

— Le droit est pour moi tant que je ne franchis pas le seuil de votre porte. Vous avez cinq secondes pour décider si vous souhaitez que ça tourne au vinaigre, ou bien si vous acceptez de coopérer. Je vous le disais il y a un instant, simple visite de courtoisie. Rien ne vous oblige à enfreindre la loi.

— Enfreindre la loi ?

Les sirènes des voitures de patrouille se rapprochaient. Gideon comprit à l'expression inquiète de son interlocutrice que sa détermination faiblissait.

— C'est bon, c'est bon, j'accepte de coopérer. Mais c'est du chantage pur et simple. Je ne l'oublierai pas de sitôt.

Une voiture de police franchit le portail, suivie d'une autre. Gideon se porta à leur rencontre en brandissant sa carte.

— Tout va bien, messieurs. Les occupants de la maison acceptent finalement de répondre à mes questions. Merci de votre efficacité et de votre rapidité.

Les policiers, que l'idée d'intervenir excitait, répugnaient visiblement à repartir. Ce n'était pas tous les jours qu'on les appelait dans la maison d'un auteur de best-sellers. En quelques mots, Gideon acheva de les convaincre qu'il s'agissait d'un malentendu. Les flics repartis, il se retourna vers la jeune femme, un sourire aux lèvres.

— Allons-y, déclara-t-il en désignant la porte.

— Ici, on marche pieds nus. Je vous demanderai de retirer vos chaussures.

Gideon s'exécuta tandis qu'elle mettait un point d'honneur à garder ses bottes de cow-boy maculées de crottin de cheval séché.

Elle traversa le hall d'entrée en foulant un tapis persan et conduisit son visiteur dans le salon. La pièce, avec ses canapés de cuir blanc, son immense cheminée et sa collection de vases préhistoriques mimbres enfermés dans des vitrines, formait un décor spectaculaire.

Elle s'assit en silence.

Gideon sortit son carnet et s'installa en face d'elle. Elle n'était pas seulement jolie, elle était magnifique. Il s'en voulait de lui avoir forcé la main, ce qui ne l'empêcha pas d'afficher une mine revêche.

— Votre nom, s'il vous plaît.

— Alida Blaine.

Elle s'exprimait d'une voix monocorde.

— Dois-je appeler mon avocat ?

— Vous vous êtes engagée à coopérer, remarqua-t-il sèchement, avant de laisser passer un silence pesant. Écoutez, Alida, reprit-il de façon plus amène. J'ai juste quelques questions à vous poser.

Elle laissa échapper un ricanement.

— Les agents du FBI portent des Keds, maintenant ? insista-t-elle.

— Je vous l'ai dit, il s'agit d'une mission temporaire.

— Ah bon ? Et vous faites quoi, en temps ordinaire ? Vous jouez dans un groupe de rock ?

Après tout, peut-être Fordyce n'avait-il pas tort de se balader en costume.

— Je suis physicien.

Elle haussa les sourcils. Gideon, énervé de la voir détourner son attention en dirigeant systématiquement la conversation sur lui, s'empressa de lui poser une question.

— Quel lien de parenté avez-vous avec Simon Blaine ?

— Je suis sa fille.

— Votre âge ?

— Vingt-sept ans.

— Où se trouve votre père ?

— Sur un tournage.

— Un tournage ?

— Ils adaptent au cinéma l'un de ses romans. Le tournage a lieu au Flying Diamond Ranch, un studio au sud de la ville.

— À quelle heure doit-il rentrer ?

Elle consulta sa montre.

— Il ne devrait pas tarder. Je peux savoir de quoi il s'agit ?

Gideon, gêné de sa rudesse, se força à sourire. Il n'avait décidément pas une âme de flic.

— Nous cherchons à en savoir davantage sur Reed Chalker, le type impliqué dans cet attentat terroriste.

— C'était donc *ça* ! Waouh ! Mais quel rapport avec nous ?

La colère de la jeune femme laissait brusquement place à la curiosité. Elle sortit un paquet du tiroir d'une table basse et alluma une cigarette.

Gideon hésita à lui en demander une avant de renoncer. Une telle requête aurait mal cadré avec son personnage. Dérouté par la beauté de son interlocutrice, il éprouvait les plus grandes difficultés à jouer son rôle de façon crédible.

— Nous avons tout lieu de croire que votre père connaissait bien Chalker.

— J'en doute. C'est moi qui gère son agenda. Je n'avais jamais entendu parler de ce type avant de lire son nom dans le journal.

— Chalker possédait la collection complète des romans de votre père, tous signés.

— Et alors ?

— Certaines dédicaces laissaient à penser qu'ils se connaissaient. « À Reed, chaleureusement, Simon ».

Alida partit d'un grand rire en exhalant un nuage de fumée.

— Vous avez le don de vous exciter pour rien, les gars ! Il signe toujours comme ça !

— Uniquement avec son prénom ?

— Pour gagner du temps. De la même façon, il se contente de noter le prénom des gens qui veulent une dédicace. Quand vous avez cinq cents fans en face de vous qui viennent tous avec plusieurs romans, vous avez intérêt à gagner du temps. Le Chalker en question travaillait bien à Los Alamos, non ? C'est ce que disent les journaux.

— C'est juste.

— Il sera tout bonnement venu aux séances de dédicaces organisées à Santa Fe.

Gideon était dans ses petits souliers. Fordyce avait raison, sa théorie ne tenait pas debout.

— Vous avez la preuve de ce que vous avancez ? insista-t-il dans l'espoir de ne pas perdre la face.

— Vous n'avez qu'à poser la question à Collected Works, la grande librairie qui se trouve en ville. Il y fait

125

une séance de dédicaces chaque année. Ils pourront vous confirmer qu'il signe systématiquement « Chaleureusement, Simon », ou bien « Cordialement, Simon B. », à tous les Tom, Dick et autres Harry qui font la queue.

— Je vois.

— Vous avez du temps à perdre, mon vieux, le railla-t-elle, cette fois sans la moindre hostilité. Quand je pense que vous avez en face de vous des terroristes armés d'une bombe nucléaire, ça fout la trouille.

— Nous ne pouvons négliger la moindre piste, se justifia Gideon en sortant une photo de Chalker. Puis-je vous demander si vous reconnaissez cet homme ?

Elle jeta un coup d'œil au portrait, plissa les yeux et l'examina de plus près. Son expression se métamorphosa.

— Le pire, c'est que je le reconnais, en effet. Il venait à toutes les séances de signatures. Une vraie groupie. Il essayait toujours de coincer mon père en lui posant toutes sortes de questions pendant que des centaines de gens faisaient la queue derrière lui. Mon père jouait le jeu. Il respecte trop ses lecteurs pour se montrer désagréable.

Elle rendit la photo à Gideon.

— En tout cas, je peux vous assurer que mon père n'était *pas du tout* copain avec lui.

— D'autres précisions à me donner ?

Elle secoua la tête.

— Aucune.

— De quoi parlaient-ils ?

— Je ne me souviens plus. Toujours les mêmes trucs, j'imagine. Pourquoi ne pas poser la question à mon père ?

La porte d'entrée venait de s'ouvrir et un petit homme pénétra dans le salon. Simon Blaine était minuscule, avec une barbe surmontée de boucles blanches, un nez

126

tout rond, des joues rouges et des yeux pétillants. On aurait dit un lutin de contes de fées. Quand il vit sa fille, un large sourire illumina son visage. Il s'approcha, la prit dans ses bras en la voyant quitter le canapé et tendit la main à Gideon qui se levait à son tour.

— Simon Blaine, se présenta-t-il, comme si son visiteur l'ignorait.

Il portait un costume trop grand pour lui, dont les manches battaient au rythme de sa poignée de main enthousiaste.

— Présente-moi ton nouvel ami, Doc.

Il s'exprimait d'une voix étonnamment grave, teintée d'un léger accent de Liverpool qui n'était pas sans évoquer celui de Ringo Starr.

— Gideon Crew.

Le chercheur regarda tout à tour le père et la fille.

— Pourquoi Doc ? Votre fille est médecin ?

— Non, non. C'est le diminutif du surnom que je lui ai donné, Docteur Miracle, expliqua Blaine en posant un regard affectueux sur sa fille.

— M. Crew n'est pas exactement un ami, s'empressa de préciser Alida en écrasant sa cigarette. Il enquête sur cette affaire d'attentat terroriste à New York.

Blaine ouvrit de grands yeux bleus.

— Vous m'en direz tant ! s'écria-t-il en examinant la carte que Gideon lui tendait. En quoi puis-je vous aider ?

— J'aimerais vous poser quelques questions, si ça ne vous ennuie pas.

— Pas le moins du monde. Asseyez-vous, je vous en prie.

— Papa, lui expliqua Alida. Reed Chalker, le terroriste tué à New York il y a quelques jours, possédait tous tes livres. Il venait régulièrement à tes séances de dédicaces. Tu te souviens ?

Elle sortit du paquet une cigarette dont elle tapota l'extrémité sur la table avant de l'allumer.

Blaine fronça les sourcils.

— J'ai bien peur que non, dit-il en prenant le portrait de Chalker que Gideon lui tendait.

L'air concentré, la lèvre inférieure en avant, il avait tout d'un elfe avec les boucles rebelles qui lui couvraient les tempes.

— Tu ne te souviens pas ? Le type qui apportait des piles de bouquins à toutes tes signatures et faisait la queue avant tout le monde.

Blaine haussa deux sourcils broussailleux.

— Bien sûr ! Seigneur ! Tu veux dire que ce type était Reed Chalker, le terroriste de Los Alamos ? Quand je pense qu'il lisait mes livres !

L'idée ne semblait pas lui déplaire.

— De quoi parliez-vous avec Chalker ?

— Difficile de vous répondre. La librairie Collected Works organise une signature tous les ans, il n'est pas rare qu'on attire quatre ou cinq cents personnes. Les gens défilent les uns après les autres, ils se contentent de me dire à quel point ils apprécient mes romans, quels sont leurs personnages préférés. Il arrive à certains de me demander de lire un manuscrit, ou de me poser des questions sur la façon de devenir écrivain.

— Ils regrettent souvent qu'on n'ait pas accordé le prix Nobel à papa, précisa Alida avec ferveur. Ce n'est pas moi qui leur donnerai tort.

— Je t'en prie, la tempéra Blaine d'un geste. J'ai reçu plus de prix qu'à mon tour.

— Chalker vous a-t-il jamais proposé de lire ses écrits ? Il ambitionnait de devenir écrivain.

— J'ai une question à vous poser, l'interrompit Alida. Vous m'avez bien dit que vous étiez physicien et que vous collaboriez avec le FBI ?

— Oui, mais cela n'a aucun rapport...

— Vous travaillez à Los Alamos ?

La jeune femme ne manquait pas d'intuition. De toute façon, Gideon n'avait rien à cacher.

— Entre autres raisons, on m'a invité à prendre part à l'enquête parce que j'avais travaillé dans le même service que Chalker à Los Alamos.

— J'en étais sûre !

Alida s'enfonça sur le canapé, un sourire satisfait aux lèvres.

Gideon se tourna vers Blaine, pressé de changer de sujet de conversation.

— Vous aurait-il montré certains de ses écrits ?

Blaine prit le temps de réfléchir avant de répondre non de la tête.

— En fait, je refuse systématiquement de lire les manuscrits qu'on me propose. J'ai gardé le souvenir d'un adulateur plein d'enthousiasme. Cela faisait longtemps que je ne l'avais pas revu. Je ne crois pas qu'il soit venu aux dernières signatures. Tu te souviens, Doc ?

— Non, je crois que tu as raison.

— A-t-il jamais fait allusion à sa conversion à l'islam ?

Blaine afficha sa surprise.

— Jamais. Je m'en souviendrais. J'imagine qu'il abordait les sujets habituels. Je me souviens simplement qu'il était collant, avec une fâcheuse tendance à bloquer la queue.

— Papa ne sait pas dire non, expliqua Alida. Il laisserait les gens lui parler pendant des heures.

Le retour de son père avait achevé de dissoudre sa mauvaise humeur.

Blaine éclata de rire.

— C'est pour ça que j'emmène toujours Alida. Elle veille au grain et s'assure que les gens repartent rapidement après avoir obtenu leur signature. Elle m'épelle leurs prénoms. Si elle n'était pas là, je ferais autant de fautes d'orthographe que Shakespeare. Je ne sais vraiment pas comment je m'en tirerais sans elle.

— Avez-vous rencontré Chalker en dehors de ces séances de signatures ?

— Non. Ce n'est pas le genre de personne que j'inviterais à la maison.

Gideon tiqua intérieurement. Derrière sa bonhomie, Simon Blaine dissimulait un snobisme tout britannique. D'un autre côté, Gideon aurait été mal inspiré de le lui reprocher. Lui-même avait toujours veillé à ne pas recevoir Chalker chez lui.

— Il ne vous a jamais parlé de ses ambitions d'écrivain ? insista-t-il. Il travaillait apparemment à la rédaction de ses mémoires. Nous aimerions en retrouver la trace, cela serait utile à l'enquête.

— Des mémoires ? répéta Blaine, surpris. Comment le savez-vous ?

— Il a participé à un atelier d'écriture intitulé « Comment écrire sa vie ».

Blaine secoua lentement la tête.

— Non, il ne m'en a jamais parlé.

Gideon, arrivé au bout de ses questions, sortit de sa poche deux cartes de visite. Il en tendit une à Blaine, puis une autre à Alida, après un bref instant d'hésitation.

— Appelez-moi si vous repensez à quoi que ce soit. Je m'envole après-demain pour Santa Cruz avec mon collègue Fordyce, mais je reste joignable sur mon portable.

Blaine glissa la carte dans la poche de sa chemise sans un regard.

— Laissez-moi vous raccompagner.

Gideon allait prendre congé lorsqu'une dernière question lui traversa l'esprit.

— Avez-vous idée de ce qui séduisait tant Chalker dans vos livres ? Un personnage, une histoire ?

Le front de Blaine se plissa.

— J'avoue ne pas m'en souvenir... Il m'a pourtant expliqué un jour que mon personnage le plus réussi était celui de l'abbé dans *Le Solitaire de la mer de brume*. Sa remarque m'a étonné, parce que je considère justement cet abbé comme un vrai diable.

Il marqua un léger temps d'arrêt.

— Après tout, c'était peut-être ce qui lui plaisait.

20

Fordyce traversa à grandes enjambées le bar de l'hôtel et se hissa sur le tabouret voisin de celui de Gideon.

— Quel poison avez-vous commandé ?

— Une margarita. Tequila Patron Silver, Cointreau et sel, répondit Gideon.

— Moi aussi, commanda Fordyce au barman.

Il se tourna vers son voisin avec un large sourire.

— Quand je vous disais que j'allais secouer le cocotier, je n'ai pas menti.

— Je suis tout ouïe.

Fordyce sortit de son attaché-case un dossier qu'il posa bruyamment sur le bar.

— Tout est là. Non seulement nous avons l'autorisation d'interroger l'imam dont Chalker était le disciple, mais on m'a également fourni un mandat nous autorisant à pénétrer dans le ranch de Ute Creek où vit actuellement Connie Rust, l'ancienne femme de Chalker.

— Par quel miracle ?

— J'ai contacté directement le bureau de Dart où je suis tombé sur son assistant, un certain Cunningham. Il s'est engagé à nous déblayer le terrain, et il a tenu parole. Tenez-vous bien : personne n'a encore interrogé la femme de Chalker.

— Comment est-ce possible ?

— Les errances typiques de la bureaucratie. L'injonction initiale n'avait pas été rédigée dans les règles, ils ont dû retourner voir le juge qui n'a pas manqué de leur exprimer son mécontentement.

— De là à ce que cette mission nous soit confiée…

— À vrai dire, la femme de Chalker ne les intéresse pas outre mesure. Leur divorce a été prononcé bien avant sa conversion, ils ne se parlaient plus, et ça n'a pas l'air d'être une fille très brillante.

Il rangea ses papiers.

— Je vous suggère de nous rendre dans ce ranch à l'aube. Ensuite, nous sommes censés prendre le thé à 14 heures avec l'imam.

— Prendre le thé avec un imam. On croirait un sketch.

Le barman déposa une margarita devant Fordyce qui but une longue gorgée avec un zèle comparable à celui dont il faisait preuve lorsqu'il dégustait un triple expresso.

— Alors, que sait-on exactement de ce ranch de Ute Creek ?

— Rien de bon, répliqua Gideon. Certains murmurent qu'il abriterait une secte comparable à celle des Davidiens, avec des milices armées. Le maître des lieux est un gourou nommé Willis Lockhart.

— J'ai vérifié, leur dossier est vierge, précisa Fordyce. Pas d'enfants maltraités, pas de bigamie, pas de violation de la législation sur les armes, pas de fraude fiscale.

— Voilà qui est encourageant, reconnut Gideon. Comment comptez-vous procéder ?

— Inutile de les effrayer. On entre gentiment en montrant notre mandat, on récupère la femme et on se retire. Nous avons l'obligation de l'interroger dans les locaux du Bureau à Santa Fe, mais rien ne nous empêche de lui tirer les vers du nez en chemin.

— Et si les occupants du ranch refusent de coopérer ?

— On appelle des renforts.

Gideon fronça les sourcils.

— Ce ranch est perdu au milieu des montagnes. Il faudra aux renforts plus d'une heure pour arriver.

— Dans ce cas, on part discrètement et on revient en force. Avec une équipe des Swat.

— Au risque de rééditer le drame de Waco.

Fordyce afficha son agacement.

— Je fais ce métier depuis des lustres. Je connais mes classiques, tout de même.

— Peut-être, mais j'ai une autre idée…

Fordyce leva les mains au ciel de façon comique.

— Pitié ! J'ai appris à me méfier de vos « idées ».

— Le tout est d'arriver à investir la place. Mandat ou pas, je doute qu'ils nous laissent entrer. Quand bien même, comment repérer la femme de Chalker ? Vous croyez peut-être qu'ils nous la serviront sur un plateau ? Le ranch s'étend sur des centaines d'hectares, on ne peut rien faire sans leur bénédiction.

Fordyce caressa sa coupe en brosse de la main.

— C'est bon, c'est bon ! Alors, cette idée de génie ?

— On infiltre leur communauté en se faisant passer pour…

Il réfléchit un instant à la couverture idéale.

— Des Témoins de Jéhovah ? ricana Fordyce.

Gideon but une gorgée de margarita.

— Non. On se présente en leur proposant une affaire.

— Ah oui ? Laquelle ?

— Le Nouveau-Mexique vient de voter une loi autorisant le commerce de la marijuana pour raisons médicales.

En quelques mots, il exposa son plan à Fordyce. Ce dernier resta longtemps silencieux, les yeux noyés au milieu des glaçons de son cocktail, puis il releva la tête.

— L'idée n'est pas si mauvaise.

Gideon afficha une moue satisfaite.

— Je savoure d'avance le moment où je vous verrai sans votre costume de cadre modèle.

— Et moi je vous laisse le soin de leur parler, grommela Fordyce en retour. Vous n'aurez aucun mal à passer pour un toxico.

21

Ils investirent l'antenne locale de l'Armée du Salut à la première heure le lendemain matin. Gideon passait en revue les portants, tendant les vêtements à un Fordyce qui dissimulait mal sa gêne. Après une halte chez un marchand d'articles de théâtre, ils regagnaient la chambre d'hôtel de Fordyce avec leur butin. Gideon étala l'ensemble sur le lit, sous le regard maussade de son compagnon.

— Est-ce vraiment utile ? demanda l'agent fédéral.

— Mettez-vous là-bas, lui ordonna Gideon en assemblant une chemise, un pantalon et des chaussettes, à la recherche de la tenue idéale.

— Putain, grommela Fordyce. On se croirait à Broadway.

— À ceci près que si notre petit spectacle est un four, on risque fort de recevoir des pruneaux en guise de tomates pourries. Croyez-moi, ce n'est pas facile de déguiser quelqu'un qui est né avec le look d'un agent fédéral.

Il poursuivit ses assemblages, à la recherche du déguisement idéal.

— Essayez-moi ça, dit-il enfin.

— Salopard, gronda Fordyce en abandonnant son costume au profit de l'accoutrement que lui tendait Gideon.

Il hésita au moment d'enfiler une perruque de femme que son compagnon s'était contenté d'ébouriffer.

— Allons, l'encouragea Gideon. Pas de fausse pudeur.

Fordyce s'exécuta.

— La casquette, à présent. Mettez-la à l'envers.

Le résultat n'était guère convaincant, Fordyce était trop vieux pour être crédible.

— Dans ce cas, vous n'avez qu'à l'enfiler à l'endroit.

Fordyce harnaché, Gideon admira le résultat.

— Dommage que vous vous soyez rasé ce matin.

— Il faut y aller.

— Une petite minute. Je voudrais d'abord vous regarder marcher.

Gideon fit la grimace en voyant Fordyce déambuler devant lui d'une démarche raide.

— Il faudrait quand même que vous y mettiez un peu du vôtre, mon vieux.

— Je vois mal comment m'y prendre autrement. J'ai l'air d'un nase.

— Ce n'est pas uniquement une affaire de look, mais aussi de conviction. Ne jouez pas la comédie, *soyez* votre personnage.

— Quel personnage ?

— Un petit voyou prétentieux, arrogant et sûr de lui, totalement dépravé, qui n'a rien à foutre de rien.

— Et ça marche comment, un salopard dépravé ?

— Je ne sais pas, moi. À vous de trouver les gestes justes. Roulez des mécaniques comme un maquereau de quartier louche, la tête haute et la lèvre en avant.

Fordyce tenta une nouvelle démonstration avec un soupir d'agacement.

— Et merde ! s'énerva Gideon. Vous ne pouvez pas oublier le balai que vous avez dans le cul, pour une fois ?

Fordyce l'affronta du regard.

— On perd du temps. Si on n'y va pas tout de suite, on ne sera jamais rentrés à temps pour notre rendez-vous avec l'imam.

Gideon gagna son Suburban en étouffant un juron. Pourvu que les occupants du ranch ne soient pas trop méfiants. Malgré son déguisement, Fordyce continuait de marcher comme un flic.

Tout irait bien si les autres ne remarquaient rien. Sinon, il avait un plan B.

22

Le ranch de Ute Creek s'étendait au sud de Santa Fe, au cœur de la chaîne des montagnes Ortiz qui avaient accueilli autrefois les principales mines d'or des États-Unis. Le 4×4 du FBI avançait en cahotant sur une route minière sillonnant une longue suite de vallées et de collines peuplées de pins argentés, à l'ombre d'un grand pic rocheux. Le véhicule s'immobilisa enfin devant un double portail solidement cadenassé.

Gideon observa une dernière fois son compagnon en descendant du Suburban.

— Passez devant, je veux vous regarder marcher. N'oubliez pas mes recommandations.

— Arrêtez un peu de me reluquer le cul, grinça Fordyce.

Il se dirigea vers le portail avec la démarche raide d'un représentant de la loi, au grand agacement de Gideon. La tenue de l'agent fédéral était tout à fait crédible, seule son allure générale posait problème. Restait à espérer qu'il ferme sa bouche pour ne pas attirer l'attention sur lui.

— Souvenez-vous, lui rappela Gideon dans un murmure. C'est moi qui parle.

— Qui mens, vous voulez dire. Il faut reconnaître que vous avez de sérieuses prédispositions.

Au-delà du portail se dressait une cabane en rondins. On apercevait une grange et plusieurs autres cabanons un peu plus loin à travers les pins, ainsi que le toit d'un vaste ranch. Dans un enclos, une demi-douzaine de types s'activaient autour d'un troupeau de veaux qu'ils marquaient au fer. Les meuglements se mêlaient au sifflement du vent dans les branches. On apercevait les eaux de Ute Creek dans le lointain, au milieu de pâturages.

Gideon secoua le portail.

— Holà ! Y a quelqu'un ?

Un type sortit de la cabane et s'approcha. Barbu et chevelu comme un montagnard, il détacha nonchalamment la machette accrochée à sa ceinture.

Gideon sentit Fordyce se raidir à côté de lui.

— C'est bon, l'apaisa-t-il. C'est toujours mieux que s'il portait un .45.

L'inconnu s'immobilisa à quelques mètres du portail, la machette bien en évidence contre sa poitrine.

— C'est une propriété privée.

— Ouais, je sais, dit Gideon. On vient en copains, ouvre-nous.

— Vous venez voir qui ?

— Willis Lockhart, répondit Gideon en citant le nom du leader de la communauté.

— Il vous attend ?

— Non, mais on voudrait lui proposer une affaire qui va l'intéresser à tous les coups. Il sera pas content si jamais il apprend que tu nous as pas laissés entrer. Il sera même furax.

Le type considéra le problème dans sa tête.

— Quel genre d'affaire ?

— Désolé, mec, mais ça regarde uniquement Lockhart. Il y a du fric à la clé. Du fric. F-R-I-C.

— Le commandant Will aime pas qu'on lui fasse perdre son temps.

Le commandant Will...

— Bon, tu nous laisses passer, oui ou non ? Nous non plus, on n'est pas là pour rigoler.

L'autre eut une dernière hésitation.

— T'es armé ?

Gideon écarta les bras.

— Non. Tu peux me fouiller si ça te chante.

Les deux enquêteurs avaient pris la précaution de laisser leurs armes dans la voiture. Le badge de Fordyce, le mandat et l'assignation étaient dissimulés sous son pantalon, fixés autour de son mollet à l'aide d'élastiques.

— Et lui ?

— Non plus.

Le type glissa la machette dans son fourreau.

— C'est bon. Mais le commandant sera pas content si vous m'avez raconté des histoires.

Il retira le cadenas de la barrière, laissant passer les deux visiteurs qu'il soumit à une fouille rapide. Gideon grimaça intérieurement en constatant que le cerbère verrouillait le cadenas derrière eux. Par chance, ils n'avaient pas éprouvé trop de difficultés à entrer. C'était déjà ça.

En passant devant l'enclos, Gideon nota intérieurement que les types occupés à marquer le bétail avaient l'air de cow-boys ordinaires. Le ranch principal apparut au détour du chemin : une bâtisse à étage, surmontée d'un toit à pignons, qu'entourait une immense galerie. Des panneaux solaires, d'énormes paraboles et une petite tour hertzienne, protégés par un épais grillage doublé de barbelés, étaient regroupés dans un champ à l'arrière de la maison.

— À quoi leur sert tout ce merdier ? murmura Fordyce.

— Ils ont prévu large, au cas où le câble ne diffuserait plus la chaîne Playboy, plaisanta Gideon, tout aussi surpris de ce qu'il découvrait.

On accédait au ranch en traversant une ancienne ville minière superbement restaurée, avec ses cabanons, ses enclos, et même le poteau traditionnel auquel étaient attachés quelques chevaux sellés. Le charme du lieu se trouvait gâché par la présence d'un parking sur lequel étaient garées toute une flotte de jeep identiques, ainsi que plusieurs camions et des engins de terrassement.

Ils traversèrent la galerie du ranch et leur guide frappa à la porte avant d'entrer. Ils découvrirent avec étonnement un salon aménagé en salle de conférence, équipé d'une grande table de bois rouge, de sièges de direction, et même d'un écran plasma. Sur les paperboards s'affichaient de longues séquences d'équations différentielles dont la complexité prit Gideon de court. Le salon s'ouvrait à son extrémité sur une salle de classe dans laquelle une enseignante en robe vichy faisait cours à des enfants. Il régnait dans la maison une atmosphère étrange, à la fois rétro et futuriste.

— On monte au premier, marmonna leur guide.

Tout en grimpant les marches, Gideon tendit l'oreille et entendit clairement l'enseignante expliquer à ses élèves que le virus du sida avait été mis au point par les gouvernants de la planète à des fins génocidaires.

Il lança un coup d'œil en coin à Fordyce.

À l'étage, l'homme à la machette les entraîna dans un long couloir. En passant devant l'une des portes ouvertes, ils aperçurent, allongée sur un lit de satin violet, une femme très déshabillée aux formes généreuses. Elle les regarda passer d'un air indifférent.

— Il s'agit peut-être de la *vice*-commandante, suggéra Gideon avec humour. Décidément, le pouvoir a ses attraits !

— Fermez-la, marmonna Fordyce en voyant leur guide frapper à une porte.

Une voix les pria d'entrer.

La pièce dans laquelle ils pénétrèrent avait tout d'un bordel de l'époque victorienne, avec son papier peint floqué de couleur rouge, ses canapés et ses fauteuils moelleux, ses tapis persans et ses lampes en cuivre aux abat-jour verts. Un personnage musclé d'une cinquantaine d'années était installé derrière un bureau. Chevelu et barbu comme l'homme à la machette qu'il avait manifestement inspiré, il posa sur ses visiteurs un regard à la Raspoutine. Vêtu d'une redingote bleue ouverte sur un gilet brodé auquel était fixée une chaîne de montre, il ressemblait à un dandy de maison de jeu.

Le tout composait un tableau ridicule et Gideon se sentit brusquement soulagé. Équations ou pas, ces gens étaient de simples rigolos à côté de la secte de Charles Manson ou des illuminés de Waco.

— Que voulez-vous ? fit sèchement Lockhart en s'adressant à l'homme à la machette.

— Ces gars-là ont une affaire à vous proposer, commandant.

Lockhart posa un regard aigu sur les visiteurs, qu'il détailla l'un après l'autre. Gideon sentit sa gorge se nouer en voyant les yeux de leur hôte s'attarder sur Fordyce.

— Qui êtes-vous ? demanda-t-il d'une voix soupçonneuse.

— C'est un fédéral, rétorqua Gideon, pris d'une inspiration subite.

Lockhart se leva d'un bond tandis que Fordyce tournait vivement la tête en direction de son compagnon.

Gideon laissa échapper un petit rire.

— Un ancien fédéral, plus exactement.

Lockhart conservait une attitude menaçante.

— C'est un ancien de l'ATF, précisa Gideon. Figurez-vous que ces abrutis ont le droit de prendre leur retraite à quarante-cinq ans. Mon pote a changé de crémerie depuis. Il ne s'occupe plus de lutte contre le trafic de tabac et d'alcool.

Long silence.

— Et de quoi s'occupe-t-il à présent ?

— De cannabis thérapeutique.

Le commandant haussa deux sourcils broussailleux, puis se laissa lentement retomber dans son fauteuil.

— Je m'appelle Gideon Crew. Avec mon collègue, on cherche un endroit peinard pour faire pousser de l'herbe en grande quantité. En montagne de préférence, sur des terres bien irriguées et bien protégées, à l'abri des regards indiscrets et des voleurs de cannabis. On a également besoin de main-d'œuvre fiable.

Il s'autorisa un léger sourire.

— C'est nettement plus lucratif que la luzerne et c'est légal, sans parler de certains *avantages*.

Lockhart observa Gideon en silence.

— Qui vous dit que nous ne disposons pas déjà de champs de cannabis « thérapeutique » ? En quoi pourriez-vous nous être utiles ?

— C'est simple : vous n'êtes pas en mesure de vendre votre récolte, faute d'opérer légalement. Je dispose de toutes les autorisations nécessaires, j'ai même un dispensaire qui doit prochainement ouvrir ses portes à Santa Fe, le premier du genre. Je table sur un volume *considérable*. Et je le répète : en toute légalité.

Fordyce en profita pour intervenir, un sourire complice aux lèvres.

— J'ai gardé un excellent carnet d'adresses de mon passage à l'ATF.

— Je vois. Pourquoi avoir jeté votre dévolu sur nous ?

— J'ai repensé à ma vieille copine Connie Rust, expliqua Gideon.

— Comment connaissez-vous Connie ?

— J'étais son fournisseur de cannabis avant qu'elle rejoigne votre communauté.

— Où vous fournissiez-vous ?

— À votre avis ? rétorqua Gideon en montrant Fordyce du menton.

— Vous étiez encore à l'ATF ?

— Je ne prétends pas être un saint.

Lockhart médita longuement l'explication, la jugeant plausible. Il s'empara du talkie-walkie posé devant lui.

— Amenez-moi Connie. Tout de suite.

Il reposa l'appareil. Gideon craignit un instant que les battements de son cœur ne troublent le silence de la pièce. Jusque-là, tout allait bien.

Après une attente de quelques minutes, on frappa à la porte et une femme fit son entrée.

— Connie, je te présente une vieille connaissance, fit Lockhart.

Gideon et son compagnon découvrirent un personnage décati, le visage ravagé par l'alcool et l'herbe, la bouche molle et humide. Les racines des cheveux blond décoloré de la femme étaient noires sur plusieurs centimètres. Sa robe vichy pendait lamentablement au-dessus d'une silhouette émaciée.

— Qui ça ? s'étonna-t-elle en posant deux yeux chassieux sur les inconnus.

Lockhart désigna Gideon.

— Lui.

— Je ne l'ai jamais…

C'était le moment qu'attendait Fordyce pour agir. D'un geste souple, il détacha le badge et le mandat de son mollet tandis que Gideon saisissait brutalement le bras de Connie.

— Stone Fordyce, se présenta celui-ci en arrachant sa perruque. FBI. Nous avons un mandat et une assignation à témoigner au nom de Connie Rust, que nous emmenons en garde à vue.

Il jeta les papiers sur le bureau de Lockhart.

— Toute atteinte à notre action sera considérée comme un délit d'entrave à la justice.

Sans laisser à Lockhart le temps de revenir de sa surprise, ils quittèrent la pièce en entraînant avec eux une Connie Rust hébétée.

— Bordel de merde ! hurla une voix dans leur dos. Empêchez-les de repartir !

Ils dévalèrent les marches tandis que Lockhart hurlait des ordres dans son talkie.

Ils sortirent précipitamment de la maison et remontèrent le petit chemin de terre au pas de course. Un hurlement de terreur suraigu, presque animal, jaillit au même moment de la gorge de Connie Rust qui, loin de se rebeller, semblait s'être vidée de ses forces.

— Vite, vite ! pressa Fordyce. On y est presque.

L'optimisme de l'agent fédéral se trouva brusquement tempéré par la vision des sept cow-boys, pour certains armés d'aiguillons électriques, qui leur bloquaient la route au niveau de la grange.

— Nous sommes des agents fédéraux en mission ! les avertit Fordyce d'une voix ferme. Laissez-nous passer.

Loin d'obéir, ils avancèrent d'un air menaçant, aiguillons électriques en avant.

— Et merde, marmonna Gideon en ralentissant.

— On continue. C'est peut-être du bluff, l'encouragea Fordyce, qui ouvrait la voie. FBI, mission officielle ! cria-t-il en exhibant son badge.

Sa détermination fit fléchir la résolution des cow-boys, qui hésitèrent. Les hurlements aigus de Connie se chargèrent de les galvaniser.

Les deux groupes se faisaient face à présent.

— Écartez-vous si vous ne voulez pas être arrêtés pour entrave à la justice ! ordonna Fordyce.

Loin de se démonter, l'un des cow-boys agita son aiguillon sous le nez de l'agent fédéral, qui s'écarta juste à temps. Un autre aiguillon l'atteignit au flanc dans une gerbe d'électricité et il s'effondra en poussant un grognement.

Avisant une pelle posée contre le mur de la grange, Gideon lâcha Connie, qui s'écroula par terre en sanglotant. Il s'empara prestement de la pelle et désarma le cow-boy qui venait de toucher Fordyce avant de lui assener un coup dans les côtes. Le cow-boy s'affaissa en se tenant le ventre. Gideon lâcha la pelle et ramassa l'aiguillon électrique de son adversaire au moment où les autres cow-boys se jetaient sur lui.

23

Gideon devait à une jolie camarade de classe aux penchants romantiques marqués d'avoir brièvement pratiqué l'escrime au lycée. Il s'était malheureusement arrêté en même temps qu'elle, sans être allé très loin dans l'art de manier l'épée. Il ne l'avait jamais regretté aussi amèrement qu'aujourd'hui.

Acculé contre le mur de la grange, il était encerclé par l'ennemi. Fordyce, toujours à terre, tentait péniblement de se relever lorsque l'un des cow-boys lui envoya un méchant coup de pied dans les côtes.

Furieux, Gideon se rua sur son adversaire le plus proche en enclenchant d'un doigt l'interrupteur de l'aiguillon. Le type tomba à terre en hurlant de douleur et Gideon arracha l'aiguillon d'un autre de ses ennemis avant de s'en prendre à un troisième. Une tempête de cris s'éleva derrière lui : à nouveau sur pied, Fordyce avait fondu sur la petite troupe avec une énergie décuplée par la rage.

L'aiguillon de Gideon entra en contact avec celui du troisième cow-boy dans un festival d'étincelles. Il recula, plongea en avant, chercha son équilibre. Les deux hommes multipliaient les feintes et les parades au milieu des craquements provoqués par l'électricité des aiguillons. Au moment où Gideon parvenait enfin à se débarrasser de son opposant en l'envoyant rouler dans la poussière, recroquevillé de douleur, un autre cow-boy se ruait sur lui, aiguillon en avant. Il pivota sur lui-même et l'évita de justesse. Du coin de l'œil, il vit Fordyce fondre sur l'un de ses agresseurs et lui briser la mâchoire d'un coup terrible avant de se jeter sur un autre avec l'agilité d'un félin.

Adossé au mur de la grange, pris en tenaille par plusieurs cow-boys, Gideon tentait vainement d'échapper à leurs coups, mais ils étaient trop nombreux. Un premier adversaire se précipitait déjà sur lui tandis qu'un autre lui donnait un coup d'aiguillon. Un éclair de douleur le traversa et il sentit ses jambes le lâcher.

Les cow-boys encore valides allaient lui assener le coup de grâce lorsque Fordyce les prit à revers. Usant de la pelle comme d'une batte de baseball, il donna un grand coup sur la tempe de l'un des attaquants. Il évitait du mieux qu'il le pouvait la menace des aiguillons dont les extrémités produisaient des pluies d'étincelles chaque fois qu'elles entraient en contact avec le métal de la pelle.

Cependant, les assaillants étaient trop nombreux et les deux hommes se retrouvèrent acculés contre les portes de la grange. Fordyce agrippa Gideon par le bras et l'aida à se relever.

— Vite ! À l'intérieur !

Un moulinet de pelle, accompagné d'un hurlement sauvage, suffit à leur ouvrir le passage et ils se précipitèrent à l'intérieur du bâtiment en claquant les portes derrière eux. Le temps de s'habituer à l'obscurité, ils se retranchèrent derrière les machines agricoles et les bottes de luzerne.

— Il nous faudrait des armes, déclara Fordyce d'une voix rauque.

Le répit fut de courte durée. Une demi-douzaine de cow-boys forcèrent la porte et se ruèrent à l'intérieur du bâtiment en hurlant.

— Là ! s'exclama Gideon en avisant une tronçonneuse posée dans un coin.

Il saisit la poignée du démarreur et tira sur la ficelle.

Le moteur démarra en pétaradant. Gideon cala sa main sur la poignée et mit les gaz. Le moteur poussa un rugissement qui pétrifia sur place les cow-boys.

D'un bond, Gideon se précipita sur eux en dessinant des moulinets avec la tronçonneuse de façon à s'ouvrir un passage. Poussé à fond, le moteur hurlait sa rage.

Profitant de la déroute de l'adversaire, Gideon ressortit à l'air libre.

— Déguerpissons ! cria-t-il à l'adresse de Fordyce.

Alors qu'ils se croyaient sauvés, un rugissement fit écho à celui de la tronçonneuse et leur guide initial apparut au coin de la grange.

Il avait troqué sa machette contre une autre tronçonneuse.

Gideon fit volte-face afin d'affronter l'ennemi. Les deux engins s'abattirent l'un sur l'autre avec un vacarme de fin du monde et Gideon, déstabilisé par la violence du choc, manqua de s'étaler par terre. Son attaquant, emporté par son élan, se jeta sur lui en multipliant les moulinets avec la lame hurlante. Gideon parvint cette fois encore à la bloquer avec la sienne et un feu d'artifice d'étincelles s'éleva dans l'air.

Moins habile que son attaquant, Gideon fut contraint de reculer. Son unique espoir de survie tenait à sa maigre expérience d'escrimeur.

Essayons un coupé…

Porté par l'énergie du désespoir, il passa par-dessus la lame de son attaquant qui contra sans grande difficulté. Les deux tronçonneuses rugissantes entrèrent une nouvelle fois en contact dans une cascade d'étincelles.

Acculé à la grange, Gideon vit le barbu fondre sur lui, un sourire carnassier aux lèvres. Il baissa la tête juste à temps, la lame effleura les planches en bois, mais cette parade fit perdre l'équilibre à Gideon qui roula dans la poussière. Fordyce voulut s'interposer, mais l'autre l'éloigna d'un mouvement de tronçonneuse avant d'abattre sa lame en direction de Gideon qui chercha à se protéger à l'aide de la sienne. Son esquive obligea la brute à reculer. Saisissant sa chance, Gideon bondit sur ses pieds et tenta une attaque, lame vibrante en avant, suivie d'un dégagement latéral. La lame déchiqueta la manche de chemise de l'homme et une longue traînée rouge zébra son avant-bras.

— Touché ! s'écria Gideon.

La blessure ne fit que décupler la rage du barbu qui se précipita sur Gideon en brandissant sa tronçonneuse à la façon d'une masse avant de l'abattre de toutes ses forces sur celle de l'adversaire. Les deux engins crièrent sous le choc dans un flamboiement d'étincelles, et celui de Gideon lui échappa des mains. Meurtrie par la violence de l'affrontement, la chaîne du barbu lâcha soudain dans un craquement sinistre et s'enroula autour du visage de son propriétaire. Gideon, éberlué, se trouva aspergé par un nuage de sang. L'homme s'écroula en arrière en poussant un hurlement inhumain et se prit la tête à deux mains, lâchant son engin.

— Attention ! s'écria Fordyce.

Dans un réflexe, Gideon pivota sur lui-même en ramassant sa tronçonneuse, prêt à affronter les cowboys qui le chargeaient, aiguillons en avant. La lame dessina un arc de cercle en désarmant les assaillants qui s'égaillèrent, terrorisés.

Les premiers coups de feu éclatèrent au même instant.

— Allons-y ! cria Fordyce en aidant Connie à se relever avant de la charger sur son épaule comme un paquet de linge sale.

Parvenu au portail, Fordyce laissa le soin à Gideon de découper avec la tronçonneuse une ouverture sommaire à travers laquelle ils se glissèrent sous une pluie de balles.

Par chance, le Suburban était garé tout près. Gideon se débarrassa de la tronçonneuse et sauta derrière le volant pendant que Fordyce jetait littéralement Connie à l'arrière du véhicule et y grimpait à son tour en lui faisant un rempart de son corps.

Pak pak ! Deux projectiles étoilèrent le pare-brise, le rendant opaque. Gideon s'en débarrassa d'un violent coup de poing, embraya et démarra sur les chapeaux de roue dans un nuage de poussière.

Les coups de feu s'éteignaient au loin lorsque Gideon entendit Fordyce pousser un gémissement à l'arrière.

— Vous êtes blessé ? s'inquiéta-t-il.

— Pas du tout, le rassura l'agent fédéral. Je pense à toute la paperasse que je vais devoir remplir.

24

Gideon se détendit enfin en rejoignant la Highway 14 à hauteur de Madrid, une ancienne cité de mineurs transformée en paradis baba cool avec son lot d'ateliers de poterie, de boutiques de macramé et d'herboristeries. À son grand soulagement, aucun des occupants du ranch ne leur avait donné la chasse. Il ralentit en atteignant les premières maisons et longea la rue principale, noire de touristes.

Connie Rust, installée sur la banquette arrière à côté de Fordyce, n'avait pas prononcé une parole tout au long de leur périple à travers les petites routes de montagne.

— Qu'est-ce que je vais devenir ? Qu'est-ce que je vais devenir ? geignait-elle à présent.

— Vous n'avez rien à craindre, tenta de la rassurer Fordyce. Nous sommes là pour vous aider. Vous avez probablement entendu parler de ce qui est arrivé à votre ex-mari.

Les sanglots redoublèrent.

— Nous souhaitons simplement vous interroger.

Fordyce expliqua à sa voisine que l'assignation les autorisait à lui poser des questions dont elle n'avait rien à redouter. Faisant preuve d'une patience infinie, lui parlant comme à une enfant, il l'assura qu'elle n'était soupçonnée de rien et ne risquait nullement la prison, qu'on la considérait au contraire comme un témoin de première importance. Le ton apaisant de l'agent fédéral finit par la calmer.

— Que voulez-vous savoir ? demanda-t-elle entre deux reniflements.

— Mon collègue Gideon Crew a longtemps travaillé à Los Alamos avec votre ancien mari. Je lui laisse le soin de vous poser quelques questions.

Première nouvelle, pensa Gideon, surpris.

— Je vais d'ailleurs reprendre le volant pour qu'il puisse vous interroger à son aise, poursuivit Fordyce. N'est-ce pas, cher collègue ?

Gideon arrêta le véhicule sur le bord de la route.

Fordyce le prit à part au moment où ils changeaient de place.

— Vous connaissiez Chalker, vous êtes mieux placé que moi pour lui tirer les vers du nez, lui glissa-t-il dans un murmure.

Gideon rejoignit Rust à l'arrière du Suburban. Elle avait recouvré un certain calme, bien qu'elle continuât de se tamponner le nez à l'aide d'un Kleenex. On aurait même pu croire qu'elle prenait plaisir à se retrouver au centre de tant d'attention. Gideon ne savait par quel bout commencer. Les interrogatoires n'avaient jamais été son fort.

Fordyce redémarra, veillant pour une fois à conduire doucement.

— Euh... se lança Gideon. Comme vous expliquait l'agent Fordyce, votre ancien mari et moi étions collègues.

Elle opina bêtement.

— Nous étions amis, insista-t-il. Je crois même vous avoir rencontrée un jour.

Autant éviter de lui rappeler cette soirée de Noël où elle avait bu plus que de raison.

En sondant les yeux de son interlocutrice, il fut choqué de constater à quel point elle semblait perdue.

— Désolée, je ne me souviens pas de vous.

Gideon se creusa la cervelle.

— À l'époque où vous étiez mariée avec Chalker, s'intéressait-il à l'islam ?

Elle fit non de la tête.

— A-t-il jamais exprimé des opinions négatives sur son travail à Los Alamos ? Au sujet des armes nucléaires, par exemple ?

— Il était complètement dingue de son boulot. Il en était fier. Quelle horreur !

Elle se moucha. L'évocation de son mariage avec Chalker lui remettait visiblement les idées en place.

— Pourquoi dites-vous « quelle horreur » ?

— Parce qu'il était à son insu le valet du complexe militaro-industriel américain.

— Se montrait-il hostile vis-à-vis des États-Unis ? Avait-il des sympathies pour certaines organisations terroristes ?

— Pas du tout. Il a toujours été nationaliste. Il fallait le voir après le 11 Septembre. « On devrait balancer une bombe atomique sur tous ces salopards. » Sans se douter que l'affaire a été montée de toutes pièces par Bush et Cheney.

Gideon jugea plus prudent de ne pas donner son avis sur la question.

— Dans ce cas, j'imagine que vous avez dû être surprise d'apprendre qu'il s'était converti à l'islam.

— Pas plus que ça. Quand on était ensemble, il me traînait dans des centres de méditation zen, des églises amérindiennes, chez les scientologues et les adeptes de la secte Moon. Il a tout essayé.

— Si je comprends bien, il poursuivait une sorte de quête spirituelle.

— C'est joliment dit. C'était un emmerdeur, oui.

— Pourquoi avoir divorcé ?

Elle renifla.

— Je viens de vous le dire : c'était un emmerdeur.

— Êtes-vous restés en contact après le divorce ?

— Il a essayé. Moi, j'en avais ras le bol de lui. Il m'a enfin fichu la paix quand j'ai rejoint le ranch. Willis lui a mis les points sur les *i*.

— Mais encore ?

— Il a menacé Reed de lui casser la gueule si jamais il tentait de me revoir, alors il s'est écrasé. C'était un lâche.

Fordyce s'interposa.

— Entretenez-vous une relation d'ordre intime avec Willis ?

— Au début. Plus depuis qu'il a fait vœu de célibat.

T'as qu'à croire, sourit Gideon *in petto* en se souvenant de la fille aperçue sur son lit de satin dans la pièce voisine du bureau de Willis.

— Quel est le principe de ce ranch ? continua Fordyce.

— On a décidé de rompre avec ce pays bidon. On vit en autarcie, loin de tout. On cultive notre propre nourriture, on s'entraide. Nous sommes l'avant-garde d'une nouvelle ère.

— Pour quelle raison ?

— Vous êtes tous sous la coupe de l'État. Vous ne vous en rendez même pas compte. Vos politiciens ont tous attrapé le virus du pouvoir. Ils sont corrompus jusqu'à l'os.

— Qu'appelez-vous le virus du pouvoir ? insista Fordyce.

— Par sa nature même, toute forme de pouvoir attire les psychopathes. Tous les pays de la planète ou presque se trouvent entre les mains de psychopathes de génie qui usent de psychologie pour mettre les gens normaux à leur service. Ce sont des déviants dépourvus de toute conscience, incapables d'empathie. Leur soif de pouvoir les pousse à vouloir régir le monde.

Elle se contentait de réciter un discours formaté et bien rodé. Gideon n'y était pourtant pas totalement insensible. Il lui arrivait parfois de penser comme elle.

— Quelle solution proposez-vous ? s'enquit Fordyce.

— Tout mettre à plat et recommencer à zéro.

— Mettre à plat de quelle façon ? s'interposa Gideon.

Elle se mura brusquement dans un silence buté.

— Quelles sont vos activités au ranch ? finit par lui demander Fordyce.

— Au début, on m'avait affectée dans l'équipe technique. Maintenant, je travaille au jardin.

— L'équipe technique ?

— Ça vous étonne ? rétorqua-t-elle en hochant tristement la tête. Nous ne refusons pas le progrès technique, vous savez. C'est même grâce à lui qu'aura lieu la révolution.

— De quelle technologie disposez-vous ?

— Internet, le Web, la communication de masse. Vous avez vu nos paraboles ? Nous sommes connectés avec le reste du monde.

— Vous croyez que la révolution se fera par la violence ? l'interrogea Gideon d'un air innocent.

— Les psychopathes ne partiront jamais de leur plein gré, répondit-elle avec amertume.

Ils approchaient de Santa Fe. Une fois passée la prison, les premiers lotissements commençaient à apparaître.

— Les gens du ranch se sont-ils jamais intéressés au travail de votre ex-mari ? suggéra Fordyce. Après tout, il fabriquait des bombes atomiques. Un moyen plutôt efficace de se débarrasser des psychopathes.

157

Un silence gêné accueillit sa question.

— C'est pas pour ça qu'on m'a invitée à rejoindre le groupe, lâcha-t-elle enfin.

— Pour quelle raison, alors ?

— Parce que... Willis m'aimait.

Cette affirmation pathétique mit un terme aux déclarations de Rust qui refusa de desserrer les dents jusqu'à ce que ses gardiens la confient aux équipes locales du Sun.

— Je leur souhaite bonne chance, déclara Fordyce en redémarrant quelques minutes plus tard. Allons plutôt voir cet imam.

25

La mosquée Al-Dahab se situait à l'extrémité d'une route en lacet. Elle dressait sa silhouette en adobe, surmontée d'un dôme doré, au milieu d'un décor de roches rouges. Un océan de véhicules officiels avait envahi le parking et toutes les voitures qui n'y avaient pas trouvé de place étaient garées tant bien que mal sur le bas-côté.

Son attention attirée par des vociférations, Gideon aperçut un petit groupe de manifestants agitant des pancartes sur lesquelles s'étalaient des slogans hostiles à l'islam.

— Vous avez vu ces abrutis ? marmonna-t-il en secouant la tête.

— On appelle ça la liberté d'expression, rétorqua Fordyce en poursuivant sa route.

La police avait établi son quartier général dans un spacieux mobile home sur le toit duquel fleurissaient antennes et paraboles.

— Pourquoi ne pas avoir convoqué les témoins en ville, au lieu d'installer une unité mobile ici ?

Fordyce émit un ricanement.

— Simple technique d'intimidation.

Le Suburban garé, ils franchirent plusieurs postes de contrôle et un portique de sécurité. Puis on les escorta à l'intérieur de la mosquée où les attendait un hall spectaculaire, habillé de carrelage bleu dessinant des motifs géométriques complexes. Évitant la salle de prière située sous le dôme central, on les dirigea vers une porte devant laquelle étaient postés deux gardes. Des agents du Sun allaient et venaient dans tous les sens, c'est tout juste si l'on apercevait quelques fidèles.

Les gardes visèrent une nouvelle fois leurs papiers et la porte s'ouvrit sur une salle d'interrogatoire improvisée. Une table entourée de chaises se dressait au centre, sous un bouquet de micros reliés au plafond. Des caméras vidéo sur pied avaient été installées aux quatre coins de la salle.

— L'imam sera là dans un instant, les informa un type coiffé d'une casquette aux initiales du Sun.

Ils patientaient depuis quelques minutes, debout, lorsque la porte se rouvrit. Gideon s'attendait si bien à voir entrer un prêtre barbu en djellaba, coiffé d'une calotte, qu'il fut stupéfait de découvrir un Occidental en costume bleu, chemise blanche et cravate. Curieusement dépourvu de chaussures, il marchait en chaussettes. L'homme, d'allure massive, devait avoir la soixantaine.

L'imam se laissa tomber sur un siège d'un air las.

— Asseyez-vous, je vous en prie, invita-t-il ses visiteurs.

Gideon n'était pas au bout de ses surprises car l'imam s'exprimait avec un fort accent du New Jersey. Constatant que Fordyce ne s'asseyait pas, il jugea préférable de rester debout.

La porte de la pièce se referma.

— Stone Fordyce, se présenta l'agent fédéral en sortant son badge.

— Gideon Crew, agissant en liaison avec le FBI.

L'imam ne prêta pas la moindre attention à leur identité. L'épuisement avait quasiment chassé de ses traits les quelques bribes de colère que l'on sentait encore poindre chez lui.

— Monsieur Yusuf Ali ? se lança Gideon.

— C'est moi, répondit l'imam en croisant les bras, les yeux perdus dans le vague.

Les deux hommes s'étaient préalablement mis d'accord sur la façon de procéder. Gideon, intervenant le premier, ferait preuve de bienveillance, laissant à Fordyce le soin de l'interrompre en montrant ses muscles. Jusqu'à preuve du contraire, la technique éculée du gentil flic et du méchant flic restait la plus efficace.

— J'ai bien connu Reed à Los Alamos. Nous étions amis. Il m'a offert certains de ses livres quand il s'est converti. J'avoue que j'ai tout d'abord refusé d'y croire quand j'ai appris ce qui s'était passé à New York.

L'imam, le regard fixe, restait sans réaction.

— Avez-vous été surpris en apprenant la nouvelle ?

L'imam se décida enfin à croiser son regard.

— Surpris ? Je n'en revenais pas, vous voulez dire !

— Vous étiez son maître à penser. Vous étiez présent lorsqu'il a récité pour la première fois la *chahada*, sa profession de foi. Vous voulez dire que vous n'aviez jamais perçu chez lui le moindre signe de radicalisation ?

Un long silence suivit la question.

— C'est probablement la cinquantième fois qu'on me pose cette question. Est-il vraiment utile que j'y réponde ?

Fordyce s'interposa.

— Pourquoi ? Cette question vous gêne ?

Ali se tourna vers Fordyce.

— Au bout de cinquante fois, oui. Mais je vous répondrai tout de même. Je n'ai jamais senti chez lui la moindre tentation intégriste. Au contraire, Chalker se désintéressait complètement de l'islam radical. Il s'intéressait exclusivement à son rapport à Dieu.

— J'ai du mal à vous croire, rétorqua Fordyce. Nous avons des copies de vos prêches. Vous y critiquez ouvertement la guerre en Afghanistan. Plusieurs témoins confirment votre hostilité au gouvernement.

Ali se tourna vers Gideon.

— Avez-vous toujours soutenu la guerre en Irak ? Soutenez-vous la politique de Washington de façon inconditionnelle ?

— Eh bien... balbutia Gideon.

— Les questions, c'est nous qui les posons, le coupa Fordyce.

— Je souhaitais uniquement vous montrer que ma position n'est pas différente de celle de beaucoup d'autres Américains dont personne ne remet en cause la loyauté. Je suis un citoyen loyal, moi aussi.

— Et Chalker ?

— Il ne l'était pas, apparemment. Cela vous choquera sans doute, monsieur Fordyce, mais ceux qui sont hostiles à la guerre en Irak n'ont pas tous décidé de rayer New York de la carte.

Fordyce prit un air navré.

Ali se pencha en avant sur son siège.

— Monsieur Fordyce, je vais vous confier une information que je n'ai révélée à personne jusqu'à présent. Personne. Ça vous intéresse ?

— Bien sûr.

— J'avais trente-cinq ans quand je me suis converti à l'islam. Auparavant, je m'appelais Joseph Carini et j'exerçais le métier de plombier. Quand mon grand-père a quitté la Sicile en 1930 pour émigrer ici, il avait quinze ans, un dollar en poche, et les hardes qu'il portait sur le dos. Il a pris son courage à deux mains, travaillé dur, appris la langue, acheté une maison à Queens, épousé ma grand-mère et élevé ses enfants dans un quartier ouvrier paisible. Après avoir connu la misère, la corruption et l'injustice sociale en Sicile, c'était le paradis. Il *adorait* ce pays. Mon père et ma mère aussi. Ils nous ont élevés dans une banlieue des classes moyennes du New Jersey. Ils éprouvaient une reconnaissance infinie vis-à-vis de ce pays, des opportunités qu'on leur avait données. Figurez-vous que moi aussi. Citez-moi une seule autre nation capable d'accueillir et de donner toute sa place à un adolescent sans le sou qui ne parle même pas la langue du pays concerné ? En vertu de cette même liberté, j'ai quitté l'Église catholique pour des raisons qui m'appartiennent, je me suis converti à l'islam, je me suis installé dans l'Ouest et j'ai fini par devenir l'imam de cette mosquée magnifique. Ce genre de rêve n'est possible qu'en Amérique. Même après le 11 Septembre, cette communauté musulmane a été traitée avec respect par nos voisins. Nous avons été les premiers horrifiés de cette attaque terroriste. Cela fait des années qu'on nous permet de pratiquer notre religion en paix.

Il se tut, laissant ses interlocuteurs peser ses paroles. Seuls les cris et les slogans hostiles des manifestants rassemblés devant la mosquée troublaient le silence.

— Jusqu'à ce jour, tout du moins, se corrigea l'imam.

— Un beau conte patriotique, commenta sèchement Fordyce, que ce discours avait néanmoins ébranlé.

L'interrogatoire se poursuivit sans résultat. L'imam affirmait qu'aucune de ses ouailles n'avait de vues extrémistes, s'agissant pour la plupart de convertis récents, quasiment tous citoyens américains. Les comptes de la mosquée et de l'école coranique avaient été transmis au FBI. Les associations caritatives de la mosquée, dûment enregistrées, fonctionnaient aussi en toute transparence. C'est vrai, les fidèles étaient majoritairement hostiles aux guerres d'Irak et d'Afghanistan, ce qui n'empêchait pas certains membres de la congrégation de servir leur pays dans le golfe Persique. Oui, on enseignait effectivement l'arabe au sein de la communauté, tout simplement parce qu'il s'agissait de la langue originelle du Coran, et non pour des raisons politiques ou racistes.

L'entretien se conclut sur ces affirmations.

26

Fordyce affichait une mine maussade en sortant. Ils regagnaient le Suburban, après avoir franchi les différents postes de contrôle, lorsqu'il éclata :

— Vous voulez que je vous dise ? Ce type-là est trop beau pour être vrai !

Gideon acquiesça.

— Un vrai conte de Grimm à lui tout seul. Cela dit, c'est un putain de bon acteur s'il n'est pas sincère.

Et je sais de quoi je parle, ajouta Gideon intérieurement.

— D'ailleurs, son histoire est facile à vérifier.

— Je suis bien certain que tous les détails colleront. L'animal est prudent.

— Il serait peut-être intéressant de savoir quelles raisons l'ont poussé à quitter l'Église catholique.

— Je vous parie dix contre un qu'il s'y attend, à en juger par la façon dont il nous a tendu la perche.

De l'autre côté des barrières de police, les manifestants continuaient imperturbablement de crier leur mécontentement. Fordyce se figea brusquement, percevant une phrase étrange dans la cacophonie ambiante.

— Vous avez entendu ?

Gideon s'immobilisa à son tour, l'oreille tendue. L'un des manifestants criait une phrase dans laquelle on reconnaissait les mots « canyon » et « bombe ».

Les deux hommes approchèrent. Les manifestants, ravis d'attirer enfin l'attention sur eux, redoublèrent d'efforts.

— Taisez-vous une seconde ! leur ordonna Fordyce d'une voix sonore. Vous ! ajouta-t-il en désignant une jeune femme en tenue de cow-boy, bottes, Stetson et imposante boucle de ceinturon. Vous pouvez me répéter ce que vous étiez en train de crier ?

— Je disais qu'ils se réunissaient en douce à Cobre Canyon à la tombée de la nuit...

— Vous avez personnellement assisté à la scène ?

— Bien sûr. Du sentier qui surplombe le canyon. Je les ai vus transporter des explosifs. Ils fabriquent une bombe, je vous dis.

— Quel genre de matériel ?

— Ils en avaient plein leurs sacs à dos. Je rigole pas, je vous assure qu'ils fabriquent une bombe.

— Vous les avez vus à plusieurs reprises ?

— Ben... une seule fois, mais j'ai tout de suite compris...

— Quand ?

— Il y a six mois environ. Faut que je vous dise...

— Je vous remercie.

Le temps de noter le nom et l'adresse de la jeune femme, les deux enquêteurs regagnaient leur voiture. Fordyce se glissa derrière le volant, de mauvaise humeur.

— Que de temps perdu !

— Pas forcément, si la piste de Cobre Canyon nous mène quelque part.

— Autant vérifier. Cela dit, cette femme se contentait peut-être de rapporter une rumeur et n'avait pas assisté à la scène. Ce qui m'intrigue plus, ce sont les deux types qui nous ont suivis depuis qu'on est sortis de la mosquée.

— On nous a suivis ?

— Vous ne les avez pas remarqués ?

Gideon piqua un fard.

— Je n'ai pas fait gaffe.

Fordyce secoua la tête.

— Je ne sais pas qui c'est, mais j'ai eu le temps de les filmer.

— Les filmer ?! Avec quoi ?

Fordyce sortit un stylo de la poche de sa veste, un sourire narquois aux lèvres.

— Quatre-vingt-dix-neuf dollars chez Sharper Image. Un excellent rapport qualité/prix, quand on pense à la paperasse qu'il faudrait noircir pour obtenir l'autorisation de visionner les enregistrements vidéo du Sun. Sans parler des délais.

Il démarra, redevenant sérieux.

— Quatre jours de paumés. Plus qu'une semaine avant le jour N, peut-être moins. Et regardez-moi ça ! ajouta-t-il en embrassant d'un geste le grouillement des policiers autour de la mosquée.

Il enfonça rageusement la pédale d'accélérateur, laissant un épais nuage de poussière dans le sillage du 4×4.

27

Myron Dart, planté sous l'imposante colonnade du Lincoln Memorial, fixait d'un œil sombre les dalles de marbre du sol. La fraîcheur qui régnait à l'intérieur du monument tranchait pourtant agréablement avec la moiteur de cette journée d'été. Dart veillait soigneusement à ne pas croiser le regard de la statue de Lincoln, qui l'avait toujours impressionné par sa majesté empreinte de sagesse et de bienveillance. Pas question de se laisser envahir par l'émotion. Il préféra s'intéresser à la stèle sur laquelle était gravé le texte du second discours inaugural du seizième président :

Sûrs de faire le bien, tel que Dieu nous le fait discerner, œuvrons ensemble à l'achèvement de la tâche entamée.

Des paroles pleines de bon sens, que Dart se promit de ne pas oublier au cours des heures difficiles qui l'attendaient. Physiquement épuisé, il était à la recherche d'un second souffle. La pression des événements ne le minait pas tant que la déliquescence dans laquelle sombrait le pays. Les voix criardes des démagogues, des commentateurs et des journalistes. Les célèbres vers de Yeats lui revinrent en mémoire : « Les meilleurs manquent de conviction, quand les pires affichent tant de passion. » Cette crise exaltait le pire chez ses concitoyens, alors que se multipliaient les pillages et les combines financières, que s'élevaient de toutes parts les diatribes religieuses et les discours extrémistes. Sans même parler de tous ces pleutres qui fuyaient bêtement leurs maisons. Dans quel gouffre avait donc sombré cette nation qu'il aimait tant ?

Le mieux était encore de se concentrer sur la tâche qu'on lui avait confiée.

Il quitta le mémorial et fit une courte halte en haut des marches. Le Mall s'étendait à ses pieds jusqu'au Washington Monument dont l'ombre effilée rayait d'un trait sombre le vert de la pelouse. Le parc était désert. Pas un touriste en vue, personne pour profiter du soleil. Un convoi d'autochenilles remonta Constitution Avenue dans un grondement sourd. Une vingtaine de Humvee de l'armée stationnaient derrière les blocs de béton installés le long de l'Ellipse. Les rues étaient vides de voitures, jusqu'aux feuilles qui donnaient l'impression d'être en berne sur les arbres. Seul le hululement des sirènes psalmodiait dans le lointain une berceuse monotone, synonyme d'apocalypse.

Dart regagna d'un pas vif la route d'accès au mémorial où l'attendait un véhicule du Sun, flanqué de gardes nationaux armés de fusils M14. Il frappa sur les portes arrière de la camionnette qui s'ouvrirent aussitôt pour le laisser monter.

L'habitacle était plongé dans une pénombre glacée, traversée par les lueurs jaune et vert d'une multitude de cadrans. Une demi-douzaine d'employés du Sun surveillaient des écrans dans le murmure des casques.

Miles Cunningham, l'assistant de Dart, émergea de l'ombre.

— Votre rapport, lui commanda le directeur du Sun.

— Les caméras et les détecteurs de mouvement du Lincoln Memorial sont déjà en ligne, répondit Cunningham. Les lasers de sécurité seront opérationnels d'ici une heure. Nous surveillons le monument en temps réel dans un rayon de cinq cents mètres. Une souris ne passerait pas à travers les mailles du filet.

— Qu'en est-il du Pentagone, de la Maison Blanche et des autres cibles potentielles ?

— On procède actuellement à un maillage similaire. Tout sera cent pour cent opérationnel à minuit. L'ensemble des dispositifs de sécurité transmettent leurs informations à une unité centrale au cœur du centre de commandement. Plusieurs équipes de spécialistes sont mobilisées vingt-quatre heures sur vingt-quatre.

Dart marqua son approbation d'un hochement de tête.

— Combien sont-ils ?

— À peu près cinq cents, en plus du millier d'agents du Sun appelés en renfort. Sans compter l'armée, la Garde nationale, le FBI et les personnels de liaison.

— Combien d'agents sont déployés en tout ?

— C'est impossible à dire, au vu de l'évolution constante de la situation. Cent mille, peut-être davantage.

Bien trop, pensa Dart. L'enquête avait accouché d'un monstre dès le début. Il préféra ne rien dire. L'immense majorité des employés du Sun, basés aux quatre coins du pays, avaient rallié Washington. Il en était de même avec l'armée de terre, les marines, la Garde nationale : l'élite militaire de la nation américaine tout entière avait pris ses quartiers dans la capitale, tandis que résidents et fonctionnaires la quittaient en toute hâte.

— Des nouvelles de l'unité de réflexion sur la bombe ? s'inquiéta Dart.

Cunningham lui tendit un rapport.

— Tout est là, monsieur.

— Résumez-moi les conclusions, je vous prie.

— Les experts n'ont pas réussi à s'accorder entre eux sur la puissance de l'engin. La taille de la bombe dépend essentiellement des connaissances techniques de ses concepteurs.

— Mais encore ?

— Les experts affirment qu'il peut aussi bien s'agir d'une valise de cinquante kilos que d'un objet nettement plus volumineux, uniquement transportable au moyen d'une camionnette. La puissance finale serait de vingt à cinquante kilotonnes. Bien moins si l'engin fait long feu, ce qui ne l'empêcherait pas d'avoir un impact désastreux du fait des radiations.

— Je vous remercie. Où en est l'enquête au Nouveau-Mexique ?

— Rien de probant, monsieur. Les interrogatoires de l'imam et des fidèles n'ont rien donné. Les enquêteurs suivent des centaines, voire des milliers de pistes, sans rien découvrir d'intéressant jusqu'ici.

Dart secoua la tête d'un air désabusé.

— L'urgence est ici, et non là-bas. Quand bien même nous découvririons l'identité de tous les terroristes, cela ne nous aiderait guère. Ils se terrent depuis l'incident. Contactez Sonnerberg au Nouveau-Mexique et dites-lui qu'à moins d'obtenir des résultats dans les vingt-quatre heures, je rapatrie une partie de ses hommes à Washington où ils nous seront plus utiles.

— Bien, monsieur.

Cunningham eut une hésitation qui n'échappa pas à Dart.

— De quoi s'agit-il ? s'enquit aussitôt Dart.

— J'ai reçu un rapport de notre contact du FBI sur place. Le dénommé Fordyce. Il a demandé, et obtenu, l'autorisation d'interroger l'ancienne épouse de Chalker, qui vit dans une communauté des environs de Santa Fe. Il souhaite également interroger d'autres témoins intéressants.

— A-t-il précisé de quels suspects il s'agissait ?

— Ce ne sont pas des suspects, monsieur. De simples témoins dont il n'a pas précisé les noms.

— Vous a-t-il transmis son rapport sur l'ancienne femme de Chalker ?

— Non, mais les interrogatoires auxquels ont procédé les spécialistes du Sun n'ont rien donné.

— Une communauté, dites-vous ? La question mérite d'être approfondie. Bien, ajouta Dart en balayant des yeux l'intérieur du véhicule. Dès que les équipements de sécurité seront installés, passez aux premiers essais. Ordonnez aux équipes concernées de se mettre en chasse de toutes les failles possibles.

— Bien, monsieur.

Dart allait descendre du véhicule lorsque Cunningham le rappela.

— Monsieur le directeur ? demanda-t-il sur un ton gêné.

— Quoi ?

Cunningham se racla la gorge.

— Si vous m'y autorisez, monsieur, vous devriez vous reposer. Sauf erreur de ma part, cela fait plus de cinquante heures que vous êtes sur le pied de guerre.

— Comme tout le monde.

— Non, monsieur. Nous nous sommes tous accordé des moments de pause, ce qui n'est pas votre cas. Puis-je vous suggérer de prendre quelques heures de repos au centre de commandement ? Je ne manquerai pas de vous avertir s'il arrive quoi que ce soit.

Dart, tenté un instant d'adresser une remarque cinglante à son subordonné, répondit d'une voix calme.

— Je vous remercie de votre sollicitude, monsieur Cunningham, mais je dormirai quand cette histoire sera derrière nous.

Sur ces mots, il ouvrit la portière et retrouva le soleil qui inondait la capitale américaine.

28

Le terrain d'aviation de Santa Fe Ouest paraissait assoupi sous un ciel limpide. Tandis que Fordyce se dirigeait vers le parking, Gideon constata que l'aérodrome se limitait à un simple hangar à l'extrémité duquel avait été ajouté tardivement un bâtiment en parpaings.

— Où est la piste ? s'inquiéta-t-il.

Fordyce lui indiqua d'un geste vague un champ de terre battue au-delà du hangar.

— Derrière ce champ ?

— Non. Le champ.

Gideon ne s'était jamais senti à l'aise en avion. En première classe sur un vol de ligne, son iPod à fond et un casque réducteur de bruit sur les oreilles, une hôtesse prête à remplir son verre à tout instant, il pouvait encore se convaincre qu'il n'était pas emprisonné dans un cigare de mauvais métal à plusieurs kilomètres du sol. Mais à la vue des coucous rangés devant le hangar, il savait que l'autosuggestion ne suffirait pas cette fois.

Fordyce récupéra son attaché-case sur la banquette arrière et descendit du 4×4.

— Je file régler les détails de la location. C'est une chance d'avoir pu récupérer ce Cessna 64TE.

— Une vraie chance, maugréa Gideon.

Il regarda son compagnon s'éloigner. Il avait toujours réussi à échapper aux petits avions jusque-là. Le tout était de ne pas se ridiculiser en paniquant devant Fordyce. Quelle poisse ! Il avait fallu qu'il tombe sur un fédéral muni d'une licence de pilote.

Calme-toi donc, espèce d'idiot. Fordyce sait ce qu'il fait. Il n'y a rien à craindre.

Cinq minutes plus tard, le policier ressortait du bâtiment en parpaings et lui faisait signe de venir. Gideon descendit du véhicule, la gorge nouée, en s'efforçant d'afficher une mine sereine. Il rejoignit Fordyce qui l'entraîna en direction d'un bimoteur jaune et blanc. Une vraie boîte à sardines.

— C'est celui-ci ? demanda-t-il.

Fordyce hocha la tête.

— Vous êtes sûr de savoir vous en servir ?

— Vous serez le premier au courant si ce n'est pas le cas.

Gideon grimaça un sourire.

— Vous savez quoi, Fordyce ? Je ne suis pas certain que vous ayez besoin de moi. Je ferais mieux de rester à Santa Fe et d'explorer les pistes que nous avons découvertes ici. La femme de Chalker, par exemple…

— Pas question. On fait équipe ensemble, et vous vous asseyez à la place du mort.

Fordyce ouvrit sa portière, s'installa derrière le palonnier, procéda à quelques réglages et redescendit. Il fit le tour de l'appareil qu'il examina minutieusement.

— Ne me dites pas que vous êtes aussi mécanicien.

— Inspection de vol, répliqua Fordyce en tâtant les ailerons et la queue de l'appareil avant d'ouvrir une trappe et de vérifier le niveau d'huile.

— Vous devriez laver le pare-brise, tant que vous y êtes, le railla Gideon.

Ignorant la remarque, Fordyce passa sous l'une des ailes et sortit de sa poche une grosse seringue équipée d'une canule ressemblant à une paille. Il dévissa un bouchon et introduisit la canule dans le réservoir. Un liquide bleuâtre s'écoula dans la seringue, que Fordyce regarda longuement à la lumière. Une bille bloquait l'entrée de la canule.

— À quoi jouez-vous ? s'enquit Gideon.

— Je m'assure que le carburant ne contient pas d'eau.

L'examen du liquide achevé, Fordyce reversa le liquide dans le réservoir en poussant un grognement.

— C'est fini ?

— Vous plaisantez ? Il y a un réservoir dans chaque aile, et cinq points de contrôle par aile.

Gideon se laissa tomber sur l'herbe, désespéré.

Au terme d'une attente interminable, Fordyce lui fit enfin signe de prendre place à bord de l'appareil et de mettre son casque, mais Gideon n'était pas au bout de ses peines. Son compagnon devait encore réaliser un *cockpit check*, vérifier les instruments et le bon fonctionnement du moteur avant de faire le point fixe. Gideon feignit de s'y intéresser, mais une bonne demi-heure s'écoula avant que l'avion soit prêt pour le décollage. Engoncé dans son siège, Gideon sentit monter en lui un sentiment de claustrophobie.

— Putain, s'agaça-t-il. On aurait eu le temps d'aller à Santa Cruz à pied.

— N'oubliez pas que ce périple était votre idée, se défendit Fordyce en regardant la manche à air afin de déterminer le sens du vent. Puis il mit les gaz et fit lentement pivoter l'avion.

— Et si...

Fordyce ne laissa pas Gideon achever sa phrase.

— Taisez-vous un peu, lui ordonna-t-il dans ses écouteurs. La piste est courte, je dois me concentrer un minimum si nous voulons éviter ces peupliers, expliqua-t-il en désignant un petit bois à trois cents mètres de là.

Gideon ne se le fit pas dire deux fois.

— Tour de contrôle de Santa Fe Ouest, dit Fordyce dans son micro. Ici Cessna 1-4-9-6-9, prêt pour le décollage sur la piste 3-4.

Il ajusta son casque, s'assura que sa ceinture était bien attachée, vérifia le verrouillage de la portière, relâcha les freins et mit pleins gaz.

— Tour de contrôle de Santa Fe Ouest à Cessna 1-4-9-6-9, bon pour piste 3-4, décollage nord-ouest.

L'appareil cahota dangereusement sur la terre battue en prenant de la vitesse.

— Jusque-là, tout va bien, l'informa Fordyce.

Gideon serra les dents.

Quand je pense que ce salaud trouve ça marrant...

Les secousses s'arrêtèrent brusquement, signalant le décollage. Les champs s'éloignèrent rapidement et ils se retrouvèrent perdus dans le bleu du ciel. Le Cessna cessa d'un seul coup de paraître aussi étriqué aux yeux de Gideon. L'appareil était même infiniment plus agile et léger qu'un avion de ligne. Gideon, pris par une sensation comparable à celle qu'il avait pu connaître dans un manège de foire, éprouva une vague euphorique.

— Montée au meilleur angle, reprit Fordyce dans son casque. Cent soixante-quinze nœuds.

— Le meilleur angle ? s'étonna Gideon.

— Ce n'est pas à vous que je parle, mais à l'enregistreur de vol. Taisez-vous donc un peu.

L'appareil poursuivait son ascension sous la poussée de ses moteurs. Arrivé à quatre mille pieds, Fordyce sortit les flaps et prit son allure de croisière tandis que le Cessna se redressait.

— C'est bon, dit-il. Le commandant de bord vient d'éteindre le voyant « Interdiction de parler ».

Gideon, bercé par le ronronnement des moteurs, en arrivait à se demander s'il n'allait pas ressentir un certain plaisir à voyager de la sorte.

— Doit-on survoler des secteurs intéressants ?

Il achevait à peine de poser la question que l'appareil faisait une embardée. Gideon s'agrippa désespérément aux accoudoirs, terrorisé. Ça y est, l'avion allait s'écraser... Le paysage tressautait de l'autre côté du pare-brise, au gré des soubresauts du Cessna.

— Il y a souvent des turbulences à cette altitude, le rassura Fordyce. Je vais monter de mille pieds.

Il jeta un coup d'œil en coin à son passager.

— Ça va ?

— Super, mentit Gideon avec un sourire forcé, en essayant de relâcher les muscles de ses doigts tétanisés par la peur.

— Pour répondre à votre question, nous allons survoler le parc national de la Forêt pétrifiée, le Grand Canyon et la Vallée de la Mort. Nous referons le plein à Bakersfield, pour ne pas risquer de tomber à court de carburant.

— J'aurais dû emporter mon appareil photo.

L'appareil se stabilisa à cinq mille pieds. Gideon, soulagé, constata que les turbulences avaient cessé.

Fordyce sortit de son attaché-case une série de cartes d'aviation qu'il déplia sur ses genoux. Il se tourna vers son passager.

— Vous avez réfléchi plus précisément à ce qui nous attend à Santa Cruz ?

— Chalker voulait devenir écrivain. Le fait de s'être inscrit à cet atelier *après* sa conversion montre bien qu'il n'avait pas renoncé à ce projet. Peut-être souhaitait-il raconter sa conversion, justement. Souvenez-vous que cet atelier était consacré au récit autobiographique. Il suffirait qu'il ait confié un exemplaire de son manuscrit à l'un des participants de cet atelier, ou bien qu'il ait lu des extraits de ses écrits lors du séminaire, pour qu'on glane quelques détails intéressants.

— Intéressants ? Ce serait de l'or en barre, vous voulez dire. Si le manuscrit en question existe bel et bien, il se trouvait très certainement sur le disque dur de son ordinateur, et des milliers de personnes à Washington l'ont déjà dévoré.

— Peut-être. Sauf que les auteurs n'écrivent pas tous sur ordinateur. Il peut aussi avoir décidé d'effacer le fichier en question s'il contenait des passages compromettants. Et quand bien même son texte se trouverait sur son ordinateur, je me demande si on nous le montrera jamais.

Fordyce approuva d'un mouvement de tête.

— La remarque est pertinente.

Gideon s'enfonça sur son siège, hypnotisé par le paysage qui défilait sous les ailes de l'appareil. L'enquête trouvait enfin sa vitesse de croisière. D'abord l'interrogatoire de l'ex-femme de Chalker, puis la visite de la mosquée, et maintenant ce périple à Santa Cruz. Son intuition lui soufflait que l'une de ces pistes leur permettrait de décrocher le jackpot.

29

Assis sur un tapis volant, Gideon flottait au milieu de nuages d'un blanc cotonneux. Une brise tiède lui caressait le visage et lui ébouriffait les cheveux. Le tapis était si moelleux, ses mouvements si doux, qu'il donnait l'impression de rester immobile, alors que le paysage défilait rapidement sous ses pieds. Un paysage exotique, peuplé de dômes et de minarets, de jungles luxuriantes, de champs qui exhalaient des vapeurs violacées en direction du ciel. Au firmament, le soleil baignait la scène de ses rayons bienveillants.

Soudain, le tapis exécuta une embardée.

Les paupières de Gideon papillotèrent. Perdu dans son rêve, il chercha des doigts le rebord du tapis. Sa main s'attarda sur plusieurs rangées de boutons et d'interrupteurs, la surface lisse d'un cadran de verre.

— Ne touchez pas à ça, malheureux ! l'arrêta Fordyce.

Gideon se redressa d'un bloc, aussitôt freiné par sa ceinture. La mémoire lui revint instantanément : l'avion, Santa Cruz. Il sourit.

— De nouvelles turbulences ?

Fordyce ne prit pas la peine de lui répondre. Ils traversaient une zone de mauvais temps... Mais non ! Ce que Gideon avait pris pour d'épais nuages était une épaisse fumée noire s'échappant du moteur gauche, bloquant toute vision à l'intérieur de l'appareil.

— Que s'est-il passé ?

Fordyce, mobilisé par la manœuvre, mit de longues secondes à lui répondre.

— Moteur gauche en carafe, dit-il d'une voix tendue.

— Il est en feu ?

Aux dernières bribes de sommeil avait succédé la panique chez Gideon.

— Pas de flammes.

Fordyce abaissa une manette d'un geste sec et s'escrima sur une batterie de boutons.

— J'ai coupé l'arrivée d'essence en laissant actifs les circuits électriques. Je ne peux pas me permettre de voler sans instruments ni gyroscope.

Gideon écarta les lèvres, mais aucun son ne sortit de sa bouche.

— Ne vous inquiétez pas, reprit Fordyce. Il nous reste le moteur droit. Le tout est d'arriver à stabiliser l'appareil. Il est actuellement déséquilibré du fait de la poussée asymétrique.

Il pesa sur les gouvernes et jeta un coup d'œil rapide aux instruments.

— Les mammouths écrasent les poux sous l'abricotier, marmonna-t-il lentement, avant de répéter plusieurs fois la phrase à la façon d'un mantra.

Gideon, oppressé, regardait droit devant lui, mais Fordyce ne lui accordait pas la moindre attention.

— Injecteur verrouillé, dit-il. Transpondeur bloqué sur la fréquence de détresse.

Il enfonça l'un des boutons de son casque.

— Mayday, mayday, Cessna 1-4-9-6-9 sur le canal de détresse, un moteur en panne, vingt-cinq miles à l'ouest d'Inyokern.

Un grésillement se fit entendre dans les écouteurs.

— Cessna 1-4-9-6-9, ici centre de Los Angeles, précisez la nature de l'urgence en indiquant votre position.

— 1-4-9-6-9, un moteur en panne, vingt-cinq miles à l'ouest d'Inyokern.

Son appel fut ponctué par un court silence.

— 1-4-9-6-9, centre de Los Angeles, l'aéroport le plus proche est Bakersfield, pistes 16 et 34. Aéroport à trente-cinq miles à dix heures.

— 1-4-9-6-9, je vire vers Bakersfield, cap à dix heures.

— Bloquez-vous sur le 7-700 avec votre identifiant, reprit la voix du centre de Los Angeles.

Fordyce enfonça un bouton sur le tableau de bord.

— Ici le centre de Los Angeles. Vous identifie à trente-quatre miles de Bakersfield.

La fumée noire commençait à se dissiper et Gideon remarqua que le ciel s'était couvert. Le sol disparaissait à travers la masse nuageuse qui laissait filtrer de rares taches vertes.

Il posa les yeux sur l'altimètre, dont l'aiguille descendait inexorablement.

— On perd de l'altitude ? demanda-t-il d'une voix angoissée.

— La loi de la pesanteur. Ça devrait aller mieux quand on arrivera au palier normal d'un monomoteur. L'aéroport de Bakersfield se trouve à une cinquantaine de kilomètres. Je vais tenter de rallumer le moteur gauche.

Il actionna un commutateur à plusieurs reprises. Sans succès.

— Saloperie. Il est mort.

Gideon, surpris de ressentir une douleur vive au bout des doigts, s'aperçut qu'ils s'étaient figés dans son siège. Il relâcha lentement la pression, s'obligeant à décontracter ses muscles. *Tout va bien, Fordyce maîtrise la situation.* Fordyce était un pilote chevronné, Gideon n'avait aucune raison de paniquer.

— J'ai réussi à stabiliser à mille neuf cents pieds, annonça Fordyce. Nous atterrirons à Bakersfield d'ici dix minutes. Vous aurez des souvenirs à raconter à...

Il fut interrompu par une explosion violente qui fit trembler toute la carlingue à la droite de l'appareil. Gideon se protégea instinctivement le visage avec le bras.

— C'était quoi, ce bordel ?

À côté de lui, Fordyce était livide.

— Le moteur droit a explosé.

— *Explosé ?*

Un nuage d'une fumée épaisse s'échappait du moteur qui fit entendre une toux grinçante avant de s'éteindre. L'hélice s'immobilisa.

Gideon resta une nouvelle fois sans voix. C'était la fin...

— Nous pouvons nous en tirer en planant. Je vais tenter un atterrissage forcé.

Gideon s'humecta les lèvres.

— Un atterrissage forcé ? répéta-t-il. Ça ne me dit rien qui vaille.

— Bel euphémisme. Aidez-moi plutôt à trouver un terrain potentiel.

— Vous aider... ?

— Regardez par la fenêtre, putain de bordel de merde, et trouvez-moi un endroit plat !

Gideon avait le plus grand mal à croire à ce qui lui arrivait. *On voit ces trucs-là au cinéma, pas dans la réalité.* Dans la vraie vie, il serait déjà mort de trouille. Au lieu de quoi il scrutait l'horizon à la recherche d'un terrain d'atterrissage de fortune. La brume s'était estompée et il aperçut une crête dégagée, au-delà de laquelle s'ouvrait une vallée noyée dans le brouillard, entourée de collines boisées.

— Je ne vois pas le sol à cause de la brume. Combien de temps il nous reste ?

— Attendez une seconde.

Plongé dans le tableau de bord, Fordyce enfonça le palonnier en actionnant les gouvernes. Malgré l'urgence de la situation, il conservait son calme.

— J'ai réglé sur quatre-vingts, déclara-t-il enfin. Ça devrait nous accorder un répit de quelques minutes. Alors, ce terrain d'atterrissage ?

— Le sol est toujours dans la purée de pois.

Gideon chassa d'un battement de paupières le voile de sueur qui lui dégoulinait du front.

— Faudra qu'on m'explique comment les deux moteurs ont pu tomber en carafe en même temps.

Fordyce pinça les lèvres.

Gideon avait mal aux yeux à force de chercher à percer la brume. À présent que la crête était toute proche, la couverture nuageuse se fragmentait dans la vallée. Il ouvrit de grands yeux en apercevant, à travers une trouée au milieu des nuages, un minuscule ruban de macadam au fond de la vallée.

— Là-bas ! Une route ! s'écria-t-il, au comble de l'excitation.

Fordyce jeta un coup d'œil à la carte.

— La Highway 178.

Il enclencha sa radio.

— Mayday, mayday. Ici Cessna 1-4-9-6-9 sur le canal 121,5. Second moteur en panne, je répète, second moteur en panne. Vais tenter atterrissage forcé sur la Highway 178, au sud-sud-ouest de Miracle Hot Springs.

Pas de réaction.

— Pourquoi ne répondent-ils pas ? s'inquiéta Gideon.

— On est trop bas.

L'appareil ne volait plus qu'à mille quatre cents pieds et la crête approchait dangereusement. L'avion aurait du mal à franchir l'obstacle.

— Cramponnez-vous, recommanda Fordyce. Ça va être ric-rac.

Déchirant les écharpes de brume qui enveloppaient le plateau, l'appareil planait dans un silence de mort que seul troublait le sifflement du vent dans les hélices figées. Gideon, qui s'était instinctivement arrêté de respirer, se vida lentement les poumons.

— Nom d'un chien enragé, balbutia-t-il.

— La route se trouve approximativement à trois kilomètres. Nous volons à mille cent pieds, dans le bon alignement.

— Le train d'atterrissage ?

— Il est trop tôt, ça nous ral… *Oh, putain de merde !*

Ils venaient de franchir la crête et entamaient leur descente dans la vallée lorsque leur apparut, entre deux nuages, une colline couverte de séquoias majestueux qui leur barrait la route.

— Saloperie, murmura Fordyce.

Gideon, qui ne l'avait jamais vu perdre son sang-froid, sentit sa gorge se serrer. Il fit craquer les articulations de ses doigts, histoire de se prouver qu'il était vivant. À sa grande surprise, il s'apercevait que la mort ne lui faisait pas peur. Finir de la sorte était même préférable au sort qui l'attendait… d'ici quelques mois. Sans doute.

Fordyce, livide, transpirait abondamment.

— Le parc national de Sequoia, dit-il d'une voix rauque. Je vais tenter de passer à travers cette trouée. Cramponnez-vous.

L'appareil fonçait droit sur la colline hérissée d'arbres géants. Cramponné au palonnier, Fordyce vira en direction d'une enfilade entre les séquoias et fit basculer l'avion sur la droite au dernier moment.

Gideon vit la terre tourner tandis que le Cessna piquait du nez.

— Seigneur, balbutia-t-il, sans savoir s'il s'adressait au Créateur, ou bien s'il usait d'une expression consacrée.

Probablement les deux…

Terrorisé, il vit les énormes troncs rouges raser la carlingue. Celle-ci fut secouée par l'appel d'air, puis un ciel dégagé apparut derrière le pare-brise. En contrebas, la Highway 178 dessinait un ruban noir sur lequel circulaient de rares véhicules.

— Cinq cents pieds, annonça Fordyce.

— On peut y arriver ? demanda Gideon, le cœur battant.

À présent que la menace des séquoias s'était éloignée et que leurs chances de survie s'amélioraient, il éprouvait brusquement l'envie de vivre.

— Sais pas. Notre cabriole nous a fait perdre pas mal d'altitude. Sans compter que je dois exécuter un dernier virage si je veux atterrir dans le même sens que les voitures. C'est notre seul espoir de nous en tirer.

L'appareil entama une large boucle. Fordyce sortit le train d'atterrissage.

— Attention aux arbres, l'avertit Gideon.

— Je les vois.

Fordyce acheva de virer sur l'aile. Gideon sentit des branches caresser brutalement le bas du fuselage, puis le Cessna s'aligna sur la route qui défilait sous les roues de l'appareil, moins de dix mètres en contrebas.

Un camion gravissait péniblement une côte devant eux. Gideon ferma les yeux, persuadé que la collision était inévitable. L'une des roues rebondit sur la cabine du camion avec un bruit de tambour. L'avion fut légèrement déséquilibré, mais Fordyce parvint à redresser et cabra légèrement le nez de l'appareil.

Dans leur dos retentit un long coup de klaxon alors que le conducteur du poids lourd pesait de tout son poids sur la pédale de frein.

Le Cessna toucha le macadam, rebondit, et se posa brutalement avant d'arrêter sa course au milieu de la route.

Gideon se retourna juste à temps pour voir le camion se mettre en travers du bitume et glisser vers eux dans un jaillissement de caoutchouc : plusieurs de ses pneus, malmenés par la manœuvre, venaient d'éclater. L'énorme masse s'immobilisa à moins de cinq mètres de l'avion. Sur la file de circulation opposée, un conducteur pila.

Le crissement des freins se tut et un silence absolu recouvrit la scène.

Un instant transformé en statue de marbre, Fordyce finit par lâcher le palonnier. Il coupa le contact, retira son casque et détacha sa ceinture.

— Après vous, invita-t-il aimablement son compagnon.

Gideon descendit de l'appareil sur des jambes en caoutchouc, aussitôt imité par Fordyce.

Les deux hommes se laissèrent tomber sur le bas-côté. Les palpitations du cœur de Gideon étaient si fortes qu'il peinait à respirer.

Le chauffeur du poids lourd et le conducteur de l'auto les rejoignirent en courant.

— Putain ! s'écria le routier. Ça va, les gars ? Qu'est-ce qui vous est arrivé ?

Un embouteillage se formait à mesure que survenaient d'autres véhicules, dont les occupants descendaient précipitamment.

Gideon, sous le choc, ne remarquait rien.

— C'est courant qu'un moteur rende l'âme de cette façon ? demanda-t-il à Fordyce.

— Pas très.

— Et les deux moteurs ?

— Jamais, Gideon. Jamais.

30

Trente-six heures plus tard, Gideon Crew garait le Suburban, équipé d'un pare-brise neuf, dans le champ jouxtant son cabanon. Il coupa le contact, descendit du 4×4 et se remplit les poumons en admirant le paysage. Les eaux du bassin de Piedra Lumbre luisaient faiblement dans la lumière dorée de cette fin de journée, reflétant les monts Jemez couverts de pins argentés. Il se sentit aussitôt revigoré par le paysage et l'air frais. C'était la première fois qu'il retrouvait ce havre de paix depuis ses démêlés sur Hart Island[1]. Ce lieu magique avait le don de chasser les pensées sombres qui l'animaient trop souvent. Il se sentait brusquement capable de tout oublier. L'enquête, sa maladie, et le reste : son enfance détruite, l'existence solitaire qu'il s'était imposée depuis.

Il savoura longuement son bien-être, puis récupéra ses sacs à provisions sur le siège passager, ouvrit la porte du cabanon et rejoignit la petite cuisine. Une odeur de fumée de bois, de vieux cuir et de tapis indien l'accueillit en ami. Quel soulagement de retrouver cet

---

1. Voir *R pour Revanche* (J'ai lu, 2013).

endroit intact, surtout en cette heure critique où les habitants fuyaient les villes, apeurés par le discours des illuminés et autres adeptes de la théorie du complot qui passaient en boucle à la télé et sur les ondes. Il déballa ses courses sur le plan de travail en sifflant la mélodie de *Straight, No Chaser*, puis fit le tour du propriétaire. Il ouvrit volets et fenêtres, vérifia le convertisseur solaire, mit en route la pompe du puits.

De retour à la cuisine, il prépara en sifflant les ustensiles dont il avait besoin.

Quel plaisir de se retrouver dans ce refuge !

Une heure plus tard, il vérifiait la cuisson de ses artichauts à la provençale braisés lorsqu'un bruit de moteur traversa le silence. Il s'approcha de la fenêtre et reconnut Stone Fordyce, au volant d'une vieille Crown Vic du FBI. Il s'empressa de déposer un gros morceau de beurre dans une poêle sous laquelle il alluma le gaz.

Fordyce poussa la porte du cabanon et examina l'intérieur avec curiosité.

— Voici ce que j'appelle une retraite au charme rustique. C'est quoi, tout ce fatras ? s'étonna-t-il en apercevant le matériel informatique de son hôte, dissimulé dans une alcôve. Ça fait beaucoup pour une simple installation solaire.

— Je dispose de tous les accumulateurs nécessaires.

Fordyce entra dans le salon et jeta sa veste sur une chaise.

— J'ai failli arracher mon pot d'échappement sur votre chemin.

— Ça décourage les visiteurs.

Gideon montra du menton la table de la cuisine.

— J'ai débouché une bouteille de brunello. Servez-vous.

Il s'était demandé si ce n'était pas donner de la confiture à un cochon, avant de se décider à tenter l'expérience.

— Dieu sait que j'en ai besoin.

Fordyce se versa une généreuse rasade dont il but une gorgée.

— Je ne sais pas ce que vous préparez, mais ça sent bon.

— Plus que bon, même. Vous allez déguster le meilleur repas de toute votre existence.

— Vraiment ?

— J'en ai assez de la nourriture d'hôtel et d'aéroport. En temps normal, je ne fais qu'un repas par jour, préparé par mes soins.

L'agent fédéral dégusta une nouvelle gorgée de vin et se laissa tomber sur le canapé en cuir.

— Alors, quoi de neuf ?

Les deux hommes avaient regagné Santa Fe directement après leurs mésaventures aériennes, renonçant à enquêter à la Maison des écrivains de Santa Cruz. Il leur semblait préférable de trouver qui avait saboté leur avion. Si le sabotage était avéré. Soucieux de gagner du temps, ils s'étaient alors partagé la tâche.

Voyant que le beurre cessait de mousser dans la poêle, Gideon ajouta les rognons de veau, achetés chez le boucher, qu'il avait soigneusement lavés et débarrassés de leur graisse.

— Je suis allé vérifier sur place à Cobre Canyon. Vous ne devinerez jamais ce que j'ai découvert.

— Quoi ? demanda Fordyce en se penchant en avant, signe de son intérêt.

— Des rochers, des coquillages, un tapis de prière et un bol destiné aux ablutions rituelles près d'une source naturelle.

— Qu'en déduisez-vous ?

— J'en déduis qu'il s'agit d'un sanctuaire fréquenté par les fidèles de la mosquée. Aucune trace de bombe ou autre.

Fordyce afficha sa déception par une grimace.

— Je me suis également renseigné sur les raisons qui ont poussé notre imam à quitter l'Église catholique. Il a été victime dans son enfance d'un prêtre pédophile. L'affaire a été étouffée, une compensation financière a été négociée à l'amiable avec la famille, qui s'est engagée en échange à ne rien révéler.

— Voilà donc le secret qu'il refusait d'évoquer, persuadé que nous enquêterions.

— Exactement. Après quoi j'ai réussi à identifier les deux types que vous avez filmés à leur insu en sortant de la mosquée. Tenez-vous bien : l'un d'eux est un ancien pilote de ligne de la Pan Am.

Fordyce posa son verre.

— Sans déconner ! Voilà qui cadre bien avec ce que j'ai découvert à propos de notre accident.

— Je vous écoute.

— J'ai eu accès au rapport de l'enquête préliminaire commanditée de toute urgence. Aucun doute possible ; l'appareil a été saboté. Quelqu'un, votre ami pilote, qui sait, a ajouté du kérosène dans le réservoir du Cessna.

— Ce qui signifie en clair ?

— Le moteur du Cessna fonctionne au sans-plomb d'indice 100. L'ajout de kérosène a automatiquement provoqué la baisse du niveau de l'indice d'octane, ce qui a fait fondre les pistons.

Fordyce trempa les lèvres dans son verre.

— Un moteur alimenté par du mauvais carburant fonctionnera normalement en apparence, jusqu'au moment où le moteur fondra. Avgas, le carburant des petits avions, est de couleur bleutée, alors que le kérosène est transparent, ou jaune très pâle. Lors de mon inspection, j'avais bien remarqué que le bleu du carburant était clair, sans m'en inquiéter outre mesure. Le saboteur savait très bien ce qu'il faisait.

Gideon conserva le silence, le temps de digérer l'information.

— À quelle heure aviez-vous terminé vos investigations ? reprit Fordyce.

— Vers 12 h 30. 13 heures au plus tard.

— Qu'avez-vous fichu de votre après-midi ? J'ai essayé de vous joindre une bonne demi-douzaine de fois sur votre portable. Il était éteint.

Gideon sentit une vague d'angoisse l'envahir. Il n'avait jamais imaginé se confier à Fordyce, et fut le premier surpris de s'entendre dire :

— Je suis allé passer des examens.

— Des examens ?

— Médicaux.

Les rognons avaient réduit dans le beurre et commençaient à dorer. Gideon les retira de la poêle et les déposa sur un plat tiède. Fordyce examina le résultat d'un regard inquiet.

— C'est quoi, ces espèces de… ?

— Ce sont des rognons. Accordez-moi une minute ou deux, le temps de préparer la sauce.

Gideon versa dans la poêle chaude des échalotes, du bouillon, des épices, ainsi qu'une généreuse rasade de vin rouge.

— Vous ne me ferez pas manger ça, l'avertit Fordyce.

— Ce ne sont pas des rognons d'agneau, c'est tout simplement du veau. Frank, mon boucher, avait de la moelle de bœuf, alors je les ai préparés à la bordelaise au lieu de les flamber.

Gideon rectifia l'assaisonnement de la sauce. Il découpa soigneusement les rognons en diagonale et les ajouta à la sauce qui mijotait avant d'incorporer la moelle. Quelques instants plus tard, il servait le tout dans deux assiettes, accompagné des artichauts braisés tout juste retirés du four.

— Puis-je vous demander de me rejoindre avec le vin ? pria-t-il Fordyce en emportant les assiettes dans le salon.

Fordyce lui emboîta le pas à contrecœur.

— Je vous préviens, je ne mangerai pas ces trucs-là. Je ne mange pas d'abats.

Gideon déposa les assiettes sur la table basse.

Fordyce s'assit sur le canapé en cuir, le front barré d'un pli.

— Goûtez, au moins.

L'agent fédéral saisit son couteau et sa fourchette d'un air hésitant.

— Allez ! Arrêtez de vous comporter comme un gamin. Si vous n'aimez vraiment pas, je dois avoir un paquet de chips de maïs à la cuisine.

Fordyce découpa un morceau minuscule qu'il porta à la bouche avec méfiance.

Gideon, qui savourait ses rognons, se demandait comment on pouvait décemment résister à un tel régal.

— C'est comestible, concéda Fordyce en avalant une bouchée normale.

Les deux mangèrent en silence, jusqu'à ce que Fordyce murmure :

— J'ai du mal à croire qu'on puisse dîner ensemble en savourant cet excellent vin, au milieu de nulle part, après avoir échappé de justesse à cet accident d'avion hier. J'éprouve une sorte de… renaissance.

Le terme rappela à Gideon ses problèmes de santé.

— Vous n'avez pas l'impression de renaître, vous aussi ? insista Fordyce.

— Non.

Fordyce posa sur lui un regard intrigué.

— Hé… vous allez bien ?

Gideon avala une gorgée de vin, sans prendre le temps de savourer le nectar. Il n'était pas certain de vouloir s'aventurer sur ce terrain.

— Il n'y a pas de mal à parler de ce qui nous est arrivé hier. C'était normal d'avoir peur.

Gideon secoua la tête en reposant son verre. Il éprouvait soudain le besoin de se soulager.

— Ce n'est pas lié à l'accident.

— Alors, quoi ?

— Eh bien... chaque matin en me réveillant... je me souviens.

— De quoi ?

Gideon ne répondit pas immédiatement. Quelle mouche l'avait piqué de dire ça ? S'il voulait être honnête avec lui-même, il savait ce qui l'avait poussé à inviter Fordyce dans son cabanon. Grâce à cette enquête qu'ils menaient de concert, peut-être aussi leur admiration commune pour la musique de Thelonious Monk, ou encore leur expérience de la veille, Gideon parvenait à considérer Stone Fordyce comme un ami. Son seul ami, exception faite de cet animal de Tom O'Brien à New York.

— On m'a récemment annoncé que j'étais atteint d'une maladie mortelle. Le matin, en ouvrant les yeux, je respire pendant une minute ou deux, et puis je me souviens. D'où ma réponse il y a un instant, quand vous me demandiez si je me sentais renaître.

Fordyce releva la tête, la fourchette en l'air.

— Vous déconnez.

Gideon fit non de la tête.

— De quoi s'agit-il ? Un cancer ?

— Une MAV. Une malformation des veines et des artères du cerveau. D'un point de vue statistique, il me reste plus ou moins un an à vivre.

— Il n'existe aucun traitement ?

— C'est inopérable. Un jour, ça finit par... claquer.

Fordyce se tassa sur le canapé.

— Oh putain...

— C'est pour cette raison que je n'étais pas joignable cet après-midi. J'avais des doutes sur le diagnostic initial, alors j'ai passé une IRM.

— Quand doivent tomber les résultats ?

— Dans trois jours.

Gideon marqua un temps d'arrêt.

— Vous êtes la première personne à qui j'en parle. Je n'avais pas l'intention de vous plomber, mais… il fallait que je me confie à quelqu'un. C'est la faute du vin.

Fordyce le dévisageait, et Gideon lut dans ses yeux qu'il ne savait pas s'il devait le croire. L'agent fédéral finit par comprendre que son hôte ne plaisantait pas.

— Je suis sincèrement désolé. Je ne sais pas quoi dire. Seigneur, c'est atroce.

— Il n'y a rien à dire. En fait, j'aimerais autant que vous n'y fassiez plus jamais allusion. Si ça se trouve, c'est des conneries. Je me pose très sérieusement la question. Les examens d'aujourd'hui m'apporteront la réponse.

— Vous me communiquerez le résultat ? demanda Fordyce. Quel qu'il soit, d'ailleurs.

— Je vous le promets.

Gideon laissa échapper un rire maladroit.

— J'ai le chic pour mettre l'ambiance.

Il remplit les verres de vin.

— J'ai changé d'avis, réagit Fordyce d'une voix un peu trop enjouée en s'attaquant à son assiette. J'aime bien les rognons. Cuits à la Gideon, en tout cas.

Le repas se poursuivit sur une note moins pesante.

Son assiette nettoyée, Gideon glissa un CD de Ben Webster dans le lecteur de la chaîne hi-fi.

— Quelle est l'étape suivante ? s'enquit-il.

— On fait parler l'ancien pilote aperçu à la mosquée.

Gideon approuva d'un mouvement de tête.

— De mon côté, je retournerais volontiers discuter avec Simon Blaine sur le plateau de tournage.

— L'écrivain ? Il faudrait surtout retourner au ranch de Ute Creek secouer tous ces cinglés. Leur panoplie de paraboles ne me dit rien de bon. Sans parler des discours apocalyptiques de l'ex-femme de Chalker.

— Je ne suis pas certain d'avoir envie de tâter à nouveau de leurs aiguillons électriques.

— On y va en force avec une équipe des Swat et on attrape Willis par les couilles avec sa bande d'ordures.

— Vous n'avez donc pas tiré les leçons du fiasco de Waco ?

— C'est toujours mieux que de perdre notre temps avec cet écrivain.

— Sa fille est mignonne.

— Ah, je comprends ! ricana Fordyce en se versant le reste de vin. Monsieur enquête avec ses glandes.

— Je vais chercher une autre bouteille, suggéra Gideon en se levant.

Une troisième bouteille et un album de Miles Davis plus tard, Gideon et Fordyce demeuraient fidèles au salon du cabanon. La fraîcheur était arrivée avec la nuit et le feu qui crépitait dans la cheminée plongeait la pièce dans une atmosphère orangée.

— Moi qui n'aime pas les abats en temps ordinaire, déclara Fordyce en levant son verre.

Gideon vida le sien. Il le reposa sur la table basse d'un geste maladroit et comprit qu'il n'avait plus les idées très claires.

— J'aimerais vous poser une question.

— Allez-y.

— Hier, dans l'avion, vous répétiez constamment une phrase bizarre où il était question de mammouths et de poux.

Fordyce éclata de rire.

— C'est un truc mnémotechnique destiné aux pilotes. « Les Mammouths Écrasent les Poux sous l'Abricotier. » Il s'agit de la liste des vérifications en cas de panne moteur. Mélange, Essence, Pompe, Allumage.

Gideon afficha une mine dépitée.

— Et moi qui croyais que c'était une devise de vieux sage !

31

Stone Fordyce fut tiré de son sommeil par le générique de la série *Des agents très spéciaux*. Il coupa l'alarme de son portable en maugréant et se mit en position assise. S'il attribuait sans peine son mal de crâne au vin de la veille, il soupçonnait ces vacheries de rognons de provoquer les crampes qui lui nouaient les intestins.

L'écran de l'appareil indiquait 5 heures. Il devait téléphoner son rapport à 7 h 30, heure de New York, deux heures de moins au Nouveau-Mexique. Il lui restait donc une demi-heure pour se remettre les idées en place.

Il était occupé à se raser lorsque la sonnerie du portable retentit, moins de vingt minutes plus tard. Il s'essuya les mains en jurant et décrocha.

— Agent Fordyce ?

Il reconnut instantanément la voix sèche de Myron Dart.

— La conférence téléphonique était prévue à 7 h 30, répondit-il sans dissimuler son irritation, une joue couverte de mousse à raser.

— Elle a été annulée. Êtes-vous seul ? J'ai des informations que je souhaite partager avec vous. Des informations extrêmement... sensibles.

***

Le ranch Circle Y occupait un terrain de plus de quatre mille hectares au nord de Santa Fe, dans un décor de mesas et de montagnes. À cette altitude, l'air du désert était vif. En marge de ses activités d'élevage, le Circle Y proposait des décors de western aux studios de cinéma et de télévision d'Hollywood.

Au détour du chemin, Gideon vit apparaître un village de western typique, avec son église, son cimetière façon Boot Hill, et sa rue principale de terre battue. La route contournait la petite ville et il perdit ses illusions en constatant que les bâtiments se limitaient à de simples façades maintenues par des échafaudages précaires. Un peu plus loin se dessinait le cours rocailleux de la Jasper Creek. De rares peupliers poussaient le long du torrent, asséché en ce début d'été.

Le tout composait un tableau parfait dans la lumière dorée de cette journée naissante de juin, sous un ciel d'un bleu soutenu. Malgré la fraîcheur matinale, on sentait que le soleil ne tarderait pas à tout calciner.

Gideon se gara à l'entrée de la ville, sur un parking délimité par une grosse corde, et gagna le lieu du tournage. Des techniciens couraient dans tous les sens, au milieu d'une jungle de caméras, de micros et de projecteurs, dans le tonnerre des mégaphones.

Des bandes de plastique bloquaient l'accès à la petite ville. Un type armé d'un porte-bloc à pince arrêta Gideon en le voyant s'approcher.

— Je peux vous aider ? demanda-t-il poliment en lui barrant la route.

— Je souhaiterais voir Simon Blaine.

— Vous avez rendez-vous ?

Gideon sortit sa carte d'enquêteur.

— Je travaille pour le FBI.

Au passage, il gratifia son interlocuteur d'un grand sourire accompagné d'un clin d'œil.

Le type examina longuement le document avant de le lui rendre.

— C'est à quel sujet ?

— Je ne suis pas habilité à vous en dire davantage.

— M. Blaine est occupé. Vous pouvez attendre ici qu'il ait terminé, si vous voulez.

— Vous avez décidé de me compliquer la vie, c'est ça ?

— Euh… non, pas du tout. Mais… laissez-moi vérifier s'il est disponible.

Le type avait à peine tourné les talons que Gideon franchissait la bande de plastique et s'engageait dans la « ville ». La rue principale longeait un saloon, une écurie, une épicerie, ce qui devait être un bordel, puis l'échoppe d'un forgeron ainsi que le bureau du shérif. Un virevoltant, jauni artificiellement à la peinture et poussé par une soufflerie dissimulée derrière une façade, passa tout près de lui. Plusieurs autres, entassés dans un grand panier, attendaient le bon vouloir d'un technicien qui donnait ses instructions au collègue actionnant la soufflerie.

Des cow-boys montés sur des chevaux pie remontaient la rue. Gideon reconnut Alida, avec sa crinière blonde s'agitant dans le vent artificiel, à la tête de la petite troupe. Elle portait le déguisement de rigueur : chemise blanche, gilet de cuir, double ceinturon, revolvers, jambières en peau de mouton, chapeau et bottes. Elle se dirigea vers lui en le reconnaissant et descendit de sa monture, qu'elle tira par les rênes.

— Qu'est-ce que vous fichez là ? s'enquit-elle sur un ton agressif.

— Je suis venu voir votre père.

— Ne me dites pas que vous vous entêtez à vouloir établir un lien entre le terroriste et lui ?

— J'en ai bien peur, répondit Gideon sur un ton aimable. Belle bête. Comment s'appelle-t-elle ?

La jeune femme croisa les bras.

— Sierra. Mon père est *très* occupé.

— Est-il indispensable de vous montrer désagréable ?

Elle laissa échapper un soupir agacé.

— De combien de temps avez-vous besoin ?

— Dix minutes.

Le type au porte-bloc à pince les rejoignit, visiblement ennuyé.

— Je suis désolé, il est entré tout seul et...

Alida lui adressa un grand sourire.

— Je m'en charge.

Elle se tourna à nouveau vers Gideon et son sourire s'effaça instantanément.

— Ils s'apprêtent à tourner la dernière scène avec de gros effets à la clé. Vous ne pouvez pas attendre ?

— De gros effets ?

— Ils mettent le feu à la ville et la font sauter en grande partie. Les artificiers sont prêts.

Elle hésita.

— Ça vous amusera sans doute.

L'occasion rêvée de rester un peu avec elle tout en lui posant des questions.

— Il y en a pour longtemps ?

Elle regarda sa montre.

— Une heure, environ. Une fois l'explosion passée et l'incendie activé, ça va vite. Vous n'aurez qu'à interroger mon père ensuite.

Il acquiesça d'un mouvement de tête, en admirant la tenue de la jeune femme.

— Vous avez tout d'une star.

— J'ai été engagée comme doublure.

— La doublure de qui ?

— De l'actrice principale, Dolores Charmay, qui incarne Cattle Kate.

— Cattle Kate ?

— La seule femme de l'Ouest pendue pour vol de bétail, lui expliqua Alida avec l'ombre d'un sourire.

— Le rôle vous va comme un gant. Combien de méchants êtes-vous censée tuer ?

— Une demi-douzaine. Sinon, je consacre mon temps à galoper en vidant mon six-coups, je traverse un rideau de feu, je sème la panique au milieu d'un troupeau, je me fais tirer dessus et je tombe de cheval. La routine.

Un technicien déroula un câble tout près, suivi par deux acolytes poussant dans une charrette une cuve de propane. Derrière l'église, d'autres équipes installaient un énorme coussin gonflable en multipliant les précautions.

— Que font-ils ? demanda Gideon.

— Ça fait partie des effets spéciaux. Ce coussin gonflable provoque une boule de feu, mais sans explosion. Dans le film, les méchants ont secrètement entreposé des armes et des munitions dans la ville.

— Ce n'est pas dangereux ?

— Pas si c'est fait dans les règles de l'art. Les artificiers ont tout prévu. Le principal est de ne pas se trouver dans la ville au moment où elle prend feu.

Elle s'animait à mesure qu'elle lui fournissait des explications, oubliant son hostilité initiale.

— Et ces trucs ? l'encouragea Gideon en désignant plusieurs cylindres que des techniciens enfouissaient dans le sol.

— Ce sont des caissons remplis d'une poudre qui explose en provoquant des gerbes de feu. Et les conduites que vous apercevez là-bas diffusent des jets de propane, de façon à simuler des incendies. Ça devrait vous plaire. Si vous aimez les explosions, bien sûr.

— J'adore ça. À Los Alamos, je suis spécialisé dans la conception de lentilles explosives destinées à des engins nucléaires.

Alida ouvrit de grands yeux. Le peu de charme qu'elle avait pu lui trouver s'effaça instantanément.

— Quelle horreur ! Vous fabriquez des *bombes nucléaires* ?

Il s'empressa de battre en retraite.

— Ce n'est pas si différent de ce que vous avez ici. J'imagine que tous ces effets sont reliés à un pupitre à partir duquel sera opérée la mise à feu dans le bon ordre.

— Exactement. Une fois lancée la séquence, mieux vaut que les caméras soient en place. Il n'y a pas de seconde prise. Il y en a pour plusieurs millions de dollars de pyrotechnie s'ils ratent le tournage de la scène, sans parler du décor.

Elle sortit un paquet de cigarettes et un briquet de la poche de sa chemise.

— Ce n'est pas dangereux ? s'inquiéta Gideon.

— Pas du tout.

Elle souffla un long nuage de fumée dans sa direction.

— Je peux vous en prendre une ?

Elle sortit une cigarette du paquet avec un sourire amusé, l'alluma, et la glissa entre les lèvres de Gideon.

Un petit homme tout chauve, aux jambes arquées, l'air grincheux, remonta la rue principale en hurlant dans son mégaphone. Alida s'empressa de cacher sa cigarette derrière son dos et Gideon l'imita.

— On dirait…

— Roberto Lipari. Le réalisateur. Un vrai nazi.

Gideon tourna la tête en voyant soudain arriver un cortège de voitures dans un nuage de poussière. Au lieu de s'arrêter dans le parking, les véhicules crevèrent les bandes de plastique et s'éparpillèrent dans la ville artificielle.

Lipari fronça les sourcils en observant leur manège.

— Que se passe-t-il ? murmura Alida.

— Des Crown Vic de la police, répondit Gideon.

Les voitures prirent position tout autour de la ville. De chacune d'elles jaillirent quatre hommes en costumes sombres dissimulant des gilets pare-balles.

Le réalisateur, rouge de colère, se précipita à leur rencontre en gesticulant. Les intrus en bleu exhibèrent leurs badges dans un ballet parfaitement réglé.

— Le truc classique, commenta Gideon. Ils viennent procéder à une arrestation. Un gros bonnet.

Pouvait-il s'agir de Blaine ?

— Pitié, gémit Alida. Ce n'est pas le moment.

À sa grande surprise, Gideon vit Fordyce descendre du véhicule de tête. L'agent fédéral balaya le décor des yeux. Gideon lui adressa un geste de la main. Fordyce approcha, l'air sombre.

— Ce n'est pas normal, murmura Gideon à Alida.

— C'est inouï. Il ne s'agit pas de mon père, tout de même.

Fordyce les rejoignit, le visage congestionné, le front barré d'un pli.

— Que se passe-t-il ? lui demanda Gideon.

— J'ai besoin de vous parler en tête à tête. Allons plus loin.

Il tendit le doigt en direction d'Alida.

— Veuillez vous éloigner.

Gideon suivit Fordyce, à l'écart de la rue principale. Les deux hommes gagnèrent un coin tranquille, derrière l'une des façades de pacotille. Des fils de détonateurs couraient dans tous les sens entre les caissons d'explosifs.

Fordyce sortit son arme de service.

— Vous êtes venu arrêter quelqu'un ? s'enquit Gideon.

Fordyce opina.

— Qui donc ?

L'agent fédéral releva le canon du pistolet.

— Toi.

32

Gideon ouvrit de grands yeux en apercevant le pistolet, puis reporta son attention sur Fordyce. Du coin de l'œil, il vit que les hommes en bleu, l'arme au poing, lui bloquaient toute sortie.

— Moi ? réagit-il, incrédule. Qu'est-ce que j'ai fait ?

— Tourne-toi en posant les mains sur la tête.

Gideon obtempéra, sa cigarette aux lèvres. Fordyce le palpa, lui retira son portefeuille, son canif et son portable.

— Tu es un vrai petit malin, reprit Fordyce. Un manipulateur de première. Toi et ton pote Chalker.

— Mais de quoi parlez-vous ?!!

— Tout ce cinéma quand tu affirmais ne pas l'aimer. Quand je pense que vous avez tout manigancé ensemble depuis le début.

— Je vous l'ai déjà dit, je ne pouvais pas le supporter…

— Bien sûr. Comment expliques-tu tout ce qu'on a retrouvé dans ton ordinateur ? C'est tout juste si tu n'envoyais pas des lettres d'amour aux djihadistes.

Gideon réfléchissait à la vitesse de la lumière. Il n'en croyait pas ses oreilles.

— Tu m'as bien eu, continua Fordyce sur le ton amer de celui qui se sent trahi. Cette petite soirée dans ton cabanon, autour d'un dîner fin entre potes. Et tout ce cinoche autour de ta prétendue maladie mortelle. Quelles fariboles ! Tu m'as entraîné ici dans le seul but de retarder l'enquête. J'aurais dû m'en douter dès le début.

Gideon sentit monter en lui une vague de colère. Il n'avait jamais demandé à remplir cette mission. On lui avait forcé la main. Une précieuse semaine de vie foutue, et cette tuile qui lui tombait sur le coin de la figure. Il allait probablement passer le peu de temps qui lui restait à régler toutes ces conneries. Peut-être même enfermé dans une cellule de prison.

Qu'ils aillent tous au diable ! Pour ce qu'il avait à perdre...

La fouille au corps achevée, Fordyce saisit brutalement l'un des bras de Gideon et le lui passa dans le dos avant d'entraver son poignet à l'aide de menottes. Il s'apprêtait à répéter la manœuvre avec l'autre main lorsque Gideon l'arrêta.

— Ma cigarette...

L'air de rien, il prit le mégot allumé et s'en débarrassa... dans le caisson de poudre le plus proche de Fordyce.

La détonation retentit comme un coup de canon. Les deux hommes furent projetés à terre tandis que s'élevait autour d'eux un nuage de fumée.

Gideon se releva en titubant, les oreilles sonnantes. Un pan de sa chemise était en feu. Derrière lui, au-delà des épaisses volutes noires s'éleva une tempête de cris et de hurlements.

Il s'élança et se trouva nez à nez avec Alida, juchée sur son cheval. Les hommes en bleu convergeaient dans leur direction, l'arme à la main.

Une nouvelle explosion déchira l'air, suivie par une série de détonations.

Gideon avait peut-être une chance. Une toute petite chance. D'un bond, il sauta en croupe derrière Alida.

— Allez ! s'écria-t-il en fouettant les flancs de l'animal de ses talons.

— Mais qu'est-ce que… ?

La jeune femme tenta d'immobiliser le cheval, mais celui-ci, effrayé par le vacarme et les explosions, n'était plus contrôlable. Il lâcha un hennissement de terreur et fila vers l'église au galop.

L'espace d'un éclair, Gideon aperçut Simon Blaine, debout sur le seuil du bureau du shérif. Parfaitement immobile, l'écrivain les regarda passer avec une expression indescriptible. La chemise de Gideon continuait de brûler. Il la retira en arrachant les boutons tandis qu'Alida hurlait « Descendez immédiatement de ce putain de cheval ! » en essayant de reprendre le contrôle de sa monture paniquée. D'autres explosions retentirent dans leur sillage, ponctuées de cris. Les hommes en bleu s'activaient telles des fourmis. Certains s'étaient lancés à sa poursuite à pied, d'autres rejoignaient les véhicules. La ville entière allait sauter, tout le monde s'enfuyait.

D'un coup de poing en arrière, Alida faillit déstabiliser son passager.

— Alida, attendez… l'arrêta Gideon.

— *Descendez de mon cheval !*

Deux Crown Vic, collées dans leur sillage, remontaient à toute allure la rue principale dévastée, semant la panique parmi les cow-boys, les cameramen et les chevaux. Jamais le malheureux Sierra, chargé de deux cavaliers comme il l'était, ne parviendrait à les semer.

Il tournait le coin de l'église, lancé au galop, lorsque Gideon avisa l'énorme coussin gonflable. D'un geste, il jeta dessus sa chemise en feu.

— Accrochez-vous ! s'écria-t-il en agrippant la selle.

Une onde de chaleur les submergea avec un grand *wouf !* et l'église fut soudain enveloppée d'une énorme boule de feu. Les flammèches roussirent les cheveux d'Alida et de son passager. Le cheval, affolé, accéléra encore. L'explosion de la poche de gaz mit le feu aux autres préparations des artificiers et la Troisième Guerre mondiale éclata dans leur dos, dans une débauche de grondements, de détonations et d'éclairs. D'un coup d'œil en arrière, Gideon vit la ville tout entière s'embraser. Les bâtiments se désintégrèrent sous l'effet des fusées et des gerbes de feu qui partaient à l'assaut du ciel matinal en faisant trembler la terre, projetant au sol hommes et bêtes.

Alida sortit de son étui l'un des six-coups et en frappa à la tempe Gideon, qui vit danser une ronde d'étoiles devant ses yeux. Il l'empêcha de recommencer en lui tordant violemment le poignet, faisant voler l'arme. Avant qu'elle ait pu réagir, il referma la mâchoire de la seconde menotte sur l'avant-bras de la jeune femme qui se trouva brusquement enchaînée à lui.

— Salopard ! hurla-t-elle en se débattant.

— Si je tombe, vous tombez aussi. Et nous sommes morts.

Il arracha d'un geste le second six-coups qu'elle portait autour de la taille et le glissa dans sa ceinture.

— Connard !

Comprenant qu'elle avait provisoirement perdu la partie, Alida se calma.

— Prenez la direction du torrent.

— Pas question. Je fais demi-tour et je vous livre aux flics !

— Je vous en supplie, l'implora-t-il. Je n'ai rien fait.

— Je m'en fous ! Je vous ramène et j'espère bien qu'on vous laissera croupir dans un cul de basse-fosse !

Contre toute attente, le salut vint du FBI. Une première balle leur siffla aux oreilles tandis que d'autres s'écrasaient autour d'eux. Ces abrutis leur tiraient dessus, préférant les abattre tous les deux plutôt que de laisser Gideon s'enfuir.

— C'est quoi ce bordel ? s'énerva Alida.

— Plus vite ! Ils nous tirent dessus ! Vous n'avez donc pas compris que...

La fusillade reprit de plus belle.

— Putain, mais c'est qu'ils tirent vraiment ! s'écria Alida.

Comme par magie, elle retrouva instantanément toute sa science de cavalière. Elle aiguillonna son cheval en direction du repli rocheux qui surplombait le torrent.

L'animal prit son élan au milieu d'une pluie de projectiles.

Alida lança un coup d'œil par-dessus son épaule.

— Accrochez-vous, espèce d'enfoiré.

33

Gideon se cramponna à l'arrière de la selle en voyant le cheval sauter au-dessus du promontoire rocheux. L'animal retomba lourdement sur la rive de sable meuble et tangua dangereusement en projetant ses passagers en avant. Alida parvint à se retenir de tomber d'une main experte et le cheval s'immobilisa, tout tremblant, couvert de sueur.

— Il faut continuer, insista Gideon.

Ignorant l'injonction, Alida caressa le col de Sierra en lui murmurant des paroles rassurantes à l'oreille. Gideon fit la grimace en entendant un bruit de moteur dans le lointain.

Alida se redressa.

— J'ai décidé de vous livrer.

— Ils nous abattront tous les deux.

— Pas si j'agite un drapeau blanc.

D'un geste inattendu, elle arracha sa chemise en faisant sauter tous les boutons.

— Quel spectacle ! plaisanta Gideon.

— Allez vous faire voir.

Elle leva la chemise en l'agitant à la façon d'un drapeau. Quand Gideon tenta de la lui arracher des mains, elle se dressa sur les étriers afin de l'en empêcher.

Les puissants moteurs des Crown Vic atteignaient le bord du petit canyon au fond duquel courait le lit du torrent. Des claquements de portières, des cris, puis une tête apparut au-dessus des rochers à moins de trois cents mètres.

— Ne tirez pas ! cria Alida. Nous nous rendons !

Une balle s'écrasa dans le sable à ses pieds.

— Ils sont dingues ou quoi ?

Elle agita sa chemise de plus belle.

— On se rend !

Le cheval s'agita en voyant une nuée de projectiles s'enfoncer dans le sol dans un jaillissement de sable.

On a de la chance qu'ils ne soient pas armés de fusils, pensa Gideon.

— Filons !

— Et merde, maugréa Alida en enfonçant ses talons dans les flancs du cheval.

Sierra s'élança alors que d'autres têtes apparaissaient entre les rochers. Il remonta au galop le cours d'eau asséché dans un déluge de détonations.

Alida multipliait les zigzags de façon à compliquer la tâche de leurs adversaires. Gideon se recroquevilla sur lui-même, s'attendant à recevoir une balle dans le dos à tout moment.

Servis par la chance, ils parvinrent à semer leurs poursuivants. Alida calma sa monture et prit le temps de remettre sa chemise. Le lit de l'arroyo grimpait à l'assaut d'une colline en se rétrécissant. Jamais les hommes du FBI ne pourraient les suivre en voiture.

Sierra se mit au trot.

— Ce n'est pas le moment de ralentir, remarqua Gideon.

— Je n'ai pas l'intention de tuer mon cheval pour vos beaux yeux, espèce de salopard.

— Je ne sais pas si vous avez remarqué, mais ils ne plaisantent pas.

— Bien sûr que j'ai remarqué ! Qu'avez-vous fait ?

— Ils me prennent pour l'un des terroristes.

— C'est le cas ?

— Vous êtes complètement cinglée ? Depuis le début, cette enquête est du grand n'importe quoi.

— Ils ont pourtant l'air sûrs de leur fait.

— Vous étiez la première à dire qu'ils étaient idiots.

— J'ai dit que *vous* étiez idiot.

— C'est faux.

— Peut-être, mais je l'ai pensé. Et vous me donnez raison.

La pente se faisait plus raide à mesure qu'ils partaient à l'assaut des monts Jemez, et leur marche était entravée par de gros rochers noirs.

— Je ne suis pas un terroriste, affirma Gideon.

— Vous m'en direz tant.

Ils continuèrent en silence pendant une demi-heure dans un terrain de plus en plus accidenté. Le torrent se divisait en un réseau d'affluents qui dessinaient un labyrinthe raviné entre les pins argentés.

— Bon, voilà ce que je vous propose, suggéra Alida. Vous me relâchez et je reviens sur mes pas pendant que vous continuez.

— Impossible. Nous sommes menottés ensemble.

— Il suffit de briser la chaîne avec un caillou.

Gideon réfléchit à la proposition.

— Je ne peux pas vous laisser partir, dit-il enfin. J'ai besoin de vous.

— Vous avez besoin d'un otage. C'est ça ?

— Je dois absolument prouver mon innocence.

— Je rêve du moment où je pourrai vous livrer.

Un silence hostile s'installa entre eux. Au-dessus de leurs têtes, le soleil était à son zénith.

— Je dois trouver de l'eau pour mon cheval, déclara-t-elle d'une voix acide, sans obtenir de réponse.

213

Il était midi passé lorsqu'ils atteignirent une crête boisée surplombant la vallée.

— Une seconde, fit Gideon. Je veux voir où ils en sont.

Elle arrêta sa monture et son passager se retourna. Un épais nuage de fumée flottait au-dessus des ruines du décor de western qu'arrosaient copieusement des équipes de pompiers. En suivant de l'œil le cours du Jasper, Gideon distingua plusieurs rangées de véhicules autour desquelles s'agitaient une nuée d'agents. De faibles aboiements montèrent de la vallée. Les hommes en bleu avaient également réquisitionné des chevaux, pour une battue en règle.

— Tu parles d'une chasse à l'homme, remarqua Alida. Écoutez... des hélicos.

Gideon leva les yeux vers le ciel immaculé dans lequel se détachaient trois points noirs.

— Vous n'êtes pas dans la merde.

— Alida, je ne sais pas comment vous convaincre de mon innocence. Je suis victime d'un quiproquo monstrueux.

Elle le dévisagea longuement avant de secouer la tête.

— Tous ces gens sont pourtant persuadés du contraire.

Ils quittèrent la crête, empruntèrent un ravin en enfilade et s'enfoncèrent au milieu des pins, ralentis par les rochers et les troncs couchés.

— On va devoir abandonner le cheval, suggéra Gideon.

— C'est hors de question.

— Il laisse une piste visible à des kilomètres, et les chiens n'ont aucun mal à le suivre à l'odeur. Il les éloignera si on le relâche. En plus, le terrain devient trop accidenté pour un cheval.

— Je vous ai dit non.

— Sierra trouvera plus facilement de l'eau sans nous.
Il n'y en a pas dans le coin. Surtout fin juin.

Alida ne répondit rien.

— Il est trop chargé. Il n'en peut plus, regardez-le.

Elle se mura dans le silence, tout en sachant qu'il
avait raison. L'animal écumait, épuisé. Sa robe était
trempée à l'encolure et au niveau du tapis de selle.

— Si jamais ils nous rattrapent, ils risquent de tirer
avant même de poser la moindre question. Vous avez
vu ce qui s'est passé tout à l'heure : ils ont décidé d'avoir
ma peau, quels que soient les dommages collatéraux.

Le lit du torrent s'arrêtait au pied d'une montagne en
pente qu'ils allaient devoir escalader.

Alida immobilisa sa monture.

— Descendez, lui ordonna-t-elle.

Il obéit et elle l'imita, gênée par les menottes. Elle
détacha les fontes qu'elle lança à Gideon.

— Vous n'avez qu'à les porter.

Elle noua soigneusement les rênes de Sierra au pommeau de la selle et lui donna une claque au niveau de
l'arrière-train.

— Allez ! Va-t'en ! Trouve-toi à boire.

L'animal la regarda d'un air surpris, les oreilles
dressées.

— Allez ! Hue !

Elle lui donna une nouvelle tape et il s'éloigna au trot
avant de se retourner. Elle ramassa une brindille et
l'agita.

— Hue ! Vas-y !

Cette fois, le cheval redescendit tranquillement le
ravin.

Alida cracha par terre et se tourna vers Gideon.

— Je vous *déteste*.

34

Au terme d'une ascension pénible, ils atteignirent en fin d'après-midi la crête la plus élevée, d'où l'on apercevait une longue succession de montagnes et de vallées sauvages, épargnées par toute présence humaine. Ils firent halte pour se reposer. Des hélicoptères les avaient survolés à plusieurs reprises, passant parfois juste au-dessus de leurs têtes, mais la densité des bois les dissimulait sans peine à la vue.

Cette région, baptisée Bearhead, constituait la partie la plus reculée des monts Jemez. Gideon avait pêché dans le coin à plusieurs reprises, sans toutefois s'aventurer aussi loin. Le soleil couchant recouvrait les sommets avoisinants d'un voile violet foncé.

— Le genre d'endroit où il serait facile de disparaître de la face du monde, constata Alida en contemplant l'horizon, les paupières plissées.

— Exactement, approuva Gideon.

Il déposa les fontes et s'éclaircit la gorge.

— Excusez-moi, mais j'ai besoin de pisser.

Elle posa sur lui un regard amusé et méprisant.

— Je vous en prie.

— Ce serait plus facile si vous vous retourniez.

— Pourquoi donc ? Ce n'est pas moi qui nous ai menottés ensemble. Allez, je suis curieuse de voir ça.

— Vous êtes ridicule.

Gideon baissa la fermeture Éclair de sa braguette et se soulagea en s'efforçant d'échapper au regard de sa prisonnière.

— C'est qu'il est rouge comme une pivoine ! le railla-t-elle.

Ils empruntèrent un chemin très raide pour redescendre, s'abritant au creux d'un ravin, jusqu'à un bosquet de chênes que dominaient des pins immenses. Le jour déclinait rapidement et ils poursuivirent leur route dans une semi-pénombre.

— Vous avez un plan, mon cher Mohammed ? questionna enfin Alida.

— Ce n'est pas drôle.

— Résumons-nous : vous avez toutes les polices des États-Unis aux trousses, la nuit est sur le point de tomber, vous êtes torse nu et nous sommes au milieu de nulle part, sans eau ni provisions. Et vous n'avez pas de plan. Super !

— Le Bearhead abrite de vieilles mines abandonnées. On va s'y réfugier.

— Très bien, nous passons donc la nuit dans une mine. Et après ?

— Laissez-moi réfléchir.

Que ferait mon pote Dajkovic en pareil cas ? se demanda-t-il. *Il se mettrait à plat ventre et enchaînerait les pompes, probablement.*

Ils suivaient les pistes tracées par les élans lorsqu'ils débouchèrent sur une étroite prairie longeant le lit asséché d'un ruisseau. Au-dessus d'eux se dessinaient dans les collines les bouches sombres d'anciennes mines, flanquées de masures abandonnées.

— Nous allons rester là-haut, décida Gideon.

— Je meurs de soif.

Gideon haussa les épaules.

Il coupa une brassée d'herbes sèches dont il fit une botte et, enchaîné à la jeune femme, se dirigea vers la mine la plus proche. Parvenu à l'entrée du boyau, il mit le feu aux herbes sèches avec le briquet d'Alida. La torche improvisée révéla une galerie aux parois renforcées de poutres qui s'enfonçait dans la roche. Gideon, qui avait l'espoir d'y découvrir de l'eau, déchanta en voyant que la mine était aussi sèche que le ruisseau.

Alida se laissa tomber sur le sol de sable, sortit de sa poche une cigarette qu'elle alluma. Elle tira une longue bouffée et exhala un nuage de fumée.

— Quelle journée. Merci encore.

— Euh… ça vous ennuierait… ?

— Inouï ! Il m'enlève, me retient en otage, je me fais tirer dessus à cause de lui, et il a le culot de me piquer mes clopes !

— Je n'ai jamais prétendu être parfait.

Elle lui tendit le paquet.

— Donnez-moi les fontes.

Il obéit et elle en sortit deux barres aux céréales. Elle lui en jeta une et déchira l'emballage de l'autre. Gideon croqua un morceau de la sienne et faillit s'étouffer tant sa gorge était sèche.

— Demain, il faudra trouver de l'eau à la première heure, dit-il en fourrant le reste de la barre aux céréales au fond de sa poche.

Ils fumèrent quelques minutes en silence.

— C'est déprimant, remarqua Alida. Il faudrait allumer un feu.

Ils ressortirent et ramassèrent quelques branches de chêne, en dépit de leurs poignets entravés. La température avait brusquement baissé avec la nuit et des milliers d'étoiles brillaient dans le ciel. Le bourdonnement lointain d'un hélicoptère trouait régulièrement le silence. Gideon alluma un petit feu, veillant à utiliser du bois sec qui ne risquait pas de provoquer de fumée.

Alida tira sur la chaîne des menottes.

— Couchez-vous. J'ai sommeil.

Ils s'allongèrent sur le dos, côte à côte. Pendant dix minutes, pas une parole ne fut prononcée, jusqu'à ce que Alida se décide à rompre le silence.

— Je n'arrive pas à dormir. Une minute, je tourne tranquillement dans un film. La suivante, je me retrouve enchaînée à un terroriste pourchassé par le pays tout entier.

— Vous ne me prenez pas vraiment pour un terroriste, j'espère.

Elle se mura dans le silence.

— C'est vrai que vous n'avez pas franchement le profil, reconnut-elle enfin.

— Je ne vous le fais pas dire. Ce quiproquo est parfaitement grotesque.

— Comment savez-vous qu'il s'agit d'un quiproquo ?

Gideon fronça les sourcils en repensant aux accusations de Fordyce. « Tout ce cinéma quand tu affirmais ne pas l'aimer. Quand je pense que vous avez tout manigancé ensemble depuis le début. » Et puis cette phrase ahurissante : « Comment expliques-tu tout ce qu'on a retrouvé dans ton ordinateur ? C'est tout juste si tu n'envoyais pas des lettres d'amour aux djihadistes. »

— « Des lettres d'amour aux djihadistes », répéta-t-il à voix haute.

— Comment ?

— C'est la formule utilisée par le type du FBI venu m'arrêter. Il m'a dit qu'on avait retrouvé des lettres d'amour aux djihadistes, entre guillemets, sur mon ordinateur.

Un silence perplexe lui répondit.

— Vous avez mis le doigt sur le problème, reprit Gideon. Il ne s'agit pas d'un quiproquo. Quelqu'un veut me faire porter le chapeau.

— Ah ouais ? réagit-elle sur un ton dubitatif.

— D'abord, on essaie de nous tuer en sabotant notre avion. Quand la manœuvre échoue, on me fait tomber en m'accusant d'avoir épousé les thèses de l'islam radical.

— Pourquoi ferait-on ça ?

— Parce que notre enquête touchait de près le ou les coupables. Il faut qu'on ait sérieusement foutu la trouille à quelqu'un pour qu'il aille jusqu'à saboter l'avion et inventer toute cette histoire. Je serais curieux de savoir quel ordinateur ils ont piégé. Il ne peut pas s'agir de celui de mon cabanon. Le disque dur est protégé par un système d'encryptage en béton. C'est forcément mon ordinateur de Los Alamos.

— J'imagine que les machines qu'on vous fournit sont également protégées.

— Précisément. Les ordinateurs du labo sont tous reliés à un réseau ultraconfidentiel. Du coup, leur contenu est accessible à tous les responsables de la sécurité du centre, comme à certains dirigeants. Le système enregistre la moindre phrase tapée sur un clavier. Si l'on a effectivement bidouillé mon ordinateur, il s'agit d'une manipulation interne, et le système en aura *forcément* conservé la trace.

Alida le regardait à la lueur mourante du feu.

— Comment comptez-vous réagir ?

— Il faut que j'en parle à Mike Novak. Le type chargé de la sécurité du réseau. Il a accès à toutes les données.

— C'est ça, vous allez le trouver gentiment, et il va s'empresser de fournir des informations top secret à un terroriste.

— Il n'hésitera pas si je lui pose votre six-coups sur la tempe.

Elle éclata d'un rire méchant.

— Espèce d'abruti ! C'est un vulgaire accessoire de cinéma. Il est chargé à blanc. Sinon, croyez-moi, je m'en serais servi pour vous virer de la selle tout à l'heure.

Il sortit l'arme de sa ceinture et l'examina d'un air ennuyé. Elle avait malheureusement raison.

— Je trouverai une solution, s'entêta-t-il. En tout cas, ajouta-t-il après un temps de réflexion, nous allons à Los Alamos.

— Vous plaisantez ! C'est de l'autre côté du massif du Bearhead, à plus de trente kilomètres !

— Je croyais que vous me reprochiez de ne pas avoir de plan ? Sans compter que Los Alamos est le dernier endroit où ils penseront à nous chercher.

35

Stone Fordyce s'essuya le front du revers de la main et consulta son GPS. Il se trouvait quasiment à trois mille mètres d'altitude. Aux pins avaient désormais succédé des sapins, au pied desquels poussaient d'épais fourrés. Les puissantes torches halogènes de ses hommes fouillaient l'obscurité au milieu des grondements impatients des chiens. Il exigea le silence d'un geste. Le maître-chien fit taire ses bêtes.

Fordyce mit un genou à terre afin d'examiner la piste. Elle était encore fraîche, les empreintes de sabots parfaitement dessinées. Après des heures de traque, il touchait enfin au but. Les chiens, qui le sentaient, contenaient difficilement leur excitation en tirant sur leurs laisses. Il se releva lentement, les sens aux aguets. Il crut distinguer un martèlement régulier derrière le soupir du vent entre les branches. Le cheval avançait sur une sente parallèle à la leur, un peu plus haut dans les bois.

L'heure de l'hallali.

— Ils sont là-haut, murmura-t-il. Prenez-les en tenaille. Vite !

Les hommes se ruèrent à l'attaque en se déployant en éventail dans un tonnerre d'aboiements. La perspective de la curée les galvanisait, malgré leur épuisement.

Fordyce sortit son .45 et s'élança à son tour. Il s'en voulait terriblement de sa naïveté. Comment avait-il pu se laisser berner de la sorte par ce manipulateur de Gideon ? L'agent fédéral serait bientôt vengé de l'humiliation qu'il avait subie. À présent qu'il tenait son homme, il ne restait plus qu'à le pousser à avouer.

L'obliger à parler. *Par tous les moyens.* Rien à foutre de la convention de Genève. Ces salauds disposaient d'une bombe *nucléaire*. La fin justifiait les moyens.

Fordyce en tête, les équipes de recherche atteignirent la passe, le souffle court. La piste se prolongeait sur la droite. Fordyce s'y engagea au pas de course, courbé en deux, profitant de la protection des arbres. Les autres le suivirent.

Il distingua une lueur dans l'obscurité. Une silhouette sombre avançait au milieu des broussailles. Il se précipita derrière un tronc et s'accroupit, prêt à bondir. Un cheval pénétra dans son champ de vision. L'animal posa sur eux un regard inquiet.

Le cheval pie de la fille. Sans ses cavaliers.

Les hommes en bleu entourèrent le cheval, qui recula peureusement, les narines dilatées.

La vérité apparut à Fordyce en un éclair. Furieux, il peinait à retrouver son souffle. Il se redressa enfin et rengaina son arme.

— Baissez vos lampes, ordonna-t-il d'une voix calme à ses hommes. Vous allez l'effrayer.

Il tendit la main vers l'animal, qui s'approcha lentement en hennissant. Il le saisit par son licou. Les fontes avaient disparu et la bride était nouée autour du pommeau de la selle : l'animal avait été délibérément lâché dans la nature par ses maîtres.

Fordyce maîtrisa sa colère. Pas question d'afficher la moindre faiblesse en présence de ses hommes. La petite troupe se rassembla face à lui.

— Nous avons suivi une fausse piste, annonça-t-il.

Un silence étonné lui répondit.

— Ils ont relâché le cheval et continué à pied. Je ne sais pas exactement où, sans doute assez loin d'ici. Nous avons traqué un cheval abandonné. Le mieux est encore de rebrousser chemin et de découvrir à quel endroit leurs chemins se sont séparés.

Il dévisagea ses hommes. Il s'agissait pour la plupart d'agents du Sun, auxquels s'étaient joints quelques collègues du FBI, un maître-chien, ainsi que des policiers de la région. La petite troupe était trop nombreuse.

— Vous, fit Fordyce en désignant un flic du Nouveau-Mexique trempé de sueur. Redescendez le cheval et confiez-le aux services de l'identité judiciaire. Il pourra peut-être nous fournir des indices.

Il se tourna vers les autres.

— Nous allons devoir avancer à marche forcée. Nous sommes trop nombreux, ajouta-t-il en renvoyant une partie de ses troupes avec le flic chargé du cheval, sans s'inquiéter des murmures de protestation qui accueillaient sa décision.

Il s'agenouilla, déplia par terre les cartes d'état-major dont il disposait, puis s'empara d'un téléphone satellitaire et composa le numéro de Dart en grimaçant intérieurement.

Tandis que la sonnerie retentissait à l'autre bout du fil, il constata que les hommes chargés de redescendre le cheval étaient toujours là.

— Qu'est-ce que vous attendez, les gars ? Allez, oust !

— Votre rapport, résonna dans son oreille la voix sans âme de Dart.

Pas même un bonjour.

— On ne les tient pas encore. Ils nous ont lancés sur une fausse piste en relâchant leur cheval. Nous allons devoir revenir sur nos pas.

Dart poussa un soupir d'agacement.

— Les hélicoptères se trouvent donc au mauvais endroit ?

Fordyce se pencha sur les cartes étalées devant lui.

— Oui. Il faudrait les déployer plus loin. Du côté du massif du Bearhead, probablement.

Un crissement de papier lui indiqua que Dart consultait les mêmes cartes.

— J'envoie nos équipes aériennes là-bas, décida le directeur du Sun.

Il eut une courte hésitation.

— Quelles sont les intentions de Crew ?

— À mon avis, il cherche tout simplement à s'enfuir.

— J'ai cru comprendre que vos hommes lui avaient tiré dessus. C'est inacceptable ! Il est impératif de le capturer vivant, afin de l'interroger.

— Bien, monsieur. Cela dit, Crew et sa complice sont probablement armés. N'oubliez pas que ce sont des terroristes. Le règlement du FBI est formel à ce sujet. Nous avons le droit de les abattre si la vie de nos agents est menacée.

— Rien ne nous dit que la fille est une terroriste. Il se peut qu'elle soit provisoirement sous sa coupe. Quant à les abattre, ne vous avisez pas de me rapporter deux cadavres si vous ne souhaitez pas subir mes foudres. Compris ?

— Bien, monsieur, répondit Fordyce en avalant sa salive.

— Sachez, monsieur Fordyce, que j'ai fait appel à vous parce que je n'avais personne d'autre sur place. Dois-je vous rappeler que vous et vos hommes avez été incapables de procéder à une simple arrestation ? Je remarque en outre que vous n'avez toujours pas retrouvé Crew, en dépit des moyens humains et techniques mis à votre disposition. À ce stade, une question me brûle les lèvres : êtes-vous *vraiment* en mesure de l'appréhender, oui ou non ?

Le regard de Fordyce brilla d'un éclat sauvage dans l'obscurité.

— Nous allons le coincer, monsieur. Je vous le garantis.

36

Un rayon de soleil timide traversa l'entrée de la mine. Gideon releva la tête. Le ballet continuel des hélicoptères l'avait maintenu éveillé toute la nuit. Il avait la bouche en carton-pâte, les lèvres parcheminées, le dos brûlé par les coups de soleil. Il s'appuya sur un coude et contempla Alida, endormie, la masse de ses cheveux blonds étalée sur le sable. Elle ouvrit les yeux au même moment.

— On va devoir y aller, lui annonça-t-il.

— Non, répliqua-t-elle d'une voix encore éraillée par le sommeil.

Gideon écarquilla les yeux.

— Je refuse de bouger tant que vous ne m'aurez pas retiré ces menottes.

— Je vous l'ai expliqué, je n'ai pas la clé.

— Alors cassez-les avec un caillou. Il va bien falloir se séparer si on veut trouver de l'eau.

— Je ne peux pas prendre le risque de vous laisser vous échapper.

— Où voulez-vous que j'aille ? En plus, au cas où vous ne l'auriez pas remarqué, je vous *crois*. Vous n'avez décidément pas une gueule de terroriste.

Il glissa un coup d'œil dans sa direction.

— Pourquoi avoir changé d'avis ?

— Si vous étiez un terroriste, vous m'auriez abattue avec le revolver à la première occasion. Vous ne saviez pas qu'il était chargé à blanc. Non, c'est clair que vous êtes une pauvre pomme. Vous avez eu la mauvaise idée de vous trouver au mauvais endroit au mauvais moment. Alors, vous m'enlevez ces putains de menottes, ou bien il faut que je me mette à genoux pour vous supplier ?

Gideon grogna son accord, trop heureux de la croire.

— J'aurais besoin d'un morceau de fil de fer et d'un couteau.

La jeune femme sortit de la poche de son pantalon un canif et un porte-clés que Gideon s'empressa de tordre. Trente secondes plus tard, il venait à bout de la serrure des menottes.

— Pas mal, approuva Alida. Vous avez appris ça où ? À l'école des djihadistes ?

— Très drôle.

— Vous m'avez menti. Vous auriez pu m'enlever ce truc depuis longtemps.

— Encore fallait-il que je vous fasse confiance.

Il avisa deux canettes de bière vides, probablement abandonnées par des chasseurs. Voilà qui leur serait utile s'ils trouvaient de l'eau.

— Qu'y a-t-il dans ces fontes ?

— Pourquoi ?

— Je n'ai pas l'intention de les trimbaler toute la journée.

Alida récupéra un briquet et quelques barres chocolatées qu'elle fourra dans ses poches. Une minute plus tard, ils quittaient la mine en direction du sud. Ils avançaient l'un derrière l'autre, à quelques mètres de distance, veillant à rester sous la protection de la végétation. Avant même de penser à retourner à Los Alamos, ils devaient repérer une flaque pour s'abreuver. Conscient que la fin du mois de juin est traditionnellement la saison la plus sèche au Nouveau-Mexique, avant l'arrivée des pluies d'été, Crew désespérait de trouver une goutte d'eau dans cet univers aride.

Le lit de torrent asséché qu'ils suivaient rejoignit un ravin encaissé, bordé de parois de granite. Ils venaient de s'y engager lorsque Gideon reconnut le bourdonnement d'un hélico. Quelques instants plus tard, un Black Hawk passait à soixante mètres au-dessus de leurs têtes. Les canons de deux mitrailleuses M134 dépassaient des portières béantes de l'appareil. Il disparut aussi vite qu'il était arrivé.

— Putain, vous avez vu ça ? s'écria Alida. Vous croyez qu'ils oseraient nous tirer dessus ?

— Ce ne serait pas la première fois.

Il était midi lorsqu'ils dénichèrent enfin de l'eau : une petite mare boueuse au pied d'une cascade éteinte. Ils se jetèrent à plat ventre afin de laper le liquide trouble. Leur soif étanchée, ils s'allongèrent à l'ombre de la roche et s'aperçurent rapidement que la faim les tenaillait.

Gideon se releva et dévora la fin de sa barre aux céréales.

— Où sont les autres ? s'enquit-il.

La jeune femme sortit de sa poche deux Snickers tout fondus. Il en prit un, déchira l'emballage, fourra la masse pâteuse tout entière dans sa bouche et s'empressa de l'avaler.

— Il y en a d'autres ? demanda-t-il, la bouche encore pleine.

— Non, répondit-elle, le visage barbouillé de chocolat et de boue.

— Vous ressemblez à une gamine de deux ans le jour d'Halloween.

— Ouais, et vous à son morveux de petit frère.

Ils remplirent d'eau les canettes de bière et reprirent leur randonnée.

À mesure que les heures s'écoulaient, le trafic aérien s'intensifiait au-dessus de leur tête. À la ronde des hélicos s'était joint le ballet des avions équipés de radars à infrarouge. Tant que brillerait le soleil, la chaleur et les arbres les protégeraient, mais il n'en serait plus de même une fois la nuit tombée.

L'après-midi touchait à sa fin lorsqu'ils atteignirent enfin la dernière crête du Bearhead. Allongés par terre, sous la protection d'un bosquet de jeunes chênes, ils découvrirent en contrebas la ville de Los Alamos, patrie du projet Manhattan et de Robert Oppenheimer, le père de la bombe atomique.

Los Alamos n'était plus un site secret depuis longtemps. La petite ville ressemblait même à n'importe quelle autre bourgade, avec ses fast-foods, ses barres d'immeubles préfabriqués et ses bureaux sans âme. Seul la différenciait l'écrin sauvage dans lequel elle s'étalait : un décor impressionnant de mesas s'échappant des flancs des monts Jemez. Plantée à deux mille deux cents mètres d'altitude, Los Alamos restait l'une des villes les plus élevées des États-Unis. Le site, choisi pour son isolement, était encadré d'un côté par d'immenses à-pics rocheux, de l'autre par des montagnes impénétrables. À l'extrémité de la ville s'ouvraient les gorges du White Rock Canyon, au fond desquelles s'écoulaient les eaux tumultueuses du Rio Grande.

Gideon tourna son regard vers le sud, où plusieurs clôtures successives protégeaient les vastes bâtiments abritant les laboratoires. Un frisson lui parcourut l'échine. La perspective de s'y introduire ne l'enchantait guère, mais il n'avait pas le choix. Le seul moyen de découvrir la vérité se trouvait là-bas.

Il but quelques gorgées dans l'une des canettes sales, puis la tendit à sa compagne.

— Comme je le pensais, ils ont concentré leurs recherches vers le nord.

— Comment comptez-vous procéder ? Vous avez l'intention de découper le grillage ?

Il répondit non de la tête.

— Ce ne sont pas des clôtures ordinaires. Elles sont truffées de capteurs de mouvements, de cellules infra-rouges et d'alarmes de toutes sortes, sans compter les caméras de surveillance dissimulées tout autour. Quand bien même on parviendrait par miracle à franchir l'obstacle, il existe d'autres systèmes de sécurité dont je ne sais rien.

— Génial. Alors comment fait-on ? On cherche la faille ?

— Il n'y en a pas. Ce truc-là est impénétrable.

— C'est bien votre chance, mon cher Oussama.

— Je me fiche des mesures de sécurité. J'ai l'intention de passer par l'entrée principale.

— Bien sûr. Rien de plus facile pour le type le plus recherché d'Amérique.

La remarque le fit sourire.

— Je doute que ce soit le cas. Pour l'heure, ils ont d'excellentes raisons de ne pas laisser filtrer la nou-velle. Ils sont persuadés que j'appartiens à une cellule terroriste. Pourquoi risquer d'alerter mes complices en annonçant ma fuite ?

Alida fronça les sourcils.

— N'empêche, la manœuvre est risquée.

— Il existe un seul moyen de le savoir, répliqua Gideon en se relevant.

37

L'ascenseur, dépourvu de boutons, fonctionnait à l'aide d'une clé spéciale confiée à la charge d'un soldat armé. Dart prit place dans la cabine. Le marine de service, qui le connaissait bien, n'en vérifia pas moins son badge, sachant que Dart le rabrouerait s'il négligeait la consigne.

L'opération terminée, le marine donna un mouvement de clé du poignet et la cabine entama une descente interminable dans les profondeurs du bâtiment. Myron Dart en profita pour rassembler ses pensées.

À l'approche du jour N, les autorités avaient procédé à l'évacuation de secteurs entiers de Washington, les sécurisant à grand renfort de troupes. Chaque mètre carré avait fait l'objet de fouilles minutieuses et répétées, à l'aide de chiens et de détecteurs de radiations. Pendant ce temps, le pays tout entier retenait son souffle en attendant de savoir quel quartier de Washington serait le nouveau Ground Zero.

De nombreuses voix s'élevaient pour dire que de telles mesures risquaient de contraindre les terroristes à changer de cible. De Los Angeles à Chicago en passant par Atlanta, les habitants des principales métropoles du pays cédaient à la panique. Des émeutes avaient éclaté à Chicago où les riverains du Millenium Park et de la tour Sears avaient fui en masse. New York, en partie déserté par ses habitants, ne valait guère mieux. Le Dow Jones avait perdu cinquante pour cent de sa valeur, Wall Street avait même transféré le plus gros de ses activités dans le New Jersey. Les principaux lieux touristiques du pays étaient devenus de véritables repoussoirs, à San Francisco comme à Philadelphie, ou encore à Saint Louis aux abords de la célèbre Arche. L'Amérique tout entière s'était métamorphosée en théâtre de l'absurde.

À la panique et aux spéculations s'ajoutaient les critiques inévitables à l'encontre des autorités. Les gens exigeaient de savoir pourquoi la machine s'était grippée, au lendemain des premiers progrès de l'enquête. Le Sun était l'objet de toutes les supputations, de toutes les récriminations. Le grand public lui reprochait son incompétence, son manque d'organisation, sa négligence, ses lourdeurs administratives.

Dart était le premier à reconnaître que ces critiques étaient fondées. L'enquête avait accouché d'un monstre incontrôlable digne de la créature de Frankenstein. Comment s'en étonner ?

— C'était inévitable.

Le marine lança un coup d'œil dans sa direction.

— Je vous demande pardon, monsieur ?

Emporté par sa rêverie, Dart ne s'était pas aperçu qu'il avait prononcé la dernière phrase à voix haute. Les effets de la fatigue.

— Rien, rien, marmonna-t-il.

Les portes de la cabine s'écartèrent, dévoilant un couloir recouvert d'une moquette bleu et or. La pendule accrochée face à l'ascenseur indiquait 23 heures. Les horaires ne signifiaient plus rien, étant donné les circonstances.

Deux marines postés devant l'ascenseur lui ouvrirent le chemin. Dart passa devant une première salle garnie d'écrans devant lesquels s'activaient des techniciens équipés de casques. Dans la pièce voisine, une tribune frappée du sceau présidentiel faisait face à des caméras de télévision. Suivaient des salles de réunion, une petite cafétéria, un QG militaire improvisé. Dart et son escorte s'arrêtèrent devant une porte fermée. Un inconnu posté derrière un bureau les accueillit avec un sourire.

— Professeur Dart ?

Ce dernier hocha la tête.

— Entrez, je vous en prie. Vous êtes attendu.

L'homme enfonça un bouton dissimulé dans un tiroir et la porte s'ouvrit en bourdonnant.

Dart avança et vit le président des États-Unis, installé derrière une immense table de travail qu'encadraient deux drapeaux américains. Les téléphones de couleurs vives alignés devant lui auraient pu être des jouets. Des images muettes défilaient sur la demi-douzaine de téléviseurs, branchés sur des chaînes différentes, qui couvraient un pan de mur. Le chef de cabinet du président se leva silencieusement, les mains croisées, l'air maussade comme à son habitude. Dart lui adressa un signe de tête avant de se tourner vers son hôte.

Le président affichait une mine chiffonnée.

— Professeur Dart, prononça-t-il.

— Bonsoir, monsieur le président.

Ce dernier lui indiqua un fauteuil d'un geste.

— Asseyez-vous. Je vous écoute.

Pas un bruit ne filtrait du couloir. Dart s'éclaircit la gorge. Il était venu les mains vides, sans notes. Tout était gravé dans sa tête.

— Il ne reste que quatre jours avant le jour présumé de l'attaque. Toutes les mesures possibles et imaginables ont été prises pour protéger Washington. L'ensemble des agences et des services sont mobilisés. Toutes les voies d'accès sont contrôlées par l'armée. Comme vous le savez, l'ordonnance d'*habeas corpus* a été suspendue jusqu'à nouvel ordre, ce qui nous autorise à procéder à toutes les arrestations que nous jugerons nécessaires. Un centre de détention provisoire a été aménagé à cet effet au bord du Potomac, tout près du Pentagone.

— Où en est-on de l'évacuation des civils ? s'enquit le président.

— Elle est achevée. Tous ceux qui refusaient de partir ont été placés en détention. Les hôpitaux de la région fonctionnent à personnel réduit, sachant que les patients intransportables sont peu nombreux.

— L'enquête ?

Dart, mal à l'aise, fut pris d'une hésitation.

— Rien depuis mon dernier rapport. Peu de progrès ont été effectués dans l'identification de la cellule terroriste ou la localisation de l'engin nucléaire. Aucune cible précise n'a pu être identifiée, au-delà de celles que nous connaissons déjà.

— Les terroristes ont-ils la possibilité de changer de cible et de s'en prendre à une autre ville ?

— Comme je vous l'indiquais, nous n'en savons rien.

Le président jaillit de son siège et entama une ronde furieuse.

— Mais enfin, c'est inacceptable ! Où en êtes-vous avec ce terroriste en fuite ?

— Crew a réussi à échapper à nos hommes en pleine montagne. Nous l'avons cependant circonscrit dans une zone inhabitée où il est inoffensif, faute de routes et de moyens de communication.

— Peut-être, mais il est indispensable de l'interroger ! Cet homme-là pourrait nous fournir de précieuses indications sur ses complices et leurs cibles ! Débrouillez-vous comme vous voulez, mais arrêtez-le, nom d'un chien !

— Nous avons lancé toutes nos forces dans la bataille, monsieur le président. Je peux vous assurer que nous lui mettrons la main dessus.

Le président arpentait la pièce à grands pas.

— Parlez-moi de l'engin nucléaire. Que savons-nous de plus ?

— Les membres de la cellule de crise ne sont pas d'accord entre eux sur l'interprétation des radiations et des rapports isotopiques retrouvés. Ils croient avoir détecté certaines anomalies.

— Expliquez-vous.

— Les terroristes disposaient des meilleurs experts en la matière. Crew et Chalker étaient deux des plus grands spécialistes de Los Alamos en matière de conception d'engins nucléaires. Reste à déterminer la fiabilité de leur technique de *fabrication*. Le processus d'assemblage des divers éléments mécaniques et électroniques est extrêmement délicat. Ni Chalker ni Crew n'avaient les compétences nécessaires. Certains membres de la cellule de crise estiment que la bombe est trop volumineuse pour être transportable autrement qu'à l'aide d'une voiture ou d'une camionnette.

— Et vous, qu'en pensez-vous ?

— Je penche pour l'hypothèse d'une bombe transportable dans une simple valise. Je juge plus prudent de croire qu'ils ont bénéficié de l'aide de spécialistes, en plus de Chalker et Crew.

Le président secoua la tête d'un air navré.

— Quoi d'autre ?

— Les deux parties de la charge ont forcément été séparées et protégées depuis l'accident, puisque nous n'avons pas détecté de nouvelles traces de radiations. Nous cherchons une aiguille dans une botte de foin. Nous avons fait appel à l'ensemble des ressources militaires et policières, sur les plans local et fédéral. La ville grouille littéralement de soldats.

— Je vois, acquiesça le président. Cela dit, vos efforts ne risquent-ils pas de pousser les terroristes à choisir une cible moins bien protégée ? Le pays tout entier a succombé à la panique. À juste titre.

— Nous en avons longuement discuté avec nos équipes, répondit Dart. Ce ne sont pas les cibles potentielles qui manquent, mais tout laisse à penser que les terroristes ont jeté leur dévolu sur Washington. Nos spécialistes du djihadisme estiment que la valeur symbolique d'une telle attaque dépasserait de beaucoup son bilan humain. Washington est la capitale des États-Unis. Personnellement, je reste persuadé qu'ils n'ont pas changé de cible. Cela ne nous a pas empêchés de déployer des forces dans toutes les grandes villes, mais je crois qu'il serait extrêmement dangereux de relâcher la pression à Washington au prétexte que les terroristes sont susceptibles de frapper ailleurs.

Le président hocha la tête, plus lentement cette fois.

— Très bien. Je tiens néanmoins à ce que vos équipes dressent la liste de toutes les cibles potentielles à travers le pays. Les gens ont déjà plus ou moins établi eux-mêmes cette liste en fuyant les endroits les plus exposés. Montrez-leur que nous ne les oublions pas.

— Bien, monsieur le président.

— Les croyez-vous capables de changer de date ?

— Tout est possible. Nous bénéficions d'un avantage en la matière, puisque les terroristes ne savent pas que nous avons percé leurs plans. La nouvelle n'a pas filtré au niveau de la presse et du grand public jusqu'à présent.

— Veillez à ce qu'elle reste secrète. En attendant, vous avez d'autres éléments à me communiquer ?

— Pas pour l'instant, monsieur le président, répondit Dart en regardant du coin de l'œil le chef de cabinet, impassible dans un coin de la pièce.

Le président cessa brusquement sa ronde et posa un regard las sur son visiteur.

— Je suis conscient des critiques dont vous êtes l'objet. Croyez-moi, ils ne me font pas de cadeaux non plus. Il faut bien reconnaître que l'ampleur de l'enquête menace son efficacité. Nous connaissons tous les lourdeurs de l'État, mais il n'est pas question pour moi de changer de monture au milieu du gué. Je vous laisse donc persévérer. Un dernier point, professeur Dart : j'espère recevoir au plus vite l'annonce de la capture de Gideon Crew. Cet homme est notre meilleur atout.

— Bien, monsieur le président.

Sur ces mots, l'hôte de la Maison Blanche congédia son visiteur d'un sourire qui n'avait rien de chaleureux.

38

La limite entre la montagne et la ville de Los Alamos donnait l'impression d'avoir été tracée à la règle. À la nature brute succédaient brusquement des quartiers résidentiels avec leurs maisons individuelles de plain-pied, leurs carrés de pelouse minuscules, leurs paniers de basket et leurs piscines gonflables, leurs allées goudronnées sur lesquelles stationnaient breaks et camionnettes.

Dissimulé à la vue par les derniers arbres de la forêt, Gideon repéra un vieux monospace Astro. Il était 23 heures et la maison devant laquelle stationnait le véhicule était plongée dans l'obscurité, signalant l'absence des propriétaires. La plupart des autres pavillons semblaient également inoccupés, le quartier respirait l'abandon.

— Je ne me sens pas rassurée, lui glissa Alida dans un murmure.

— Regardez, il n'y a personne. Ils ont tous fui.

Il traversa la pelouse d'un pas décidé, entraînant la jeune femme dans son sillage. Ils se collèrent contre le mur de la maison.

— Attendez-moi ici, recommanda Gideon à sa compagne.

Mettant à profit ses dons de cambrioleur, Gideon pénétra dans la maison en moins d'une minute ; une autre lui suffit à s'assurer que le pavillon était vide. Il dénicha une chemise propre quasiment à sa taille dans la chambre des parents. Le temps de se passer un coup de peigne dans la salle de bains, il rejoignit Alida à l'extérieur après avoir chipé quelques fruits et des canettes de soda dans le réfrigérateur.

— J'espère que l'angoisse ne vous a pas coupé l'appétit, plaisanta-t-il en lui tendant une pomme et un Coca.

Elle se jeta sur la pomme.

Gideon monta prudemment dans le monospace. Pas de clé sur le contact, ni dans le vide-poches. Il redescendit du véhicule et souleva le capot.

— Qu'est-ce que vous faites ?

— Je court-circuite le démarreur.

— Putain. Un autre de vos talents cachés ?

Il referma le capot, s'installa derrière le volant et entreprit de démonter le couvercle de protection de la colonne de direction à l'aide d'un tournevis trouvé dans la boîte à gants. Quelques instants plus tard, la voiture démarrait.

— Vous êtes complètement dingue ! Ils vont nous tirer dessus !

— Allongez-vous au pied de la banquette arrière et planquez-vous sous cette couverture.

Alida obtempéra sans mot dire. Gideon enclencha la marche arrière, gagna la rue et s'éloigna tranquillement. Il ne tarda pas à s'engager sur Oppenheimer Boulevard, en direction des laboratoires. Si la ville était déserte, le centre de recherche de Los Alamos continuait de fonctionner normalement, en dépit de la menace qui pesait sur le pays. À l'approche de l'entrée principale, baignée de lumière, Gideon reconnut le spectacle familier des deux gardes armés dans leur guérite, au-delà des chicanes de béton.

Un agent de sécurité contrôlait déjà le véhicule précédent. Gideon attendit patiemment son tour. Pourvu que le type n'examine pas sa tenue de trop près. Sa chemise était propre, mais son pantalon était couvert de boue. Le cœur battant, il essayait de se convaincre que le FBI n'avait aucune raison de donner l'alerte aux responsables de Los Alamos, préférant ne pas ébruiter la nouvelle de sa fuite.

Et si Alida avait raison ? S'il faisait l'objet d'un avis de recherche ? Une fois devant la grille, il ne pourrait plus reculer. Le mieux était encore de renoncer.

Trop tard, le garde venait de signaler à l'autre voiture de passer. Gideon avança lentement, baissa la glace et tendit son badge de chercheur...

Le garde le salua et regagna sa guérite avec le badge. Bizarre.

Gideon enclencha la marche arrière, prêt à enfoncer la pédale d'accélérateur. Personne derrière lui. En brûlant de la gomme, il pouvait probablement atteindre la petite route de Bandelier avant que le garde ne déclenche une chasse à l'homme. Il n'aurait plus qu'à abandonner l'Astro dans les ruines du village indien de Tsankawi avant de s'enfoncer à pied dans la réserve de San Ildefonso.

À quoi pouvait bien jouer le garde ? La sagesse dictait à Gideon de rebrousser chemin avant que tout se complique.

Le type réapparut au même moment, jovial, le badge à la main.

— Alors, professeur Crew ! On travaille tard, ce soir ?

Gideon grimaça un sourire.

— Le devoir n'attend pas.

— À qui le dites-vous ! répliqua le garde en lui faisant signe de passer.

**

Gideon se gara tout au fond du parking jouxtant le labo 33. L'immense bâtiment crépi de blanc abritait les locaux du service de maintenance pour lequel il travaillait ordinairement. Dans les sous-sols se trouvait le petit accélérateur linéaire servant à tester les matériaux fissiles des bombes vieillissantes.

Gideon sortit le faux six-coups d'Alida, une copie de Colt 1877 nickelé. L'arme était chargée à blanc, mais intimidante.

Il la glissa dans sa ceinture, sous sa chemise.

— On y est, annonça-t-il à sa passagère clandestine.

Alida repoussa la couverture.

— C'est tout ? On a franchi tous les contrôles de sécurité ?

— Il en existe d'autres, mais uniquement pour les visiteurs.

Il se regarda dans le rétroviseur et vit un visage pas très propre souligné par une barbe naissante. À l'instar de la plupart des physiciens du centre, Gideon était connu pour son style bohème. Une sorte de code de la profession.

Il descendit de l'Astro et entraîna Alida vers l'entrée du bâtiment.

— Ce Mike Novak, le responsable de la sécurité informatique dont vous m'avez parlé. Vous pensez qu'il sera là ? Il est 11 heures du soir.

— Il y a forcément quelqu'un de garde dans son service. Ce soir, ce sera probablement Warren Chu. Je l'espère, en tout cas. Il ne devrait pas nous donner trop de fil à retordre.

Gideon poussa la porte. Un couloir en L conduisait jusqu'à un escalier menant au sous-sol. Gideon s'arrêta devant une porte et frappa en s'efforçant de calmer les battements de son cœur.

— Ouais ? répondit une voix étouffée.

Le battant s'écarta et Gideon reconnut Chu à son visage rond, surmonté de lunettes.

— Salut, Gideon. D'où tu viens ?

— J'étais en vacances. Je te présente Alida, une nouvelle. Je lui fais visiter le service.

Chu posa sur la jeune femme un regard intéressé et son sourire s'élargit.

— Bienvenu sur Mars, chère Terrienne.

— On peut entrer ? reprit Gideon, la mine grave.

— Bien sûr. T'as un souci ?

— Un gros souci, même.

Chu, intrigué, invita ses visiteurs dans son minuscule bureau aux murs aveugles. Il s'empressa de débarrasser le seul siège libre et l'offrit à Alida tandis que Gideon restait debout.

Une odeur de café flottait dans l'air. Gideon avisa une boîte de doughnuts qui lui rappela sa faim.

— Tu permets ? dit-il en ouvrant la boîte.

— Je t'en prie.

Gideon prit deux doughnuts et en tendit deux autres à Alida, qui louchait dans sa direction.

— Qu'est-ce qui t'amène ? demanda Chu, inquiet de voir ses provisions fondre aussi vite.

Gideon ne fit qu'une bouchée du premier doughnut et s'essuya la bouche.

— Quelqu'un s'est servi de mon ordinateur pendant que j'étais en congé. Sans ma permission. Je ne sais pas comment il a pu s'y prendre sans mon code, mais le fait est là. Je veux savoir de qui il s'agit.

Chu pâlit.

— Bon sang, Gideon ! chuchota-t-il. Tu sais bien que ce genre de truc doit passer par la voie hiérarchique. Tu ne peux pas rappliquer ici comme ça. Je suis un simple informaticien.

— Warren, répondit Gideon en baissant la voix à son tour. Je m'adresse à toi parce que le coupable t'en veut personnellement.

— Moi ? s'écria Chu en ouvrant des yeux ronds.

— Ouais, toi. Figure-toi que quelqu'un s'est amusé à mettre ton portrait sur mon écran d'accueil, en train de m'adresser un doigt d'honneur, avec un gentil petit poème pour couronner le tout : « Va te faire foutre, de la part de Warren Chu. »

— Tu plaisantes ? Putain, je peux pas à y croire ! Pourquoi moi ? Si jamais je trouve l'enfoiré qui a fait ça, je le tue.

Chu se rua sur son clavier.

— Quand est-ce arrivé ?

Gideon réfléchit à la question. Son ordinateur avait forcément été piraté entre l'accident d'avion et son arrestation ratée.

— Je dirais, euh... entre il y a quatre jours et très tôt hier matin.

— Waouh ! s'étonna Warren, les yeux rivés sur son écran. Ton compte a été gelé sans que personne me prévienne.

— Preuve de plus qu'on te soupçonne.

— Je ne peux pas y croire. Qui est capable d'un truc pareil ?

— Aurais-tu le moyen d'accéder à mon compte et d'y jeter un œil ? L'idéal serait de découvrir le coupable avant que les gars de la sécurité ne te tombent sur le dos.

— Sans problème ! J'ai toutes les autorisations nécessaires.

Gideon sentit son cœur s'emballer. Il touchait au but.

— C'est vrai ?

— Bien sûr, répondit fièrement Chu en pianotant à toute vitesse sur son clavier. Comment a-t-on pu pirater ton mot de passe ?

— Je comptais sur toi pour me l'expliquer.

— Tu l'as écrit quelque part ?

— Non.

— Ou alors tu t'es connecté devant quelqu'un ?

— Jamais.

— Dans ce cas, il s'agit forcément de quelqu'un de haut placé.

Gideon, hypnotisé, regardait défiler des chiffres à toute vitesse sur l'écran.

— Je te garantis que je vais trouver cet enfoiré, s'énerva Chu. Ça y est ! Je suis connecté à ton compte ! annonça-t-il triomphalement en enfonçant une dernière touche d'un doigt rageur.

La page d'accueil de Gideon s'afficha sur l'écran. Il restait à découvrir les fameuses « lettres d'amour » dont lui avait parlé Fordyce.

— Commençons par vérifier mes e-mails, suggéra-t-il.

La boîte de Gideon s'afficha en quelques clics. Le chercheur fut pris d'une intuition.

— Vérifions s'il y a des échanges d'e-mails avec Chalker.

— Reed Chalker ? s'étonna Chu en s'exécutant à contrecœur.

Une impressionnante liste d'e-mails datant de la disparition de Chalker apparut brusquement. Gideon se montra d'autant plus surpris qu'il n'avait quasiment jamais correspondu avec son collègue.

— Vous aviez pas mal de trucs à vous dire, visiblement, remarqua Chu. En quoi ça peut nous aider à découvrir l'identité de celui qui a piraté ton compte ?

— Ces messages sont tous des faux, ajoutés par le pirate en question.

— Ah ouais ? réagit Chu d'un air dubitatif. Je ne vois pas comment.

— Je n'ai jamais échangé d'e-mails avec Chalker. Enfin, presque jamais.

Gideon passa une main par-dessus l'épaule de l'informaticien, sélectionna un message sagement intitulé « Vacances » et enfonça la touche d'échappement.

Salaam Reed,
Pour répondre à ta question : tu te souviens de ce que
je t'ai dit au sujet de la division du monde entre Dar
al-Islam et Dar al-Harb. La paix et la guerre. Il n'y a
pas de solution intermédiaire. Tu as personnelle-
ment choisi la paix jusqu'à présent, mais l'heure de la
guerre a sonné.
Allah akbar,
Gideon

Gideon n'en croyait pas ses yeux. Loin de lui donner l'apparence d'un complice de Chalker, elle le présentait comme son *inspirateur*. Il ouvrit le message suivant d'un doigt fébrile.

Ami Reed, Salaam,
Le djihad n'est pas uniquement un combat intérieur.
Il est aussi extérieur. En bon musulman, tu ne
connaîtras jamais la sérénité car la lutte doit conti-
nuer jusqu'à ce que le monde entier ait atteint l'état de
Dar al-Islam.

Il lut les intitulés des e-mails. L'opération avait été montée de main de maître. Il n'était pas surprenant que Fordyce soit tombé dans le piège. Remarquant un message récent plus long que les précédents, il l'ouvrit d'un clic.

L'heure a sonné. Il n'est plus temps d'hésiter. Quicon-
que rejette le message de l'islam est voué de toute éter-
nité aux flammes de l'enfer. Quiconque accepte son
message verra ses péchés pardonnés et vivra pour
toujours au paradis. Il est temps de mettre tes actions
au diapason de tes croyances. Ne te soucie pas de
l'opinion d'autrui. Il en va de la vie éternelle qui
t'attend.

Le message se poursuivait sur le même ton, poussant Chalker à la conversion. Gideon bouillait intérieurement. Il avait été piégé de belle manière, et *de l'intérieur*.

39

Warren Chu découvrait le contenu des e-mails avec une horreur croissante. Personne n'avait pu piéger Gideon, seul l'un des responsables de la sécurité informatique aurait pu avoir accès à son compte.

Il se tourna lentement vers son collègue en donnant l'impression de voir son visage pour la première fois. Jamais il n'aurait imaginé un truc pareil.

— Je n'arrive pas à croire que tu aies pu écrire toutes ces horreurs, explosa-t-il sans réfléchir.

— Mais enfin, Warren, ce n'est pas moi ! se défendit rageusement Gideon. Ces messages sont des faux !

La véhémence de son interlocuteur désarçonna l'informaticien, qui se demanda une nouvelle fois si une telle manipulation était possible. Possible, oui, mais peu probable.

Il s'éclaircit la gorge.

— Bon, déclara-t-il d'une voix qu'il voulait normale. Laisse-moi voir si je peux trouver le nom du coupable.

— Tu es un frère, Warren, le remercia Gideon en enfournant le second doughnut.

— Gideon, ça t'ennuierait de reculer un peu ? Je suis infoutu de travailler quand quelqu'un regarde ce que je fais par-dessus mon épaule.

— Tu as raison, excuse-moi.

Gideon battit en retraite à l'autre bout du petit bureau, où il s'empressa de prendre un troisième doughnut, au grand dam de Chu. On aurait cru que Gideon n'avait pas mangé depuis des jours.

Les messages que Chu ouvrait l'un après l'autre étaient de plus en plus virulents. Le système de protection fonctionnait sur un principe virtuel de type II. Théoriquement, bien sûr, il n'était pas impossible de court-circuiter l'ensemble des clés de protection et des codes d'accès, mais il aurait fallu un savoir-faire que seuls possédaient une poignée d'informaticiens à l'intérieur du centre.

Plus il y réfléchissait, moins il lui semblait plausible que le système ait été piraté. Si ces e-mails n'étaient pas des faux, Gideon était un terroriste, un traître et un assassin de la pire espèce… Chu sentit ses intestins se contracter.

Il se demandait comment réagir lorsqu'il prit brusquement conscience de la présence dans son dos de la jeune femme. Celle-ci lui serra furtivement l'épaule. Il lança un coup d'œil discret en arrière. Gideon avait passé la tête dans le couloir, s'assurant que tout était calme. Chu remarqua pour la première fois que son pantalon était déchiré et couvert de boue. La crosse d'un revolver sortait de sa ceinture.

La fille se pencha vers lui.

— Si vous avez une alarme, c'est le moment ou jamais, lui glissa-t-elle dans un murmure.

— Quoi ? Comment ? bredouilla Chu, décontenancé.

— Gideon fait partie de la cellule terroriste.

Chu sentit sa gorge se nouer. Il ne s'était donc pas trompé.

— Allez-y, insista-t-elle.

Le cœur de Chu fit un triple salto dans sa poitrine et un voile de sueur lui couvrit le front. D'abord Chalker, et maintenant Gideon. Impossible. Il y avait pourtant tous ces e-mails, le doute n'était plus permis.

Il glissa subrepticement la main sous son bureau, chercha des doigts le bouton, et l'enfonça.

Le hululement grave d'une sirène troua le silence tandis que des lumières rouges clignotaient dans le couloir.

— C'est quoi ce bordel ! s'exclama Gideon en quittant précipitamment son poste d'observation.

— Désolé, mon vieux, lui répondit Alida en croisant les bras sur sa poitrine. Vous êtes fait.

40

Gideon la dévisagea, abasourdi. Il avait mal entendu, ou mal compris.

— Alida… ?

Elle le toisa froidement, très sûre d'elle.

— J'attendais mon heure. Je vous avais pourtant prévenu que je me ferais un plaisir de vous balancer.

Sous le choc, il en oubliait presque de lui en vouloir.

— J'ai bien failli vous croire, poursuivit la jeune femme. Mais quand j'ai lu ces e-mails…

— Je me tue à vous dire que ce sont des faux !

— Bien sûr. Tout comme l'armée d'agents du FBI qui vous traque avec tous ces hélicoptères, sans doute. Ma crédulité a des limites, Gideon.

Il tira le Colt de sa ceinture et fit feu en l'air, puis il saisit Chu par le bras et posa le canon de l'arme sur sa tempe.

— Fais ce que je te dis et pas de mouvement brusque ! rugit-il.

Gideon s'élança dans le couloir en poussant devant lui son otage terrorisé. Le poste de contrôle permettant d'accéder au secteur voisin se trouvait un peu plus loin. Plusieurs hommes attendaient les fuyards près d'un portique de sécurité, l'arme au poing.

— N'essayez pas de m'arrêter ou je le tue ! cria-t-il en projetant Chu à travers le portique, déclenchant un sifflement aigu.

— C'est un revolver de cinéma, bande d'idiots ! intervint Alida.

— Je ne demande qu'à prouver le contraire, bluffa Gideon. Ne tentez pas de me suivre ou je tire !

L'instant d'après, il dévalait l'escalier de secours en traînant Chu par le bras, suivi par Alida.

— Espèce de salope ! gronda Gideon alors que la jeune femme se ruait sur lui et s'efforçait de lui arracher l'arme des mains.

Il la repoussa brutalement, mais elle revenait constamment à l'attaque, plus que jamais décidée à lui enlever son revolver.

— Stop ! lui intima Chu, terrorisé.

Gideon se dégagea d'un coup de poing et bouscula son prisonnier à l'intérieur de la salle de contrôle de l'accélérateur de particules. Les deux techniciens installés derrière le pupitre de commande se retournèrent d'un bloc, ébahis.

— Couchez-vous ! Tous ! hurla Gideon en tirant à nouveau en l'air.

Les techniciens se jetèrent à plat ventre.

Quelle bande de pétochards ! Et dire que ces types fabriquent des bombes atomiques.

Il achevait à peine sa pensée qu'une demi-douzaine d'hommes armés faisaient irruption dans la salle de contrôle. Tous étaient vêtus de l'uniforme du Sun.

— Lâchez votre arme ! rugit l'un d'eux.

Gideon serra Chu contre lui et enfonça le canon du revolver dans son cou. L'informaticien poussa un cri inarticulé.

— Mais enfin ! s'énerva Alida. Vous ne voyez donc pas que son Colt est un faux ?

Le chef de l'unité d'assaut braqua le canon de son arme sur elle.

— Vous ! À plat ventre ! Immédiatement !

— Moi ? Mais…

D'un mouvement de tête, le chef fit signe à deux de ses hommes d'intervenir. L'instant d'après, la jeune femme était plaquée au sol et les deux agents du Sun la fouillaient sans ménagement.

— Saloperie ! rugit-elle en se débattant.

L'un des hommes la fit taire d'une gifle.

Gideon n'en revenait pas. Voilà qu'ils la prenaient pour une terroriste, elle aussi.

Le chef de l'unité du Sun le mit en joue.

— Lâchez votre arme et libérez votre prisonnier ou je tire.

Gideon comprit que l'autre n'hésiterait pas à l'abattre, même au prix de la vie de Chu.

— C'est bon, dit-il, dépité d'avoir perdu la partie.

Il baissa le canon du Colt et le laissa tomber à terre. Chu s'écarta de lui en tremblant, aussitôt pris en charge par les agents du Sun. Gideon leva lentement les mains.

Leur fouille terminée, les deux types qui avaient immobilisé Alida l'obligèrent à se relever. Elle saignait abondamment du nez, une longue traînée de sang maculait sa chemise blanche.

— Passez-lui les menottes, ordonna le chef de l'unité. Et vous, Crew, mettez-vous à plat ventre. Pas de mouvement brusque.

— Espèce d'abrutis, glapit Alida en multipliant les coups de pied.

L'un de ses tortionnaires lui envoya un coup de poing dans l'estomac. Elle se plia en deux de douleur.

— Fichez-lui la paix ! cria Gideon. Elle n'a rien à voir avec toute cette histoire.

— À plat ventre ! répéta le responsable de l'unité du Sun en braquant son pistolet sur lui.

Gideon s'agenouillait lentement, bras écartés, lorsqu'il entrevit le moyen de renverser la situation. S'appuyant sur le pupitre de l'accélérateur de particules, il mit discrètement la main sur un petit interrupteur protégé par un couvercle en plastique rouge. Le coupe-circuit de secours. Il posa un genou à terre, puis l'autre, tout en soulevant discrètement le couvercle rouge.

— Plus vite que ça ! s'énerva le chef de l'unité d'intervention en agitant son arme. À plat ventre !

Gideon se redressa d'un bond.

— Si je bascule cet interrupteur, déclara-t-il d'une voix calme, nous sommes tous morts.

Une chape de silence s'abattit sur la pièce.

Gideon se tourna vers les techniciens.

— Allez, dites-leur !

L'un des opérateurs de l'accélérateur de particules blêmit en reconnaissant l'interrupteur que Gideon serrait entre ses doigts.

— Mon Dieu, balbutia-t-il. Le coupe-circuit de secours ! La machine tourne à plein régime. Si jamais il pousse ce bouton… Je vous en prie, ne faites pas ça !

Le temps donna l'impression de se figer.

Merci, mon vieux, pensa Gideon.

— Expliquez-leur ce qui se passe si jamais j'actionne le coupe-circuit.

— L'interrupteur coupera l'alimentation du champ magnétique et la décollimation nous réduira tous en charpie.

— Vous l'avez entendu, déclara Gideon posément. Si vous tirez, je m'écroule en enfonçant cet interrupteur.

Les hommes du Sun, leurs armes pointées sur lui, restaient comme pétrifiés.

— Je n'ai plus rien à perdre, poursuivit-il d'une voix rauque. Je compte jusqu'à trois. Un…

Le chef de l'unité d'intervention jeta un coup d'œil à droite, puis à gauche. Il transpirait abondamment, convaincu qu'un kamikaze de la trempe de Gideon n'hésiterait pas à mettre sa menace à exécution.

— Deux... Je ne plaisante pas.

Le chef du petit groupe déposa son arme, immédiatement imité par ses hommes.

— Sage décision. À présent, libérez-la.

Alida se redressa, le souffle court. Elle essuya d'une main le sang qui lui coulait du nez.

— Pour mémoire, nous sommes innocents tous les deux, reprit Gideon. J'ai été piégé, et j'ai la ferme intention de savoir par qui. Désolé, messieurs, mais je vais devoir vous quitter. Tu viens, Alida ? Que ça te plaise ou non, j'ai peur que tu n'aies plus le choix. Ramasse leurs armes et passe-les-moi.

La jeune femme, assaillie par le doute, hésita.

— Alida, l'implora-t-il. Je ne sais pas comment te convaincre, sinon en faisant appel à ton intuition. Je te *supplie* de me croire.

Se décidant brusquement, elle récupéra les pistolets qu'elle tendit à Gideon. Il retira tous les chargeurs, sauf un, et les glissa dans sa poche, puis il reposa les armes vides sur le sol, sans jamais éloigner ses doigts de l'interrupteur. Enfin, armé du pistolet encore chargé, il repoussa la porte de la salle de contrôle et la verrouilla.

Il était temps, une cavalcade résonnait dans le couloir. Une pluie de coups s'abattit sur le battant, ponctuée par des cris. Une autre alarme se déclencha, plus stridente que la précédente.

— Tout le monde à plat ventre, sauf toi, ordonna Gideon en pointant du doigt le technicien terrifié.

Ce dernier leva les mains d'un air implorant.

— Je vous en prie, je ferai tout ce que vous voulez.

— Je te le conseille. Commence par ouvrir la porte du tunnel d'accélération.

Le technicien sortit précipitamment de sa poche une clé magnétique à l'aide de laquelle il déverrouilla une petite porte. Une lueur verte s'échappa de l'ouverture : un tunnel légèrement incurvé s'enfonçait dans la pénombre, bordé par une passerelle sur toute sa longueur. Un bourdonnement grave s'échappait d'un appareillage complexe, constitué d'une myriade de fils électriques et de tuyaux. Gideon connaissait depuis toujours l'existence de ce petit accélérateur, de six cents mètres ; il avait entendu dire qu'il était relié aux tunnels utilisés par ses prédécesseurs, à l'époque du projet Manhattan. Ces boyaux désaffectés constituaient leur unique chance de fuite.

Il fit signe à Alida d'avancer, récupéra la clé magnétique du technicien ainsi que celle de son collègue, s'engagea à son tour dans le tunnel et claqua la porte derrière lui.

Il se tourna vers sa compagne.

— J'ai besoin de savoir si tu es avec moi ou pas. Si tu n'es pas convaincue à cent pour cent de mon innocence, inutile d'aller plus loin. Je ne tiens pas à voir resurgir tes instincts de Judas.

Le battant métallique trembla sous une volée de coups, au milieu d'une tempête de cris.

Alida le dévisagea longuement.

— Tu veux connaître le fond de ma pensée ? On ferait mieux de mettre les bouts.

41

Ils s'élancèrent sur la passerelle métallique.

— Tu sais où tu vas, au moins ? s'écria Alida.

— Viens !

Des cris résonnèrent à l'entrée du tunnel.

Putain, grinça intérieurement Gideon, qui avait espéré disposer d'une avance plus confortable.

— Arrêtez ou je tire ! aboya une voix.

Ils continuèrent leur course. L'accélérateur de particules, lancé à pleine vitesse, ronflait le long de la paroi. Il suffisait d'une balle mal placée pour provoquer une catastrophe.

— Ils bluffent, assura Gideon. Ils ne prendront jamais le risque de tirer.

Pang ! Une balle ricocha contre le plafond, suivie de plusieurs autres. *Pang ! Pang !*

— Je croyais qu'ils bluffaient, maugréa Alida tout en courant, courbée en deux.

La passerelle tremblait sous les pas de leurs poursuivants.

Pang ! Un projectile effleura la paroi en faisant jaillir une pluie de béton.

Gideon se retourna et tira en arrière. Les hommes du Sun se jetèrent à plat ventre.

Vingt mètres plus loin, Gideon découvrit enfin ce qu'il cherchait : une porte métallique encastrée dans le mur de béton.

— Merde ! grommela Alida en voyant qu'elle était fermée par un vieux cadenas en laiton.

Gideon fit feu sur leurs adversaires qui se plaquèrent au sol une nouvelle fois. Puis il fit exploser le cadenas d'une balle, et pesa de tout son poids sur la porte. Celle-ci grinça, mais refusa de s'ouvrir.

— Je vais t'aider, proposa Alida. Un, deux, trois…

Ils se lancèrent ensemble sur le battant qui s'ouvrit avec un craquement sonore au moment où une pluie de balles s'écrasait sur le chambranle métallique. Gideon et Alida se jetèrent de l'autre côté et repoussèrent vivement la lourde porte. Ils furent instantanément plongés dans le noir.

À la lueur du briquet, ils constatèrent qu'ils se trouvaient à l'entrée de plusieurs boyaux sommairement taillés dans la roche. Gideon agrippa la main de sa compagne et l'entraîna dans un tunnel au hasard. La flamme du briquet, soufflée par le mouvement, s'éteignit.

Un grincement de métal rouillé leur indiqua que leurs adversaires venaient d'ouvrir la porte.

La main de sa compagne toujours serrée dans la sienne, Gideon courait à l'aveuglette depuis quelques centaines de mètres lorsqu'il se prit les pieds dans un obstacle invisible. Il s'affala sur le sol, entraînant Alida dans sa chute. Allongé dans le noir, tout essoufflé, il chercha des doigts la main de la jeune femme. Des voix leur parvenaient, déformées par l'écho. Leurs poursuivants n'étaient pas loin. Restait à savoir s'ils disposaient de torches.

Un pinceau de lumière lui répondit. Au passage, le rayon de la lampe avait dévoilé l'entrée d'un autre boyau dans la paroi. Gideon releva Alida d'une traction et la poussa dans l'ouverture.

La jeune femme alluma brièvement son briquet : le tunnel se terminait en cul-de-sac une vingtaine de mètres plus loin, mais ils avaient eu le temps d'apercevoir des barreaux rouillés grimpant à l'assaut du mur. Gideon chercha l'échelle à tâtons et ils entamèrent l'ascension. Derrière eux, les voix se faisaient plus proches, plus fortes, plus dures.

Ils gravissaient les barreaux l'un après l'autre dans l'obscurité. Gideon distingua un pinceau de lumière furtif dans le cul-de-sac, mais leur hauteur les rendait invisibles. Ils continuèrent leur escalade le plus silencieusement possible jusqu'en haut de l'échelle. Le briquet d'Alida révéla la présence d'un souterrain horizontal dans lequel s'étiolaient de très vieilles machines, sans doute des reliques du projet Manhattan.

Gideon se hissa dans le boyau, puis aida sa compagne à le rejoindre en se demandant jusqu'à quel point cet équipement était radioactif.

— Où va-t-on ? murmura Alida.

— Aucune idée.

Instinctivement, il se dirigea vers ce qu'il croyait être l'est, en direction du White Rock Canyon. Des voix montèrent du puits qu'ils venaient de quitter : leurs poursuivants avaient découvert l'échelle.

Gideon trébucha dans l'obscurité sur un objet invisible.

— Passe-moi le briquet.

Elle le lui glissa entre les doigts. Il l'alluma et vit des rails sur lesquels stationnait une vieille draisine à manivelle.

Une rafale obligea les deux fuyards à se jeter au sol. Plusieurs faisceaux de torches dansèrent autour d'eux.

— Vite ! Grimpe sur la draisine, chuchota Gideon.

Alida s'exécuta d'un bond. Il donna une poussée au wagonnet, attendit qu'il ait pris de la vitesse et rejoignit la jeune femme. La manivelle montait et descendait au rythme de leur course en grinçant. L'engin était rouillé et poussiéreux, mais fonctionnait encore. Gideon pompa de plus belle avec l'énergie du désespoir en entendant crépiter une rafale. Les projectiles ricochèrent sur les parois du tunnel autour d'eux. Le chariot filait à toute allure en grinçant, prenant de la vitesse avec la pente.

— Et merde ! s'écria Alida.

Gideon s'était arrêté de pomper, mais les leviers montaient et descendaient de plus en plus vite sans qu'il soit possible de les contrôler. Derrière eux, les cris et les coups de feu s'éloignaient rapidement.

— Ce n'était pas la meilleure idée du monde, ajouta Alida en se cramponnant aux montants de bois.

Emporté par la pente, le wagonnet poursuivait sa course folle dans le noir vers une direction inconnue.

42

Le wagonnet menait un train d'enfer sur ses rails, dans l'obscurité totale. Gideon, accroupi au fond du chariot, s'attendait au pire.

— Un frein ! lui cria Alida. Cet engin doit bien avoir un frein !

— Où avais-je la tête ?

Il alluma le briquet. La flamme s'éteignit presque aussitôt, soufflée par le courant d'air, mais il avait eu le temps de distinguer une pédale métallique sur le côté du chariot, entre les roues. Il pesa de tout son poids sur le métal rouillé et une gerbe d'étincelles jaillit dans la nuit. Le wagonnet décéléra brutalement en vibrant dangereusement, menaçant de dérailler. Un instant projeté en avant, Gideon relâcha la pression et freina plus progressivement. Le chariot trembla, gronda, cria, mais finit par s'immobiliser.

— Bien joué, monsieur le Serre-Frein.

Gideon descendit prudemment et tourna la molette du briquet. Le tunnel se poursuivait au-delà de ce qui semblait être un début de virage. Il était impossible de le vérifier car un amas de roches tombées du plafond bloquait le boyau sur toute sa largeur.

— Mon Dieu, bredouilla Alida. Tu as arrêté le wagonnet juste à temps.

Les cris lointains des hommes du Sun leur arrivèrent, déformés par la distance. Le répit serait de courte durée.

— Viens, répondit Gideon en lui tendant la main.

Ils entamèrent l'escalade des rochers. Ils s'orientaient à la lueur du briquet que Gideon allumait épisodiquement. Un bruit de course leur parvint.

— Je n'ai pas besoin qu'on me tienne la main, s'agaça Alida en cherchant à se dégager.

— Moi si.

Le sommet du tas de cailloux atteint, ils redescendirent de l'autre côté et s'enfoncèrent dans le tunnel. Ils avaient franchi deux autres éboulements lorsqu'ils en découvrirent un troisième qui obstruait entièrement le passage.

— Vacherie, réagit Alida en contemplant l'obstacle. Tu as vu des tunnels adjacents ?

— Aucun, répliqua Gideon en fronçant les sourcils.

Il leva le briquet et constata que l'obstacle était infranchissable.

— Il va falloir trouver une solution, et vite, le pressa Alida.

— Je n'ai pas vu de tunnels, mais j'ai en revanche remarqué plusieurs stocks d'explosifs.

— Oh non !

— Ne bouge pas.

Gideon revint sur ses pas. Les voix se rapprochaient et il crut voir un rai de lumière traverser l'air chargé de poussière. Leurs poursuivants n'avaient pas perdu de temps.

Il trouva rapidement ce qu'il cherchait : tout un stock d'explosifs, avec du cordon détonant. Il avisa plusieurs boîtes en bois empilées à l'écart. Il arracha le couvercle vermoulu de l'une d'elles : des détonateurs. Lorsqu'il voulut soulever la caisse, le fond lâcha et les détonateurs s'éparpillèrent sur le sol.

Les pinceaux de plusieurs torches traversèrent les nuages de poussière.

— Hé ! Là-bas ! fit une voix, ponctuée par un coup de feu.

Gideon souffla la flamme du briquet et se mit en position accroupie. Si jamais une balle atteignait par erreur les détonateurs...

Un nouveau coup de feu retentit. Les rayons des lampes dansaient autour de lui. Ils étaient trop près, Gideon n'avait plus le temps de fabriquer une bombe digne de ce nom. Courbé en deux, il s'enfonça de quelques dizaines de mètres dans le tunnel obscur, puis il se retourna et s'agenouilla. Tenant son .45 d'une main et le briquet de l'autre, il visa le tas de détonateurs. Au fond du tunnel, les lumières se rapprochaient.

— Là ! lança une voix.

Son coup de feu se noya dans le vacarme des détonations de l'adversaire. L'explosion des détonateurs le projeta violemment en arrière, lui coupant le souffle, et le plafond s'écroula dans un tonnerre assourdissant.

43

Gideon s'ébroua afin de reprendre ses esprits. Il se hissa péniblement sur les genoux et rampa dans l'obscurité. Le sol continuait de trembler au rythme des éboulements secondaires. Le jeune chercheur trouva enfin la force de se relever et se dirigea vers le refuge d'Alida, guidé par la flamme du briquet. La jeune femme, à demi ensevelie dans la poussière, affichait une mine furieuse.

— À quoi tu joues ?

— Ils étaient trop près, se justifia Gideon. J'ai tiré sur les détonateurs dans l'espoir de provoquer un éboulement.

— Seigneur ! Ce bruit terrifiant, après l'explosion, c'était ça ?

— Oui. Le plafond s'est écroulé en leur barrant le passage. Nous sommes en sécurité. Temporairement, du moins.

— En sécurité ? Tu rigoles ou quoi ? Nous sommes piégés, oui !

Ils revinrent sur leurs pas en souhaitant de découvrir un tunnel latéral qui aurait pu leur échapper. Rien. Gideon n'en pouvait plus. Il avait un mal de tête carabiné, les oreilles bourdonnantes, la bouche pâteuse. Le nuage de poussière soulevé par l'explosion rendait leur respiration difficile.

Il examina l'éboulement à la lumière tremblante du briquet. L'obstacle était infranchissable. Il leva la tête et s'intéressa à l'énorme trou provoqué par l'explosion au niveau du plafond.

Il éteignit le briquet et ils se retrouvèrent une fois de plus plongés dans le noir. Des voix assourdies leur parvenaient de l'autre côté de l'amas de roches.

— Que fait-on ? s'inquiéta Alida.

Ils s'assirent par terre, dans un silence pesant, jusqu'à ce que Gideon se décide à rallumer le briquet. Il le brandit à bout de bras.

— Qu'est-ce que tu fabriques ?

— J'essaie de voir s'il y a un courant d'air, comme dans les romans.

La flamme ne tremblait pas le moins du monde dans sa main. Le nuage de poussière qui les enveloppait les empêchait presque de voir. Il éteignit le briquet.

— Je me demande tout de même si l'explosion n'a pas ouvert un trou au-dessus de nos têtes. Laisse-moi vérifier.

— Sois prudent, ce tas de cailloux n'a pas l'air très stable.

Gideon se hissa sur les rochers, provoquant de petits éboulements secondaires. Quelques blocs se détachèrent de la voûte et s'écrasèrent autour de lui. Parvenu au sommet des rochers au terme d'une ascension périlleuse, à demi asphyxié par la poussière qui l'enveloppait, il sentit brusquement un courant d'air frais lui caresser les narines. En levant les yeux, il aperçut une étoile.

**

Ils rampèrent péniblement jusqu'à la liberté avant de s'affaler sur un matelas d'herbe au fond d'un creux de terrain, crachant et toussant. Un ruisseau courait en contrebas. Gideon trouva la force de s'en approcher à quatre pattes et se débarbouilla à l'eau fraîche avant de se rincer la bouche. Alida l'imita. Ils se trouvaient en contrebas de Los Alamos, dans le dédale des canyons conduisant au Rio Grande. Gideon s'allongea sur le dos, peinant à recouvrer sa respiration, et contempla la voûte étoilée. Leur évasion tenait du miracle.

Le grondement d'un hélicoptère se chargea de le ramener à la réalité.

Et merde...

— On va devoir y aller, annonça-t-il à sa compagne.

Étendue dans l'herbe, ses cheveux blonds transformés en étoupe, sa chemise blanche désormais gris souris, elle poussa un long soupir.

— Laisse-moi le temps de souffler, geignit-elle.

44

Warren Chu se réfugia derrière son bureau. Il transpirait abondamment, pressé que tout ce cirque s'arrête. Le grand type du FBI tournait dans la petite pièce comme un lion en cage, muré dans un silence inquiétant entre deux questions. Les agents du Sun avaient disparu, avalés par les tunnels du centre. Chu avait entendu les échos d'une fusillade, et puis les coups de feu s'étaient progressivement éloignés jusqu'à disparaître tout à fait. L'informaticien s'était alors retrouvé en tête à tête avec le dénommé Fordyce.

Chu se trémoussa sur son siège de faux cuir qui lui collait aux fesses. Le centre de Los Alamos avait beau être blindé de pognon, la climatisation était à peine suffisante à l'intérieur des bureaux. Chu s'en voulait d'avoir craqué au moment de la prise d'otage, ce qui ajoutait à sa confusion. Il se consola en se disant qu'il était toujours en vie.

Fordyce fit le tour de la pièce pour la centième fois.

— Ce sont les paroles de Crew ? Ses paroles exactes ? Il prétendait vraiment que son ordinateur avait été piraté pendant son absence ?

— Je ne me souviens pas de ses mots *exacts*, mais il affirmait que quelqu'un lui en voulait.

Fordyce entama une nouvelle ronde.

— Il prétendait donc que ces e-mails avaient été rédigés à son insu ?

— Exact.

L'agent fédéral ralentit.

— Techniquement, est-ce *possible* ?

— Non. Le réseau de communication interne du centre fonctionne en circuit fermé. Il n'est pas relié à l'extérieur.

— Pour quelle raison ?

La question désarçonna Chu.

— Tout simplement parce que certaines des informations les plus sensibles du pays transitent par notre système.

— Je vois. En clair, ces e-mails n'ont pas pu être placés là par une personne extérieure.

— Impossible.

— L'opération aurait-elle pu être effectuée de *l'intérieur* ?

Chu laissa s'écouler un temps de silence avant de répondre.

— Ce n'est pas impossible.

Fordyce se planta devant lui.

— Comment faudrait-il s'y prendre ?

Chu haussa les épaules.

— N'importe quel réseau, aussi secret soit-il, reste accessible à une poignée d'initiés. Il faut bien que quelqu'un garantisse la fiabilité du système. Une telle opération n'est pas à la portée de tout le monde. Il faudrait quelqu'un comme moi, par exemple. Mais ce n'est pas moi, se hâta-t-il de préciser.

— À part vous, qui d'autre aurait pu le faire ? D'un strict point de vue théorique.

— Les deux collègues chargés de la sécurité du système, et notre responsable.

— Quel est son nom ?

— Mike Novak, répondit Chu, la gorge nouée. Mais n'allez pas chercher midi à quatorze heures. On a tous été triés sur le volet, nos dossiers ont été examinés à la loupe. Il est inconcevable que l'un de nous soit mouillé dans un complot terroriste.

— Bon, grogna Fordyce en reprenant sa ronde. Vous connaissiez bien Crew ?

— Assez bien.

— Cette histoire vous surprend ?

— Complètement. D'un autre côté, je connaissais aussi Chalker et je suis tombé à la renverse le jour où j'ai appris ce qui s'était passé. Comme quoi on ne sait jamais à quoi s'attendre avec les gens, même si Chalker et Crew étaient tous les deux un peu bizarres, si vous voyez ce que je veux dire.

Fordyce approuva d'un signe de tête.

— Comme quoi on ne sait jamais à quoi s'attendre avec les gens, répéta-t-il à mi-voix.

La porte s'ouvrit avec fracas et plusieurs agents du Sun se précipitèrent à l'intérieur de la pièce. Couverts de poussière, trempés de sueur, ils apportaient avec eux une forte odeur de terre humide.

— Que se passe-t-il ? leur demanda Fordyce.

— Ils nous ont échappé, répondit le chef du groupe. Ils ont emprunté l'un des canyons conduisant au Rio Grande.

— Expédiez immédiatement sur place des hélicos équipés de systèmes infrarouges, ordonna Fordyce. Je veux des hommes de chaque côté du fleuve, et des équipes pour fouiller tous les canyons des alentours. Arrangez-vous pour m'envoyer un hélico. Et que ça saute !

— Bien, monsieur.

Fordyce se tourna vers Chu.

— Vous, ne bougez pas d'ici. J'aurai probablement d'autres questions à vous poser.

Sur ces mots, il s'éclipsa.

45

Gideon et Alida traçaient leur chemin à travers les broussailles de l'étroit canyon lorsqu'une armada aérienne les survola. À en juger par le bourdonnement d'hélices qui accompagnait le martèlement des rotors, la flotte aérienne des enquêteurs comportait de petits avions en plus des hélicoptères, peut-être même des drones. De puissants projecteurs dessinaient des colonnes de lumière qui parcouraient les parois du canyon, sans inquiéter les fuyards qui avaient tout le temps de se mettre à couvert.

Ils avançaient lentement, constamment interrompus par les projecteurs qui les contraignaient à se plaquer contre la paroi ou à se dissimuler sous la végétation. Il était minuit passé et les rochers avaient emmagasiné suffisamment de chaleur pour que la nuit soit tiède, mais la température ne tarderait pas à baisser. À terme, un tel changement décuplerait l'efficacité des détecteurs infrarouges.

Un hélico qui volait très bas passa soudain au-dessus d'eux, le mouvement de ses pales agitant les buissons et provoquant des tourbillons de poussière. Gideon, voyant le projecteur de l'appareil se rapprocher, se colla contre le mur de roche avec Alida. La lumière aveuglante les dépassa lentement, puis elle revint en arrière sans crier gare et s'arrêta sur eux.

— Merde, grommela-t-il.

Prenant la mesure de la situation, Gideon tira sa compagne par la main et dévala le ravin tandis que l'hélico, en vol stationnaire, suivait leur course à l'aide de son projecteur. Leur fuite se trouvait compliquée par la présence de nombreux rochers dans le cours asséché du torrent.

En l'espace de quelques minutes, d'autres hélicoptères avaient rejoint le premier.

— *Halte !* s'éleva une voix amplifiée par un haut-parleur. *Les mains en l'air !*

Gideon glissa le long d'un gros rocher et aida Alida à franchir l'obstacle. Devant eux, la pente s'annonçait de plus en plus raide.

— *Halte ou nous tirons !*

Gideon reconnut la voix de Fordyce. L'agent fédéral, enragé, faisait de leur capture une affaire personnelle.

Le lit du torrent formait un surplomb de près de trois mètres au pied duquel s'étalait un bassin d'eau croupie.

— *Dernier avertissement !*

Ils sautèrent à l'instant précis où crépitait une rafale d'arme automatique. Ils atterrirent lourdement dans une mare de boue dont ils parvinrent avec peine à s'extraire, trouvant refuge dans un bosquet de tamaris. Les balles déchiquetaient les branches autour d'eux avant de s'écraser contre les parois du canyon. Le projecteur les perdit et dessina des arabesques sur la végétation sauvage avant de les retrouver, perchés en haut d'une cascade dont on ne distinguait pas le pied.

— On saute ! cria Gideon.

— Mais on ne voit rien du tout...

— C'est ça ou prendre une balle. *On saute !*

Ils plongèrent dans l'obscurité. Leur chute se termina brutalement dans l'eau glacée et tumultueuse d'un torrent : ils venaient d'atteindre les rapides du Rio Grande, au fond du White Rock Canyon.

— Alida ! s'écria Gideon en se débattant.

L'espace d'un éclair, il entrevit la tache blanche d'un visage sur sa gauche.

— Alida !

La force du courant les emportait comme des fétus de paille dans un déferlement d'écume assourdissant.

— Gideon !

Il tendit la main, sentit le contact du corps de la jeune femme, parvint à lui saisir la main. Impossible de nager. Le mieux était encore de se laisser porter par le torrent.

Les hélicos s'étaient déployés tout autour du site. Leurs projecteurs fouillaient fiévreusement les eaux du fleuve, concentrant leurs efforts en amont du lieu où se débattaient les deux fugitifs. Le canyon, trop étroit, compliquait la manœuvre des pilotes. Seuls trois d'entre eux étaient parvenus à se glisser entre les à-pics rocheux.

Gideon et Alida, s'agrippant réciproquement du mieux qu'ils le pouvaient, continuaient de dévaler le cours tumultueux et glacé du Rio Grande. Gideon, ballotté dans tous les sens, arrivait difficilement à garder la tête hors de l'eau. Ses yeux s'étaient habitués à l'obscurité et il comprit avec épouvante, à la vue des vagues dont les crêtes d'écume brillaient dans la nuit, que des rapides plus vertigineux encore les attendaient en aval. Brièvement submergés par les remous, ils faillirent lâcher prise. Gideon remonta à la surface en se débattant. Il eut tout juste le temps de se remplir les poumons avant d'être à nouveau entraîné vers le fond par le courant. Il heurta violemment un rocher et la main d'Alida lâcha la sienne.

Il refit surface en recrachant l'eau qu'il venait d'avaler. Il ouvrit la bouche pour appeler sa compagne, mais l'écume l'en empêcha et il but la tasse. Il réussit miraculeusement à se maintenir à flot et voulut s'orienter. Le courant s'était un peu calmé, mais le fleuve l'emportait toujours à une vitesse vertigineuse.

— Alida !

Pas de réponse. Il avait beau scruter autour de lui, il ne distinguait rien d'autre que l'écume des rapides, phosphorescente sur le fond noir des parois du canyon. Les trois hélicoptères étaient restés loin en amont, mais deux autres remontaient le cours du fleuve dans sa direction en fouillant les eaux bouillonnantes à l'aide de leurs projecteurs. Gideon prit sa respiration et plongea en voyant approcher le premier appareil. Les yeux ouverts sous l'eau, il vit passer au-dessus de sa tête le cône de lumière. Il refit surface, se remplit les poumons et plongea à nouveau, le temps de laisser passer l'autre hélico.

— Alida ! hurla-t-il en retrouvant l'air libre.

Aucune réponse. Un grondement inquiétant noyait désormais le bourdonnement des hélicoptères, trahissant la présence, en aval, de chutes beaucoup plus périlleuses que celles traversées jusque-là.

Et toujours aucun signe d'Alida…

46

Stone Fordyce, posté près de la porte ouverte de l'hélico, dirigeait lui-même le faisceau du puissant projecteur. Le cône de lumière donnait un relief saisissant aux bouillonnements d'écume qui défilaient sous ses yeux à une vitesse terrifiante. Un curieux mélange de soulagement et de tristesse s'empara de lui. Jamais ses proies n'auraient survécu à un tel enfer. Une page tragique venait de se tourner.

— Qu'y a-t-il au-delà de ces rapides ? demanda-t-il au pilote dans le micro de son casque.

— D'autres chutes.

— Et ensuite ?

— Les eaux du Rio Grande se jettent ensuite dans le lac Cochiti, à un peu moins de dix kilomètres en aval.

— Si je comprends bien, il n'y a que des rapides jusque-là.

— À peu près. Il y a un passage particulièrement dangereux juste un peu plus bas.

— Dans ce cas, descendez lentement le cours du Rio Grande jusqu'au lac Cochiti.

Le pilote obéit, suivant scrupuleusement les méandres du fleuve tandis que Fordyce explorait la surface de l'eau avec le projecteur. Les parois du canyon allaient en se rétrécissant et ils ne tardèrent pas à survoler un goulet d'étranglement. Les rapides, coupés en deux par un rocher de la taille d'un immeuble dont ils battaient les flancs avec rage, dessinaient dans la lumière crue du spot des tourbillons d'une force inouïe. Le cours du Rio Grande s'apaisait ensuite en longeant des bancs de sable et des talus herbeux. De son poste d'observation, Fordyce avait du mal à estimer la vitesse du courant. Il lui était impossible de savoir si les corps seraient rejetés sur la rive, ou bien s'ils resteraient emprisonnés sous l'eau par les rochers.

— Quelle est la température de l'eau ? s'enquit-il dans son casque.

— Dans les douze degrés, répondit le pilote.

Ils seront de toute façon morts de froid si les rapides ne les ont pas tués, pensa Fordyce.

Il n'en poursuivit pas moins ses recherches, moins par conviction que par acquit de conscience. Les eaux se calmaient à mesure que le cours du fleuve s'élargissait.

— À quoi correspondent ces lumières ? questionna-t-il en voyant apparaître quelques points lumineux.

— Le village de Cochiti Lake.

Le lac lui-même ne tarda pas à apparaître : une longue retenue d'eau fermée par un barrage.

— Il n'y a plus rien à espérer par ici, décida Fordyce. Ramenez-moi à Los Alamos. Laissons le soin aux autres de chercher les corps.

— Bien, monsieur.

L'hélicoptère vira sur le flanc et prit de l'altitude en se dirigeant vers le nord à pleine vitesse. Gideon et la fille étaient morts, Fordyce le sentait instinctivement. Personne n'aurait pu survivre à ces rapides.

Il hésitait à interroger plus avant Chu et ses collègues. L'idée même que ces e-mails puissent être des faux était ridicule. La manipulation, quasiment impossible, aurait nécessité la complicité de l'un des responsables de la sécurité informatique. Dans quel but ? Et pourquoi s'en prendre à Gideon ?

D'un autre côté, laisser traîner des messages aussi compromettants sur un ordinateur placé sous haute surveillance n'était pas très malin. C'était même complètement idiot.

Or, Crew était tout sauf idiot.

47

Gideon se hissa péniblement sur un banc de sable. Il était frigorifié, tuméfié sur tout le corps à la suite de sa lutte à mort avec les rapides avant de réussir à regagner la rive.

Il se recroquevilla sur lui-même, les bras serrés autour de ses genoux pour se réchauffer, essoufflé. Le grondement des vagues et le rugissement des tourbillons traversés en amont lui parvenaient encore faiblement. La langue de sable sur laquelle il avait trouvé refuge s'étendait sur plusieurs centaines de mètres de longueur, au creux d'un méandre du fleuve dont les eaux apaisées s'écoulaient paresseusement devant lui, faiblement éclairées par la lune.

Les hélicos poursuivaient leurs recherches, à en juger par les faisceaux des projecteurs trouant l'obscurité. Il lui fallait impérativement trouver un refuge à l'abri des regards.

Il se releva, les jambes flageolantes. Où chercher Alida ? À condition qu'elle ait survécu. Il s'en voulait terriblement, surtout après ce qui était arrivé à Orchidée[1] à New York quelques semaines plus tôt. C'était la

_____

1. Voir *R pour Revanche*, J'ai lu, 2013.

deuxième fois qu'il faisait payer la note à une innocente. Et maintenant, à cause de lui, Alida était probablement morte.

— Alida ! cria-t-il avec l'énergie du désespoir.

Il parcourut des yeux le banc de sable sur toute sa longueur et crut distinguer une silhouette à moitié enfoncée dans l'eau, un bras désarticulé figé au-dessus de la tête.

— Non ! s'écria-t-il d'une voix rauque en titubant en direction du corps inanimé.

En s'approchant, il s'aperçut qu'il s'agissait d'un tronc de bois flotté.

Il s'effondra sur le sable, soulagé au-delà des mots.

L'hélico le plus proche descendait lentement le cours du fleuve et il s'aperçut que ses empreintes sur le sable risquaient de le trahir. Il se releva en jurant, saisit la branche la plus proche et revint sur ses pas à reculons en effaçant toute trace de son passage. L'exercice eut le mérite de le réchauffer un peu. Il venait tout juste de se réfugier sous des tamaris lorsque l'hélicoptère arriva à sa hauteur en fouillant la nuit à l'aide de son projecteur.

Le danger passé, Gideon prit le temps de réfléchir, tapi dans sa cachette. Pas question de quitter les lieux tant qu'il n'aurait pas retrouvé Alida. À condition d'avoir survécu, il est probable qu'elle aurait regagné la berge à l'endroit où le courant s'apaisait, tout comme lui.

Un autre hélico vola à basse altitude en faisant trembler les buissons sous lesquels il se cachait. Il se protégea les yeux de la tempête de sable provoquée par les pales de l'appareil.

L'hélico parti, il sortit en rampant et explora longuement la rive des yeux. En vain. Il crut distinguer une anse légèrement à l'écart. Il s'en approcha en veillant à rester dissimulé dans les broussailles.

Un craquement se fit entendre dans son dos et une main s'abattit sur son épaule. Il se retourna d'un bloc en laissant échapper un cri.

— Silence !

— Alida ! Mon Dieu, j'ai bien cru que...

— Chhhhhhhhhut !

Elle lui prit la main et l'entraîna au milieu des fourrés alors qu'un troisième hélicoptère explorait les alentours en faisant trembler la végétation.

— Il faut absolument filer d'ici, chuchota-t-elle en l'entraînant loin de la rive.

Gideon était surpris de la trouver aussi décidée. Le souffle court, il peinait à la suivre dans le lit de torrent asséché qu'elle escaladait devant lui.

— Là, dit-elle en tendant le doigt.

La lune éclairait faiblement les restes d'une coulée basaltique au pied de laquelle on devinait l'ouverture d'une grotte.

Ils partirent à l'assaut de la pente. Cette fois, c'était Alida qui tirait Gideon chaque fois qu'il glissait sur la roche. L'ascension fut l'affaire de quelques minutes. Il ne s'agissait pas à proprement parler d'une caverne, plutôt d'un profond repli sous un énorme rocher. L'endroit leur permettrait de se reposer à l'abri des regards.

Alida s'allongea sur le sol de sable fin.

— Dieu, que ça fait du bien ! soupira-t-elle, avant d'enchaîner après un court silence : Il s'est passé un drôle de truc tout à l'heure... J'ai cru que tu étais mort en découvrant au bord de l'eau un tronc désarticulé. Je ne sais pas... ça m'a fait un choc.

Gideon lui répondit par un grognement.

— Je l'ai vu. J'ai cru que c'était toi, moi aussi.

Alida laissa échapper un rire grave. Elle prit la main de son compagnon et la serra dans la sienne.

— Je voulais te dire, Gideon. Quand j'ai aperçu ce tronc, je me suis dit que je n'aurais jamais l'occasion de te l'avouer. Comme tu n'es pas mort, je me lance. Je voudrais te dire que je te crois. Je sais à présent que tu n'es pas un terroriste. J'ai décidé de t'aider à découvrir qui t'a tendu ce piège, et pour quelle raison.

Gideon en resta sans voix. Il aurait voulu trouver la réponse idéale, mais il en était incapable. Après tout ce qu'il avait vécu, les accusations portées contre lui, l'abandon de Fordyce, la chasse à l'homme dans les montagnes, les rapides du Rio Grande, il se sentait brusquement submergé par l'émotion.

— Qu'est-ce qui t'a fait changer d'avis ? parvint-il à demander.

— Je te connais, à présent. Tu es trop sincère et généreux pour être un terroriste.

Elle serra à nouveau sa main dans la sienne. Sous l'effet conjugué de la fatigue, du stress, de la solitude, les paroles de réconfort d'Alida provoquèrent chez Gideon une réaction inattendue. Il sentit les larmes lui monter aux yeux, sans pouvoir les contrôler. Un instant plus tard, il sanglotait comme un enfant.

48

Gideon s'essuya les yeux avec la manche humide de sa chemise, puis il releva la tête, rouge de confusion.

— Tiens, tiens, remarqua Alida. Un homme capable de pleurer.

Elle lui sourit dans la pénombre, d'un sourire affectueux, dénué de toute ironie.

— J'ai honte, balbutia-t-il.

Il ne se souvenait plus de la dernière fois où il avait pleuré. Il n'avait pas versé une larme à la mort de sa mère. Ses derniers pleurs remontaient probablement à ce jour terrible de 1988 où son père avait été abattu sous ses yeux par un tireur d'élite.

— Je ne sais pas ce qui m'a pris, s'excusa-t-il.

Il était mortifié d'avoir craqué de la sorte, surtout en présence d'Alida. Paradoxalement, il en éprouvait une sorte de soulagement. Sentant son embarras, la jeune femme n'insista pas. Ils restèrent longtemps allongés l'un à côté de l'autre, en silence.

Gideon se redressa en s'appuyant sur un coude.

— J'ai bien réfléchi à toute cette histoire. À notre arrivée au Nouveau-Mexique avec Fordyce, nous avons interrogé trois personnes. Nous avons mis dans le mille sans le savoir, l'un de ces trois individus a pris peur, au point de vouloir nous tuer. Quand il a vu que le sabotage de l'avion avait raté, il a cherché à détourner les soupçons sur moi en piratant mon ordinateur.

— Quelles sont les trois personnes en question ?

— Tout d'abord l'imam de la mosquée locale. Ensuite Willis Lockhart, le gourou d'une secte des environs. Et enfin... ton père.

Alida émit un ricanement.

— Mon père n'a rien d'un terroriste.

— Sa culpabilité est peu vraisemblable, je te l'accorde, mais je ne peux pas me permettre de l'éliminer d'emblée. Désolé. À propos, pourquoi te surnomme-t-il « Docteur Miracle » ?

— Parce que ma mère est morte en couches à ma naissance. Pour lui, c'est un miracle que je sois en vie, répondit-elle en souriant spontanément. Parle-moi plutôt des deux autres suspects.

— Lockhart a créé une secte dans un ranch de Ute Creek, au sud des monts Jemez. La femme de Chalker est sortie avec lui quand elle a rejoint la communauté, mais Chalker peut avoir été séduit par les théories apocalyptiques de Lockhart. Ses disciples attendent avec impatience la fin du monde. Ils disposent de ressources informatiques et de moyens de communication particulièrement sophistiqués, tous alimentés par des panneaux solaires.

— Et alors ?

— Alors, rien ne nous dit qu'ils n'ont pas cherché à accélérer la fin du monde en mettant au point un gentil petit engin nucléaire.

— Ce sont des musulmans ?

— Pas du tout, mais ils ont très bien pu vouloir détourner les soupçons sur les musulmans. Ce serait un excellent moyen de déclencher la Troisième Guerre mondiale, conformément à la stratégie de Charles Manson.

— Charles Manson ?

— Un cinglé qui a voulu déclencher une guerre raciale à la fin des années 1960. Il a tué plusieurs personnes en faisant croire que les meurtres étaient le fait de radicaux noirs.

Alida hocha lentement la tête.

Gideon laissa retomber le silence avant de poursuivre :

— Tu sais, plus j'y réfléchis, plus je soupçonne Lockhart et ses disciples d'être derrière cette histoire. Autant l'imam et ses fidèles paraissent inoffensifs, autant je sens mal ce Lockhart.

— Que proposes-tu ?

— J'ai l'intention de lui poser la question. En clair, cela signifie retraverser le massif des Jemez pour atteindre son ranch. Je te propose de longer le fleuve jusqu'à…

— J'ai une meilleure idée, le coupa Alida.

Gideon attendit.

— D'abord, dit-elle en levant un doigt, on commence par retirer nos vêtements trempés et on les fait sécher devant un feu. Il commence à faire froid, et ça ne va pas s'améliorer.

— Jusque-là, je te suis.

— Puis on dort.

Comme il semblait d'accord, elle continua :

— Enfin, nous avons besoin d'aide et je sais qui peut nous en fournir : mon père.

— Tu oublies qu'il se trouve sur la liste des suspects.

— Arrête ton char, s'il te plaît. Il a un ranch en pleine campagne où il peut facilement nous cacher. Ça nous servira de QG le temps de découvrir qui t'a piégé.

— Tu crois que ton père sera d'accord pour abriter dans son ranch un dangereux terroriste ?

— Mon père sera d'accord pour m'aider. Si je lui dis que tu es innocent, il me croira. C'est un type très droit.

S'il te pense innocent, ce qui ne fait pas un doute, il remuera ciel et terre pour te venir en aide.

Gideon, trop las pour la contredire, jugea préférable de ne pas insister.

Ensemble, ils allumèrent un feu au fond de leur cachette en veillant à rester discrets. Un mince filet de fumée s'éleva bientôt jusqu'au surplomb rocheux duquel il s'échappait par une étroite fissure. Alida souffla sur les braises qui donnèrent rapidement des flammes, puis elle improvisa un séchoir avec des branchages.

— Passe-moi ta chemise et ton pantalon, lança-t-elle en tendant la main.

Gideon afficha une mine hésitante, puis il obtempéra à contrecœur. De son côté, Alida se débarrassa de sa chemise, de son pantalon et de ses sous-vêtements avant d'étaler le tout sur les branches. Gideon était trop épuisé pour détourner le regard. Il prenait même plaisir à contempler la jeune femme à la lumière du feu, à voir ses longs cheveux blonds s'agiter au rythme de ses mouvements.

Elle se retourna et il baissa les yeux à regret.

— Ne t'inquiète pas, le rassura-t-elle en riant. Je me baignais toute nue avec les garçons dans les abreuvoirs à bétail du ranch quand j'étais gamine.

— D'accord.

En relevant la tête, il s'aperçut qu'elle le regardait.

Elle s'empressa de remettre du petit bois sur le feu et s'assit à côté de lui.

— Raconte-moi tout, lui dit-elle. Sur toi, je veux dire.

Gideon entama le récit de son existence d'une voix hésitante, peu habitué à se confier à ses semblables. La facilité avec laquelle il était devenu voleur de tableaux en constatant le peu de cas que les petits musées faisaient de leur patrimoine.

— La plupart du temps, ils se fichent de leurs collections. Ils ne les mettent pas en valeur et les éclairent mal, de sorte que personne ne les voit vraiment. J'imagine que leurs œuvres sont cataloguées, mais ils ne pensent jamais à vérifier et il se passe souvent des années avant qu'un vol soit constaté. À condition de ne pas se montrer trop gourmand, c'est une activité de tout repos pour un voleur. Crois-moi, il existe des milliers d'endroits qui attendent sagement qu'on vienne les piller.

Alida écarta d'un doigt une mèche de cheveux qui lui barrait le front.

— Waouh. Tu continues à voler ?

— J'ai arrêté depuis des années.

— Tu n'as jamais éprouvé de remords ?

Gideon avait le plus grand mal à oublier qu'il s'adressait à une femme entièrement nue. Le tout était de s'y habituer. Après tout, les protagonistes du *Déjeuner sur l'herbe* ne semblaient pas s'en formaliser. Un nuage de vapeur s'échappait de leurs vêtements. Ils seraient bientôt secs.

— Si, parfois. Je me souviens d'une occasion en particulier. Je me sentais si sûr de moi, je me suis rendu à une réception organisée par une société d'histoire que je venais de voler. Je trouvais ça drôle. Au cours de la soirée, j'ai croisé le conservateur qui était dans tous ses états. Non seulement il avait constaté la disparition d'une petite aquarelle, mais il se trouve que c'était son œuvre préférée. Il en était tout retourné.

— Tu lui as rendu son aquarelle ?

— Je l'avais déjà vendue, mais j'ai sérieusement envisagé de la voler à son nouveau propriétaire pour la lui rendre.

Alida éclata de rire.

— Tu es terrible, tu sais !

Elle lui prit la main et la caressa.

— Il te manque une phalange. Que t'est-il arrivé ?

— C'est une histoire dont je n'ai jamais parlé à personne.

— Allez ! Dis-moi !

— Non, je t'assure. Je mourrai en emportant mon secret dans la tombe.

En prononçant le mot « tombe », Gideon se souvint brusquement de sa maladie. Là, assis tout nu dans cette grotte, l'idée de sa mort prochaine lui parut insoutenable.

— Que se passe-t-il ? s'inquiéta Alida en devinant instinctivement son trouble.

Il sut d'emblée qu'il allait tout lui révéler.

— J'ai de grandes chances de ne pas vivre longtemps sur cette terre, avoua-t-il avec une désinvolture qui sonnait faux.

Un pli barra le front de la jeune femme.

— Que veux-tu dire ?

Il haussa les épaules.

— Je souffre d'une malformation congénitale. Un anévrisme de l'ampoule de Galien.

— L'ampoule de *quoi* ?

— Il s'agit d'une anomalie veineuse au niveau du cerveau. Les artères et les veines sont reliées entre elles sans passer par des capillaires. Résultat des courses, la pression artérielle dilate anormalement la veine de Galien qui finit par éclater. Et tu es mort.

— Non !

— C'est une malformation dont les effets ne se manifestent qu'à partir de l'âge de vingt ans.

— C'est opérable ?

— Non. Il n'y a ni symptômes, ni traitement. À ce stade, il me reste à peu près un an à vivre. L'anévrisme éclatera et me tuera sans crier gare. *Boum. Sayonara.*

Gideon se tut, les yeux perdus au milieu des flammes.

— Tu déconnes, c'est ça ? Dis-moi que c'est une plaisanterie.

Gideon ne répondit pas.

— Mon Dieu, murmura Alida. Il n'existe vraiment aucun traitement ?

Gideon sortit de sa torpeur.

— J'ai appris la nouvelle par le type qui m'a entraîné dans cette mission. Ce gars-là est un manipulateur de première. Il est parfaitement capable d'avoir tout inventé. Je voulais en avoir le cœur net, alors j'ai passé une IRM à Santa Fe il y a quelques jours. Tu t'en doutes, je n'ai pas eu l'occasion de recevoir les résultats.

— Tu as une épée de Damoclès au-dessus de la tête.

— Plus ou moins.

— C'est atroce.

Gideon se contenta de jeter une brindille dans le feu.

— Tu te promènes avec ça sans en parler à personne ?

— Je me suis confié à une ou deux personnes. Sans leur fournir les détails.

Elle lui tenait toujours la main.

— Je n'arrive pas à imaginer quelle serait ma réaction si on me disait que je suis condamnée. Sans même savoir si c'est la vérité.

Elle lui caressa doucement le poignet.

— Ça doit être terrible.

Il posa son regard sur elle.

— C'est vrai, mais tu sais quoi ? Là, je me sens bien. Et même très bien.

Sans un mot, Alida posa la main de Gideon sur sa poitrine douce et tiède. Il en suivit les contours d'un doigt, et le bout du sein se tendit. Elle posa à son tour sa main sur la poitrine de Gideon et l'obligea gentiment à s'allonger sur le sable, puis elle s'agenouilla tout contre lui et lui caressa le ventre. Soudain, elle l'enfourcha, se pencha sur ses lèvres et l'embrassa. Leurs poitrines se touchèrent. D'un geste doux, elle le prit dans sa main et l'invita dans son ventre, très lentement d'abord, bientôt emportée par un désir croissant.

— Mon Dieu, balbutia-t-il. Qu'est-ce... qu'est-ce qui nous arrive ?

— Le temps nous est compté, répondit-elle d'une voix rauque.

49

Le soleil inondait l'entrée de leur refuge lorsque Gideon se réveilla en sursaut en entendant un bruit de voix. Il se dressa d'un bloc et constata qu'Alida s'était évaporée.

Il tendit l'oreille.

Une voix masculine lui parvenait, accompagnée de mouvements dans les broussailles. Alida l'avait-elle trahi à nouveau ? Après ce qui s'était passé entre eux cette nuit ? Impossible... Il enfila précipitamment son pantalon, s'empara d'une grosse branche posée près du feu éteint et se leva, les nerfs tendus, prêt à vendre chèrement sa peau.

Le bruissement des pas dans la végétation se rapprocha. Soudain, une silhouette d'homme se découpa à l'entrée de la grotte, en contre-jour. Gideon allait se ruer sur l'intrus lorsqu'une voix qu'il connaissait l'arrêta.

— Gideon ? Doucement, jeune homme. Il s'agit uniquement de nous. Alida et Simon Blaine.

— Gideon ? enchaîna la voix d'Alida. Tout va bien.

Gideon sentit sa peur s'évaporer et il baissa son gourdin improvisé.

Blaine avança prudemment.

— Je suis venu vous aider, expliqua-t-il avec son accent anglais. Si vous êtes d'accord.

Alida les rejoignit à son tour.

Gideon se débarrassa de la branche et se laissa tomber sur le sol.

— Quelle heure est-il ?

— Presque midi.

— Comment êtes-vous arrivé jusqu'ici ?

Alida répondit à la place de son père.

— J'ai fait du stop jusqu'à Cochiti Lake. Là, j'ai convaincu un type dans un mobile home de me prêter son téléphone et j'ai appelé mon père.

Blaine, vêtu d'un jean soigneusement repassé, d'une chemise à carreaux et d'un gilet de cow-boy en cuir, ressemblait plus que jamais à un nain de jardin avec sa barbe blanche et son regard d'un bleu perçant.

Gideon se passa la main sur le visage. Il peinait à rassembler ses pensées, sans doute parce qu'il avait trop dormi. Le souvenir de la nuit précédente lui revint brusquement.

— Papa est d'accord pour nous aider, reprit Alida. Je te l'avais bien dit.

— Bien sûr, approuva l'écrivain. Ma fille m'a expliqué la façon dont on vous avait injustement accusé. Si elle affirme que vous n'êtes pas un terroriste, ça me suffit.

— Je vous remercie, dit Gideon, manifestement soulagé.

— Voici comment nous allons procéder, poursuivit Blaine. Ma jeep nous attend sur un chemin de terre à cinq kilomètres d'ici. Le canyon du Rio Grande grouille de flics de tout poil, mais la région ne manque pas de petites routes. On peut aisément les éviter, d'autant que les autorités ont concentré leurs efforts sur le lac, à la recherche de vos corps.

Blaine avait visiblement pris la mesure de la situation.

— Ensuite, je vous conduirai jusqu'à mon ranch, qui présente l'avantage d'être loin de tout. Tout le monde est convaincu de votre culpabilité, Gideon. Ils croient également ma fille complice. La tension est telle dans le pays que je ne suis pas certain qu'on ne vous lyncherait pas si on vous arrêtait maintenant. Vous n'imaginez pas le degré de panique qui règne en ce moment. Une panique totalement irrationnelle, et qui va en empirant. Nous allons devoir agir vite. Il faut commencer par savoir qui vous a piégé, et pourquoi. C'est la seule façon de vous sauver tous les deux.

— Je suis persuadé qu'il s'agit de la secte de Ute Creek.

— Peut-être. Alida me dit aussi que vous me soupçonnez, ajouta Blaine en affichant une expression étrange.

Gideon piqua un fard.

— J'avoue que vous ne faites pas un coupable idéal.

Blaine hocha la tête.

— J'ai besoin de votre confiance, tout comme vous avez besoin de la mienne. C'est essentiel.

Gideon le dévisagea longuement, incapable de répondre.

Blaine lui prit l'épaule en souriant.

— Vous êtes un sceptique de nature. Très bien. Mes actes parleront donc pour moi. Allons-y.

✻
✻

Dissimulés sous des couvertures à l'arrière de la jeep de Blaine, Alida et Gideon se laissaient conduire à travers le réseau de chemins forestiers et de routes abandonnées sillonnant les collines. À force de détours, l'après-midi était bien entamé lorsqu'ils arrivèrent au ranch de l'écrivain. Ils attendirent que celui-ci ait garé le 4 × 4 dans une grange avant de sortir dans une pénombre emplie de l'odeur du foin.

— J'ai besoin de téléphoner, déclara Gideon. Je dois contacter mes commanditaires.

— Vos commanditaires ? s'étonna Blaine.

Évitant de répondre, Gideon suivit Blaine et sa fille jusqu'au ranch proprement dit, une bâtisse en bois datant du XIXᵉ siècle qu'entourait une large galerie.

Blaine conduisit son hôte à une table sur laquelle étaient posés un téléphone et une photo du maître des lieux, signée et dédicacée « À mon Docteur Miracle, ton père qui t'aime ». Gideon composa le numéro d'urgence que lui avait confié Eli Glinn.

— Crew à l'appareil, se présenta-t-il en reconnaissant la voix de Manuel Garza. Je voudrais parler à Glinn.

— Ce numéro ne doit être utilisé qu'en cas d'urgence.

Gideon s'efforça de rester calme.

— Parce qu'il ne s'agit pas d'une urgence, à votre avis ?

— Ce n'est pas parce que vous vous êtes mis dans le pétrin qu'il y a nécessairement urgence.

Gideon bouillait intérieurement.

— Passez-le-moi, s'il vous plaît.

— Un instant.

Une minute interminable s'écoula, puis la voix de Garza résonna à nouveau dans l'écouteur.

— Désolé. M. Glinn est occupé, il n'est pas en mesure de vous écouter.

Gideon prit sa respiration.

— Vous lui avez parlé, au moins ?

— Je viens de vous le dire. Il a précisé que vous deviez vous débrouiller par vos propres moyens.

— C'est quoi, ces conneries ? Vous me confiez un boulot, et puis vous me laissez tomber comme une vieille chaussette ? Vous savez pertinemment que je ne suis pas un terroriste !

— M. Glinn ne peut rien pour vous, répliqua Garza en dissimulant mal sa satisfaction.

— Dans ce cas, dites-lui de ma part que j'arrête tout. Dites-lui aussi que je compte bien venir lui réclamer des comptes quand cette histoire sera terminée. Vous voyez la balafre qu'il a sur la joue ? J'ai la ferme intention de lui en dessiner une autre de l'autre côté. Dites-lui de ma part.

— Je n'y manquerai pas.

Gideon raccrocha violemment.

En plus, ce salopard de Garza prenait son pied.

— Un problème ?

Alida l'observait d'un air anxieux.

Gideon ravala sa colère.

— Pas pire que les autres.

Il se tourna vers Blaine.

— J'aimerais emprunter votre jeep. J'ai une petite visite à faire au ranch de Ute Creek.

Blaine écarta les mains.

— Aucun problème. Évitez toutefois de vous faire prendre. De quoi d'autre avez-vous besoin ?

Gideon hésita.

— Vous avez des armes ?

Un grand sourire illumina le visage de l'écrivain.

— J'en ai même toute une collection. Vous voulez y jeter un coup d'œil ?

50

Un mince croissant de lune trouait péniblement l'obscurité lorsque Gideon, au volant de la jeep, s'enfonça dans le petit bois de chênes bordant Ute Creek. Il dissimula le véhicule au milieu des broussailles et descendit prudemment. La voiture était invisible de la route conduisant au ranch de la secte. La tenue noire empruntée à Blaine était trop large et trop courte, mais elle ferait l'affaire. Quant à son visage noirci au charbon, il le rendait quasiment invisible dans l'obscurité.

Il lui restait quelques détails à mettre au point. Il récupéra une pioche et une bêche à l'arrière de la jeep et choisit un coin de terre meuble. En moins d'une heure, il avait creusé une tombe de deux mètres sur soixante centimètres, profonde d'un mètre.

Il rangea les outils dans la voiture, se lava les mains avec l'eau de sa gourde et prit sur le siège passager une matraque, des menottes en plastique, un Python .357 Magnum et un rasoir coupe-chou. S'il n'avait pas l'intention de tuer sa proie, il lui fallait néanmoins l'effrayer.

Quelques instants plus tard, il s'enfonçait dans la nuit. Le ranch de la secte se trouvait à près de deux mille cinq cents mètres d'altitude et l'air était glacé.

Il s'arrêtait régulièrement, à l'affût des cris de coyotes et des hululements graves des grands ducs.

Il avait parcouru un peu moins d'un kilomètre lorsqu'il fut arrêté par le grillage entourant la propriété. Plusieurs taches jaunes à travers les arbres trahissaient la présence toute proche des bâtiments. Il tendit l'oreille. Tout était calme. Cela confirmait son intuition : les membres de la communauté vivaient à l'heure de la nature, ils se couchaient avec les poules et se levaient aux premières lueurs du jour.

L'examen du grillage lui révéla l'absence de capteurs et de systèmes d'alarme. Il sortit une pince de sa poche et découpa une ouverture à travers laquelle il se glissa. Quelques instants plus tard, il gagnait prudemment l'arrière du ranch principal. Le plus grand silence régnait autour de la bâtisse. De faibles lumières brillaient dans certaines pièces du rez-de-chaussée, mais les alentours étaient plongés dans l'obscurité.

Gideon s'attendait néanmoins à la présence de gardes chargés d'effectuer des rondes. Il s'approcha de la maison avec précaution et coula un regard à travers l'une des fenêtres. Le cow-boy barbu qu'il avait affronté lors de sa première visite lisait un livre dans un rocking-chair, un M16 posé contre le canapé voisin.

Willis avait très certainement ses quartiers à l'étage, dans la partie la plus confortable du ranch. Outre son bureau, Gideon avait entraperçu une chambre luxueuse, aux murs tendus de velours et avec un lit à baldaquin.

Restait à neutraliser le cow-boy du rez-de-chaussée.

Il l'observa pendant un moment. Pas un verre d'alcool en vue, le type était parfaitement réveillé. Plus inquiétant encore, il était plongé dans la lecture d'*Ulysse* de James Joyce. Il n'avait donc rien d'un péquenaud inculte et facile à circonvenir, contrairement à ce que laissait croire son allure.

Impossible de pénétrer dans la pièce et de l'assommer sans bruit. En outre, Ulysse était armé. Le seul plan qui vint à l'esprit de Gideon était risqué, mais il n'avait pas le choix.

Il sortit de sa poche une feuille de papier sur laquelle il griffonna un court message, puis il s'arma de courage et frappa au carreau. Ulysse leva les yeux de son livre, aperçut un visage sombre à la fenêtre et sauta de son rocking-chair en prenant son fusil.

Gideon posa un doigt sur ses lèvres et fit signe au cow-boy de le rejoindre. Au lieu d'obéir, l'autre se dirigea vers l'escalier. Gideon frappa à nouveau au carreau, plus fort cette fois, en brandissant la feuille.

NE RÉVEILLE PAS WILLIS !
IL FAUT QUE JE TE PARLE
C'EST IMPORTANT !

Ulysse hésita. Gideon avait veillé à rester dans la pénombre de façon à dissimuler son identité, avec l'espoir que l'autre le prenne pour un occupant du ranch.

Le cow-boy accrocha son fusil en bandoulière et se dirigea vers la porte. Gideon se replia vers les arbres et alluma sa torche en le voyant tourner le coin de la maison.

— Qui est-ce ? chuchota-t-il.

— Chhhhhhut ! lui intima Gideon. Si jamais tu réveilles Willis, on est dans la merde. Il faut que je te dise un truc super important.

Le cow-boy afficha une mine soupçonneuse.

— De quoi s'agit-il ? demanda-t-il en saisissant son arme. Pourquoi t'es-tu noirci la figure ?

Gideon recula d'un pas, éteignit sa lampe et s'enfonça dans l'obscurité, protégé par sa tenue sombre.

Le cow-boy s'immobilisa face aux arbres en cherchant son mystérieux visiteur des yeux, le fusil braqué dans la mauvaise direction.

— Lane, c'est toi ? Que veux-tu ? Montre-toi.

Gideon fondit sur lui et lui assena un coup de matraque sur la tempe. Ulysse s'écroula lourdement en laissant échapper un grognement, sans avoir eu le temps d'appuyer sur la détente.

Gideon le souleva par les aisselles et le traîna jusque dans le petit bois. Il lui enfonça un bâillon dans la bouche, lui noua un bandeau sur les yeux et l'attacha à un arbre avant de lui donner un second coup de matraque.

Il ramassa le M16, se glissa à l'intérieur de la maison, posa le fusil contre le canapé et rédigea un nouveau message qu'il déposa sur le rocking-chair, au cas où quelqu'un s'inquiéterait de l'absence d'Ulysse.

JE REVIENS TOUT DE SUITE
NE RÉVEILLEZ PAS WILLIS !

La ficelle était grosse, du moins lui permettrait-elle de gagner du temps. Gideon connaissait suffisamment la nature humaine pour savoir que peu d'individus remettent en cause un ordre, aussi inhabituel soit-il. Ce réflexe lui avait servi à bien des occasions par le passé.

Il monta l'escalier en réfléchissant à la suite. Comment réagir si Willis avait une compagne dans son lit ? Il ne croyait pas un instant au célibat du chef de la secte.

Il traversa le bureau de Willis à pas de loup. La pièce, plongée dans l'obscurité, était vide. La porte de la chambre était fermée à clé. Gideon s'agenouilla devant la serrure, sortit ses outils et fit tourner la serrure avec une lenteur infinie.

Une veilleuse brillait dans la chambre. Gideon constata avec soulagement que Willis dormait seul.

Il s'approcha du lit et se pencha au-dessus de Willis, qui dormait sur le dos. D'un geste souple, Gideon l'immobilisa en lui enfonçant un genou sur la poitrine et en lui posant le coupe-chou sur le cou.

— Au moindre bruit, au moindre mouvement, je te tranche la gorge, lui murmura-t-il à l'oreille.

Willis ne tenta même pas de se débattre. Il écarquilla les yeux en reconnaissant Gideon sous son maquillage noir.

— Ouvre grand la bouche, lui ordonna ce dernier sans relâcher la pression avec le coupe-chou.

Willis obéit et Gideon enfonça l'énorme canon de son Colt Python entre les dents de son prisonnier avant de relâcher la pression du rasoir.

— Tu vas m'obéir bien sagement, compris ? Commence par te lever, tout doucement. Pas de faux mouvement.

Gideon retira son genou tout en gardant l'arme dans la bouche de Willis.

— Les mains dans le dos.

Willis obéit. Gideon lui menotta les poignets, puis baissa le Colt et bâillonna son prisonnier avec une longueur de gaffer.

— On va aller se promener, tous les deux. Attention, le canon de mon arme sera braqué sur ta nuque en permanence et je n'hésiterai pas à tirer en cas de besoin. On va descendre au rez-de-chaussée et sortir de la maison. À la moindre alerte, je t'abats. Arrange-toi pour que personne ne vienne nous déranger. Hoche la tête si tu as compris.

Willis hocha la tête.

— Quelqu'un d'autre dort à l'étage ?

Hochement de tête.

— Montre-moi où.

Willis montra la porte de la pièce voisine avec ses mains menottées. Celle dans laquelle se prélassait la femme lors de la visite précédente de Gideon.

— Très bien. Si elle se réveille, tu meurs. Maintenant, descends les marches. On sortira par la porte de côté.

Willis suivit les instructions de Gideon à la lettre. Quelques instants plus tard, les deux hommes se trouvaient sous la protection des arbres. Gideon alluma sa torche, fit franchir le grillage à son prisonnier et le conduisit jusqu'à la fosse creusée un peu plus tôt.

Willis tituba de peur en apercevant la tombe, au point que Gideon dut l'aider à rester debout. Un cri étouffé s'échappa du bâillon de gaffer.

Gideon le lui arracha d'un coup sec. Willis, terrorisé, eut un haut-le-corps.

— Allonge-toi dans le trou, lui ordonna Gideon.

— Non, je vous en supplie, non…

— *Dans le trou !*

— Mais pourquoi ?

— Parce que je vais te tuer et t'enterrer. Allez, descends !

Willis s'écroula à genoux, le visage baigné de larmes.

— Je vous en prie, pas ça. S'il vous plaît, je vous en supplie…

Sa voix s'étrangla dans sa gorge. Il était liquéfié.

Gideon le poussa dans la fosse, mais Willis en ressortit aussitôt. Gideon fit un pas en avant, l'arme levée.

— Ouvre la bouche.

— Non, s'il vous plaît. Je vous en supplie, je vous en supplie…

— Comme tu veux. Je te pousserai dans ce trou après t'avoir abattu.

— Mais pourquoi ? *Pourquoi ?* Je ferai tout ce que vous voulez, dites-moi ce que vous attendez de moi !

Il se tut, le corps secoué de sanglots. Une tache sombre s'étala sur son pyjama au niveau de l'entrejambe. L'instant suivant, il vomissait, plié en deux.

— Je ferai n'importe quoi… balbutia-t-il entre deux spasmes, des filets de bave s'échappant de sa bouche.

Gideon comprit que son prisonnier était mûr.

— Dis-moi ce que tu as fait de la bombe.

Willis écarquilla les yeux.

— La bombe, insista Gideon. Celle avec laquelle tu as l'intention de rayer Washington de la carte. Si tu me dis tout, je te laisse la vie sauve.

— Une bombe ?

Willis regardait son tortionnaire avec ahurissement.

— *Quelle bombe ?*

— Arrête de jouer les imbéciles. Avoue-moi où elle est et je te laisse partir. Sinon...

Gideon montra la tombe avec son arme.

— De... de quoi parlez-vous ? Je vous en supplie, je ne comprends rien à cette histoire de bombe...

Hypnotisé par le canon du Colt, Willis se perdit dans un bredouillement incompréhensible.

Gideon comprit brusquement son erreur. Willis n'avait manifestement rien à voir avec l'attentat terroriste.

— Je suis désolé, s'excusa Gideon en l'aidant à se relever.

Il rangea son Colt et sectionna les menottes en plastique avec le rasoir.

— C'est bon, tu peux y aller.

Willis, pétrifié, posa sur lui un regard hébété.

— Tu es sourd ou quoi ? Tu peux y aller !

Paralysé par la peur, Willis restait planté là, les yeux hagards. Gideon poussa un soupir dégoûté et regagna la jeep qu'il dégagea des broussailles avant de repartir sur les chapeaux de roue.

51

Il était minuit passé lorsque Fordyce regagna Los Alamos après avoir assisté les équipes qui draguaient le lac à la recherche des corps.

Plus que deux jours.

Cette pensée suffit à dissiper sa fatigue. Il se dirigea vers le QG installé à la hâte dans un entrepôt désaffecté, légèrement à l'écart de la zone protégée. Il n'en revenait pas de la rapidité avec laquelle tout s'était organisé pendant son absence.

— Stone Fordyce ? fit le garde auquel il montrait son badge. Le patron vous demande.

— Le patron ? Quel patron ?

— Millard. Le nouveau.

Le patron veut vous voir. La formule ne disait rien de bon à Fordyce.

Il traversa un océan de bureaux bon marché, tous équipés d'un ordinateur et d'un téléphone, jusqu'à un box aménagé près de l'une des rares fenêtres de l'immense salle. Un petit homme en costume lui tournait le dos, debout derrière sa table de travail, un téléphone collé à l'oreille.

Fordyce toqua doucement à la porte ouverte du petit bureau.

L'homme se retourna, un doigt en l'air, tout à sa conversation. Fordyce prit son mal en patience. Millard. Le nom ne lui était pas familier, mais cela n'avait rien d'étonnant dans une enquête aux ramifications aussi complexes.

Il regarda discrètement Millard en attendant que ce dernier ait fini de téléphoner. L'archétype de la vieille élite protestante américaine : pommettes saillantes, yeux verts, la cinquantaine, des tempes argentées qui contribuaient à sa classe naturelle, pas une once de graisse, l'air aimable et la voix douce.

Millard raccrocha en adressant un sourire à Fordyce.

— En quoi puis-je vous aider ?

— Stone Fordyce. On m'a dit que vous souhaitiez me voir.

— Ah, oui ! Je m'appelle Millard. Asseyez-vous, je vous en prie.

Les deux hommes se serrèrent la main. Fordyce prit place sur la chaise réservée aux visiteurs.

— J'ai rarement participé à une enquête aussi embrouillée, remarqua Millard d'une voix agréable, presque mélodieuse. Pas moins de vingt-deux services différents sont impliqués, sans parler des agences annexes et des organismes officiels. De quoi s'y perdre.

Fordyce acquiesça poliment.

— Vous serez le premier à reconnaître que la situation a dangereusement dérapé au Nouveau-Mexique. Aussi Dart m'a-t-il demandé de prendre la direction des opérations.

Il ponctua sa phrase d'un sourire amène.

Fordyce lui répondit par la pareille, attendant la suite.

Millard se pencha vers lui, les mains jointes.

— Je ne tournerai pas autour du pot. Vous n'avez pas vraiment brillé jusqu'à présent. Vous n'avez jamais soupçonné votre coéquipier de jouer un rôle trouble dans cette affaire. Vous l'avez laissé échapper lors de ce tournage de film, il vous a filé entre les doigts dans les monts Jemez, vous vous êtes montré incapable de l'arrêter à Los Alamos, et voilà qu'il disparaît dans les eaux du Rio Grande. Vos hommes n'ont d'ailleurs pas retrouvé son corps. S'il s'est noyé, ce qui n'est pas prouvé. Vous appartenez au FBI depuis trop longtemps pour ne pas savoir qu'un bilan aussi catastrophique est tout simplement inacceptable. Surtout à la veille d'une attaque nucléaire sur la capitale, alors que le pays tout entier est pris de panique, que le président et le Congrès sont au bord de la crise de nerfs, que Washington a dû être évacué.

Millard s'était exprimé d'une voix plaisante tout au long de son réquisitoire. Fordyce préféra ne pas répondre, sachant que son interlocuteur avait raison.

— J'ai décidé de vous retirer de l'enquête de terrain et de vous confier les R&A.

R&A, pour Recherches et Analyses. Une appellation ronflante désignant une tâche infamante, habituellement réservée aux nouvelles recrues. Fordyce se revit à son arrivée au FBI, perdu dans un sous-sol aux murs aveugles au milieu de centaines de collègues, dans un décor sinistre de classeurs métalliques débordant de dossiers rébarbatifs qu'il fallait éplucher avant de rédiger des fiches de synthèse. L'enquête actuelle générait probablement plusieurs tonnes de papier par jour : des transcriptions de conversations téléphoniques, des relevés de comptes bancaires, des e-mails en pagaille, des comptes rendus d'interrogatoires à n'en plus finir. Une masse énorme de documents à étudier, à trier, à digérer, à analyser. Un travail de bénédictin.

— Je vous accorde le week-end avant de vous laisser à vos nouvelles responsabilités, poursuivit Millard, interrompant le cours des pensées de Fordyce. Vous êtes à bout de forces, et ça se voit.

Millard se leva, plus souriant que jamais.

— Nous sommes d'accord ?

Fordyce hocha la tête et serra la main que lui tendait son supérieur.

— Merci d'accepter de jouer le jeu, le consola Millard en lui donnant une tape amicale sur l'épaule.

Fordyce se remplit les poumons d'air frais en regagnant sa voiture. Il en avait la nausée. Sa carrière était fichue. Millard avait raison, il avait merdé sur toute la ligne. Tout ça à cause de Gideon Crew.

Sa colère se trouva une nouvelle fois tempérée par un curieux sentiment de malaise. Deux détails le titillaient. Comment Gideon avait-il pu être assez bête pour laisser des e-mails aussi compromettants dans son ordinateur de travail ? Ce n'était pas tout, car on avait également retrouvé un tapis de prière et un exemplaire du Coran dans le cabanon de Gideon, avec des DVD de prêches islamistes. Fordyce en avait l'intuition, quelque chose clochait. La CIA, avec tous ses spécialistes en informatique, n'avait pas réussi à décoder les fichiers encryptés découverts dans l'ordinateur personnel de Gideon. Un type aussi prudent ne s'amuserait pas à laisser traîner des DVD compromettants à la vue de tous.

Le sabotage de l'avion était l'autre détail troublant. Les djihadistes sont prêts à se sacrifier pour leur cause, c'est vrai, mais la panique de Gideon au moment de l'accident n'était pas feinte, Fordyce en était témoin.

Et si Gideon avait *réellement* été piégé ?

Fordyce jura entre ses dents en montant dans sa voiture. Il allait mettre à profit les quelques jours dont il disposait pour s'assurer que Gideon était vraiment coupable.

52

Fordyce consulta le GPS de son véhicule de service. La maison, une bâtisse cossue devant laquelle était garée une Mercedes rutilante, se trouvait au bout d'une impasse, au pied des collines. Les lumières étaient allumées en dépit de l'heure tardive, on distinguait même la lueur bleutée d'un écran de télévision derrière les voilages. Les Novak n'étaient donc pas couchés.

Il se gara derrière la Mercedes, descendit de voiture et sonna à la porte. Quelques instants plus tard, une voix de femme lui demandait ce qu'il voulait.

— FBI, répondit-il en tendant son badge en direction de l'étroite fenêtre de l'entrée.

La femme ouvrit la porte précipitamment.

— Que se passe-t-il ? Il y a un problème ?

— Tout va bien, la rassura Fordyce en entrant d'autorité. Désolé de vous déranger à une heure aussi tardive.

Son interlocutrice était une jolie femme vêtue d'un pantalon blanc et d'un pull en cachemire que mettait en valeur un rang de perles.

— Qui est-ce ? s'éleva une voix revêche depuis la pièce voisine.

— Le FBI, expliqua la femme.

La télévision se tut et Mike Novak, le responsable de la sécurité informatique de Los Alamos, apparut dans l'entrée.

— De quoi s'agit-il ? s'enquit-il sur le ton de la banalité.

Fordyce lui adressa un sourire.

— Je m'excusais auprès de votre femme de vous importuner à cette heure. J'ai quelques questions de routine à vous poser. J'en ai pour un instant.

— Aucun souci, répliqua Novak. Entrez, je vous en prie.

Mme Novak précéda les deux hommes dans la salle à manger, où elle alluma la lumière.

— Puis-je vous proposer du thé ? Du café ?

— Rien, je vous remercie.

Ils s'installèrent autour de la table et Fordyce regarda discrètement le décor de la pièce, meublée avec goût : de l'argenterie, des tableaux, des tapis persans. Les Novak avaient visiblement de l'argent.

Fordyce sortit son calepin.

— La présence de ma femme est-elle nécessaire ? l'interrogea Novak.

— Oui, si cela ne vous dérange pas, le pria Fordyce.

— Pas du tout.

Le couple ne manifestait aucune nervosité particulière, bien au contraire. Sans doute les Novak n'avaient-ils rien à cacher.

— Puis-je vous demander combien vous gagnez, monsieur Novak ?

La question provoqua un silence gêné.

— Est-ce vraiment nécessaire ? s'étonna le responsable de la sécurité.

— Rien ne vous oblige à le dire. Je vous laisse libre d'appeler votre avocat si vous avez besoin de ses conseils, ou de sa présence, sourit-il. Quoi qu'il en soit, nous aimerions que vous nous répondiez.

Novak, hésitant, finit par se décider.

— Je gagne 110 000 dollars par an.

— Disposez-vous d'autres revenus ? Des investissements ? Un héritage ?

— Pas vraiment.

— Des comptes à l'étranger ?

— Non.

Fordyce se tourna vers la femme.

— Et vous, madame Novak ?

— Nous possédons un compte joint. Je ne travaille pas.

Fordyce prit quelques notes.

— Commençons par cette maison. Quand l'avez-vous achetée ?

— Il y a deux ans, répondit Novak.

— Combien vous a-t-elle coûté ? Quelle était la part de l'apport personnel, et celle des emprunts ?

Nouvelle hésitation.

— Nous l'avons achetée 625 000 dollars. Nous disposions de 100 000 dollars, nous avons emprunté le reste.

— À combien se montent les traites ?

— À peu près 3 500 dollars.

— C'est-à-dire 42 000 dollars par an.

Fordyce continuait de prendre des notes.

— Vous avez des enfants ?

— Non.

— Passons aux voitures. Combien en avez-vous ?

— Deux.

— La Mercedes et... ?

— Un Range Rover.

— Le coût approximatif ?

— La Mercedes valait à peu près 50 000, le Range Rover 65.

— Vous les avez achetés à crédit ?

Un long silence accueillit la question.

— Non.

— Quand vous avez acheté cette maison, poursuivit Fordyce, combien avez-vous dépensé pour l'aménager ?

— Je ne sais pas exactement.

— Ces tapis, par exemple. Ils vous appartenaient déjà, ou bien vous les avez achetés ?

Novak plissa les paupières.

— Où voulez-vous en venir ?

Fordyce lui adressa un sourire amical.

— Je vous l'ai dit, monsieur Novak. Il s'agit de simples questions de routine. Nous avons l'habitude, au FBI, de commencer par interroger les témoins sur leur train de vie. Si vous saviez le nombre de personnes que nous avons pu débusquer en nous apercevant qu'ils vivaient au-dessus de leurs moyens. L'argent est un indicateur infaillible dans mon métier.

Nouveau sourire.

Pour la première fois, Fordyce crut lire de l'inquiétude sur le visage de son interlocuteur.

— Alors, ces tapis ?

— Nous les avons achetés pour la maison.

— Combien ?

— Je ne sais plus.

— Le reste de votre mobilier ? L'argenterie ? Cette télévision grand écran ?

— Achetés pour la plupart au moment de l'emménagement.

— Vous avez contracté des emprunts ?

— Non.

Fordyce griffonna une note sur son calepin.

— Vous semblez disposer de beaucoup de liquidités. Un héritage, peut-être ? Des gains au loto ? Dans un casino ? Un investissement heureux ? Ou bien un proche vous a aidés ?

— Rien de tout ça.

Fordyce allait devoir affiner au moyen d'un tableau, mais les dépenses ne collaient pas avec les revenus.

Quelqu'un qui gagne 100 000 dollars par an ne peut pas se permettre d'acheter comptant deux belles voitures tout en remboursant l'emprunt de sa maison. À moins d'avoir réalisé une plus-value importante lors de la revente de sa maison précédente.

— Vous habitiez déjà le quartier ?

— Non, à White Rock.

— Combien vous a rapporté le bien immobilier précédent ?

— À peu près 300 000 dollars.

— Une fois l'emprunt remboursé, combien vous est-il resté ?

— De l'ordre de 50 000 à 60 000 dollars.

Le doute n'était plus permis. Les Novak vivaient au-dessus de leurs moyens officiels.

Fordyce rassura son hôte d'un sourire. Il feuilleta son calepin.

— Passons aux e-mails que vous avez découverts dans l'ordinateur de Gideon Crew.

Novak parut soulagé de voir la conversation glisser sur un autre terrain.

— Que souhaitez-vous savoir ?

— J'ai bien conscience qu'on vous a déjà longuement interrogé à ce sujet.

— Je suis tout disposé à vous aider.

— Très bien. Les e-mails en question ont-ils pu être fabriqués ?

La question resta longtemps en suspens.

— Non, finit par se décider Novak. Notre système de sécurité est infaillible. L'ordinateur de Crew est relié à un réseau isolé, sans connexion Internet avec le monde extérieur. Impossible.

— Sans connexion avec le monde extérieur, dites-vous. Qu'en est-il à *l'intérieur* du réseau ? Je pense à l'intervention d'un collègue, par exemple.

— Tout aussi impossible. Nous sommes amenés à travailler sur des documents classifiés. Personne n'a accès aux dossiers des autres, grâce à un système complexe d'encryptage et de mots de passe. Croyez-moi, personne n'a pu importer ces e-mails sur l'ordinateur de Crew.

Fordyce prit une note.

— C'est ce que vous avez déclaré aux enquêteurs ?

— Bien sûr.

Fordyce chercha le regard de son interlocuteur.

— En revanche, vous-même aviez accès à son ordinateur, non ?

— Euh… oui. En tant que responsable de la sécurité informatique, j'ai forcément accès aux dossiers de tout le monde. Ça fait partie de la procédure normale.

— Si bien que votre réponse d'il y a un instant était erronée. Il était possible à quelqu'un de placer ces e-mails dans la boîte de Crew. *Vous*.

Fordyce s'était exprimé d'une voix grave, sur un ton accusateur.

Novak ne cilla pas.

— Oui, répondit-il après un silence gêné. J'aurais pu placer ces e-mails dans la boîte de Crew, mais ce n'est pas le cas. Pour quelle raison l'aurais-je fait ?

— C'est moi qui pose les questions, si cela ne vous dérange pas. Quoi qu'il en soit, poursuivit-il avec sévérité, vous venez de reconnaître avoir répondu aux enquêteurs de façon erronée.

Il consulta ses notes.

— Je vous cite : « Personne n'a pu importer ces e-mails sur l'ordinateur de Crew. » Vous avez donc menti.

— Ce n'est pas ce que j'ai voulu dire. Je ne pensais pas à moi-même, puisque je me savais innocent. N'essayez pas de me piéger.

— Quelqu'un d'autre dans votre service aurait-il pu fabriquer ces e-mails ?

Nouvelle hésitation.

— Les trois autres personnes de mon service en ont techniquement la possibilité, à condition que deux d'entre elles agissent conjointement, faute de disposer des autorisations nécessaires.

— Qu'en est-il de vos supérieurs ?

— Ceux qui disposent des autorisations auraient été contraints de passer par moi. À ma connaissance. Je ne suis pas au courant de tous les niveaux de sécurité.

Fordyce ressentait un certain agacement. Le « mensonge » de Novak ne signifiait rien. La maison, les voitures, les tapis étaient beaucoup plus parlants, en revanche.

— Monsieur Fordyce, puis-je vous demander pourquoi vous soupçonnez quelqu'un d'avoir fabriqué ces e-mails ?

Fordyce décida de découvrir une partie de son jeu.

— Vous connaissez bien le professeur Crew, monsieur Novak. Le prenez-vous pour un imbécile ?

— Non.

— Vous paraît-il sensé de laisser des e-mails aussi compromettants sur un ordinateur de travail, sans prendre la peine de les effacer ?

Novak toussota avant de répondre.

— Justement, il les a effacés.

Fordyce fut pris de court.

— Cela ne vous a pas empêché de les retrouver. Comment ?

— Ils étaient enregistrés sur nos sauvegardes.

— Est-il possible d'effacer complètement un e-mail sur l'un des ordinateurs du centre ?

— Non.

— Les employés le savent-ils ?

Nouvelle hésitation.

— La plupart d'entre eux, probablement.

— Nous en revenons à ma question principale. Gideon Crew est-il un imbécile ?

Pour la première fois, la façade de Novak se fissura. Fordyce parvenait enfin à l'énerver.

— Écoutez-moi bien. Je n'apprécie pas du tout votre façon de m'interroger. Toutes ces questions relatives à ma situation financière, ces insinuations au sujet des e-mails, cette visite en pleine nuit. Je suis tout disposé à aider l'enquête, mais pas au prix de brimades inacceptables.

L'expérience de Fordyce lui avait enseigné les limites d'un interrogatoire. Celui-ci avait été très instructif, il était superflu de provoquer inutilement la colère de Novak. Il referma son calepin et reprit sa voix pateline.

— J'en ai terminé. Je vous remercie infiniment. Simple enquête de routine, pas de quoi vous inquiéter.

— Figurez-vous que je m'inquiète, au contraire. J'ai l'intention de porter plainte.

— C'est votre droit le plus strict.

En regagnant sa voiture, Fordyce se prit à espérer que Novak n'en fasse rien. Une telle plainte tomberait mal. La position de Novak n'était pas claire, ce qui ne disculpait pas Gideon pour autant.

Il n'empêche… Et si Gideon avait *vraiment* été victime d'un coup monté ?

53

Gideon gara la jeep le long du petit chemin de terre conduisant au ranch de Ute Creek. Il lui fallait impérativement se calmer, rassembler ses pensées. Il s'était comporté de façon abominable avec Willis en le terrifiant, le brutalisant, l'humiliant. Le gourou de la secte avait beau ne pas être un saint, il ne méritait pas un tel traitement à partir du moment où il était innocent. Car il était innocent. À moins que les coupables ne se dissimulent au sein de sa communauté ? Non, impossible. Willis l'aurait su.

Gideon devait se rendre à l'évidence : il s'était trompé de cible.

Pour couronner le tout, il était 1 heure du matin, la veille du jour N. Plus qu'un jour. Or, Gideon n'était pas plus avancé qu'à son arrivée à Santa Fe, une semaine plus tôt...

Il se cramponna au volant, à la limite du malaise.

Il coupa le moteur, ouvrit sa portière et descendit du véhicule en chancelant. La nuit était fraîche, une légère brise caressait les branches des arbres sous le regard des étoiles. Il s'obligea à reprendre sa respiration et s'enfonça dans les bois.

Puisque la communauté de Ute Creek n'était pas impliquée dans l'attentat terroriste, les coupables étaient forcément Joseph Carini et les fidèles de la mosquée Al-Dahab. Gideon avait eu tort de chercher midi à quatorze heures. La solution la plus simple est souvent la meilleure. Son expérience de scientifique le lui confirmait.

D'un autre côté, pourquoi les musulmans auraient-ils fait passer Gideon pour l'un des leurs en l'accusant, au risque de renforcer l'attention des enquêteurs sur eux ? Et pourquoi lui ? La mosquée grouillant d'enquêteurs fédéraux, pourquoi Carini aurait-il jeté son dévolu sur lui ? Gideon et Fordyce n'avaient rien découvert de probant lors de leur passage là-bas. Cela n'avait pas empêché un mystérieux inconnu de se compliquer sérieusement la tâche en important ces faux e-mails dans un ordinateur ultraprotégé. Il fallait que Gideon ait mis le doigt sur un détail bien compromettant pour que le coupable s'en prenne à lui...

Gideon s'arrêta net. Comment n'y avait-il pas pensé plus tôt ? Le bouc émissaire, c'était lui, et *lui seul*. Pourquoi ne pas s'en être pris à Fordyce ? Depuis le sabotage de l'avion, il était persuadé qu'on avait voulu les empêcher de poursuivre leur enquête. Il n'en était rien. Le chien dans un jeu de quilles, ce n'était pas Fordyce, qui restait plus que jamais sur la brèche, c'était lui, Gideon !

Qui avait-il donc rencontré seul ?

La question à peine posée, la réponse lui apparut dans toute son évidence : Willis innocent et les musulmans hors de cause, il ne restait plus qu'une solution.

Il fit demi-tour et regagna la jeep en se souvenant de la devise de Sherlock Holmes : *Lorsque l'on a éliminé l'impossible, la vérité s'impose d'elle-même, aussi improbable soit-elle.*

54

Dart reposa le téléphone et regarda machinalement par la fenêtre de son petit bureau du QG de la 12ᵉ Rue. Il faisait nuit à Washington. Sans se soucier du fait qu'il était 4 heures du matin, il saisit à nouveau le combiné et composa un numéro d'un doigt qui tremblait de fatigue et de colère rentrée.

Son interlocuteur décrocha à la première sonnerie.

— Agent Millard.

— Dart à l'appareil. Où en êtes-vous avec Crew ?

— Eh bien, mes équipes continuent de passer le lac et ses environs au peigne fin. Nous avons l'intime conviction que Crew et sa complice se sont noyés lors...

À bout de patience, Dart ne le laissa pas poursuivre.

— Je me fiche bien de votre intime conviction. C'est précisément ce qu'espérait Crew. Non seulement vos équipes n'ont pas été fichues de lui mettre la main dessus, mais il a trouvé le moyen de s'introduire comme une fleur au centre de Los Alamos, d'y semer la pagaille et de repartir tranquillement.

— Cela ne s'est pas tout à fait passé de cette façon, monsieur. En outre, je n'étais pas encore...

— Vous voulez le fond de ma pensée, Millard ? C'est comme si un truand pénétrait dans un commissariat, puisait dans le stock d'armes et de munitions, adressait un bras d'honneur au commissaire et ressortait en toute impunité.

Un silence gêné lui répondit.

Miles Cunningham, l'assistant de Dart, déposait au même moment un café sur le bureau de son supérieur.

Dart but une gorgée du liquide noir et brûlant.

— Comprenez-moi bien, Millard, reprit-il. Je ne vous tiens nullement responsable de ce qui s'est passé. Vous le soulignez vous-même, vous venez d'arriver au Nouveau-Mexique. En revanche, sachez que je vous tiens responsable de la suite.

— Bien, monsieur.

— Nous sommes à moins de quarante-huit heures du jour N. Chaque minute accordée à ce Crew nous rapproche du gouffre. Je doute qu'il se soit noyé dans les rapides du Rio Grande. Il se cache quelque part dans ces montagnes et je vous demande de le retrouver.

— Les recherches continuent, monsieur. Mes hommes mettent les bouchées doubles, mais nous sommes en présence d'une zone de vingt-cinq mille kilomètres carrés d'un terrain très difficile.

— Gideon Crew n'a pas d'eau, pas de nourriture, et il est seul. Vous avez des centaines d'hommes et tous les moyens techniques que vous souhaitez. Vos excuses ne m'intéressent pas, j'exige des résultats.

— Croyez bien que j'ai lancé toutes mes forces dans la bataille, monsieur. En plus des hommes envoyés sur le terrain avec des équipes cynophiles, nous avons déployé des hélicoptères équipés de capteurs infrarouges, ainsi que des drones capables de détecter la moindre présence humaine en forêt. Je suis au regret de vous dire qu'ils n'ont rien trouvé. Tout indique que Crew et la femme ont péri noyés.

— Dans ce cas, où sont les corps ?

— Je ne sais pas, monsieur.

— Tant que vous n'aurez pas récupéré leurs cadavres, je ne veux plus entendre le mot « noyade ».

— Bien, monsieur.

Dart avala une nouvelle gorgée de café.

— À présent, je souhaiterais vous entretenir de l'agent Fordyce. Cet homme a non seulement prouvé son incompétence, mais il a une fâcheuse tendance à s'affranchir des ordres qu'on lui donne en prenant des initiatives personnelles. Je viens d'apprendre qu'il avait procédé à l'interrogatoire du responsable de la sécurité informatique de Los Alamos. Il a agi de sa propre initiative, sans autorisation, et seul, sans même enregistrer ledit interrogatoire. Vous savez ce que cela signifie ?

— Oui, monsieur.

— On ne le dirait pas. Cela signifie que cet interrogatoire est inutilisable en cas de procès. S'il s'avère que Novak a joué un rôle dans cette affaire, nous perdons toute chance de l'inculper.

— J'ai personnellement relevé Fordyce de sa mission sur le terrain et l'ai transféré aux R&A.

— Ce n'est pas suffisant. Retirez-le purement et simplement de l'enquête. Cet homme n'est pas dans son état normal.

— Bien, monsieur.

— Arrangez-vous pour agir sans vous attirer les foudres du FBI. Le Bureau nous complique déjà suffisamment l'existence. Mettez-le en congé d'office jusqu'à nouvel ordre.

— Très bien, monsieur.

— Retrouvez-moi Crew et la femme. Et *vivants*, pour l'amour du ciel.

Dart raccrocha sans autre forme de procès, vida sa tasse de café et se tourna d'un air pensif vers la fenêtre ouverte sur la nuit.

55

Gideon regagna le ranch de Blaine aux alentours de 2 heures du matin. Il trouva Alida allongée dans le salon devant un feu, ses cheveux blonds étalés sur le cuir du canapé.

Elle se releva précipitamment en l'entendant arriver et le prit dans ses bras.

— Je me faisais un sang d'encre. Que se passe-t-il ? Tu fais une tête d'enterrement. Un verre ? proposa-t-elle en l'installant d'office sur le canapé.

Gideon accepta d'un hochement de tête.

Elle l'embrassa tendrement avant de préparer deux cocktails. Elle versa du gin et du vermouth dans un shaker, ajouta de la glace et mélangea le tout vigoureusement. Hypnotisé par sa beauté rayonnante, Gideon se demanda comment il trouverait la force de lui mentir.

— Alors ? Tu as trouvé Willis ? demanda-t-elle en déposant un zeste de citron dans les verres.

— Je... il n'était pas là.

— Tu crois toujours que c'est lui le coupable ? insista Alida.

Gideon acquiesça.

— Où est ton père ?

— Il est rentré à Santa Fe. Il prend l'avion tôt demain matin.

Elle lui tendit un verre. Le cocktail était exactement comme il les aimait. Bien tassé, légèrement citronné, avec juste ce qu'il fallait de glace pilée.

Alida se colla contre lui.

— Je suis contente que tu sois là. Tu sais, Gideon. J'ai bien réfléchi. À nous.

Il cacha son trouble en buvant une autre gorgée.

— Je ne savais pas que ton père partait en voyage. Où doit-il se rendre ?

— Dans le Maryland, je crois.

Elle posa délicatement les lèvres sur le cou de son compagnon.

— J'ai du mal à me concentrer quand tu es là, murmura-t-elle. Je pense tout le temps à cette nuit dans la grotte. Ce n'est peut-être pas le moment idéal, mais j'ai bien réfléchi…

— Que fabrique-t-il dans le Maryland ? l'interrompit Gideon.

— Il fait des recherches pour son prochain livre, je crois.

Elle se serra contre lui de plus belle.

— Tu n'as pas l'air dans ton assiette…

— Si, si. Je vais très bien, je t'assure. Seulement, j'ai encore plein de charbon sur la figure, ajouta-t-il en désignant son visage noirci.

— Au contraire, je trouve ça très sexy.

— De quoi parle son nouveau roman ?

— Une histoire de virus, je crois.

— Ton père donne-t-il parfois des cours dans des ateliers d'écriture ?

— Bien sûr. Il adore ça. On ne pourrait pas changer de sujet de conversation ?

Gideon avala sa salive.

— Une dernière question. J'ai entendu parler d'un atelier d'écriture très bien à Santa Cruz : « Comment écrire sa vie ».

— Je sais. Mon père y fait des interventions tous les ans. Il adore Santa Cruz.

Gideon dissimula son émoi en plongeant le nez dans son verre.

— Tu dis qu'il aime donner des cours d'écriture ?

— Oui, beaucoup. Je crois que ça lui fait du bien, surtout depuis sa déception quand on ne lui a pas attribué le Nobel de littérature.

— Tu as déjà fait allusion à cette histoire. Qu'est-il arrivé exactement ?

Alida trempa à son tour les lèvres dans son cocktail.

— Il s'est retrouvé plusieurs fois sur la liste, mais il n'a pas eu le prix. Il a appris depuis qu'on n'avait pas voulu de lui à cause de son passé politique.

— Son passé politique ?

— Mon père est anglais d'origine. On lui reproche d'avoir appartenu au MI6, le service de renseignement britannique, quand il était jeune.

Gideon afficha sa surprise.

— Je ne savais pas.

— Il n'en parle jamais. Même à moi. Pour en revenir au Nobel, je ne sais pas si c'est la vérité, c'est en tout cas ce qui se murmure. Le prix n'a jamais été attribué à Graham Greene, au prétexte qu'il avait appartenu aux services secrets britanniques, lui aussi. Les Scandinaves ne voient pas d'un très bon œil l'amalgame entre littérature et espionnage. Tu peux être certain que John Le Carré ne sera jamais récompensé non plus, conclut-elle avec un petit ricanement.

— Ton père l'a mal vécu ?

— Il ne l'avouera jamais, mais je sais que oui. Après tout, il ne faisait que son devoir. Cette histoire est complètement idiote. Et humiliante.

La voix d'Alida trahissait son agacement.

— Regarde tous les grands écrivains qui n'ont jamais reçu le prix Nobel. James Joyce, Vladimir Nabokov, Evelyn Waugh, Philip Roth. La liste n'en finit pas. Et qui reçoit ce putain de prix ? Des auteurs comme Dario Fo et Eyvind Johnson ! martela-t-elle.

Gideon, surpris par tant de véhémence, en oublia temporairement le sentiment de culpabilité qui l'étreignait.

— Tu n'as pas peur que ton père ne se rende dans le Maryland en ce moment ? C'est tout près de Washington.

— Non, il reste loin de la zone d'évacuation. Et puis j'en ai assez de discuter de mon père. C'est de nous que je voudrais parler.

Elle lui posa une main sur l'épaule et le dévisagea longuement, les yeux remplis d'amour. Gideon en avait la nausée.

— C'est juste que... bredouilla-t-il. Je me fais du souci pour ton père, à cause de l'attentat. J'aurais aimé savoir où il se rend précisément dans le Maryland.

Elle montra sa contrariété.

— Je ne sais plus exactement. Un camp militaire quelconque. Fort Detrick, je crois. Pour quelle raison as-tu besoin de le savoir ?

Gideon réfléchissait à toute allure. Fort Detrick se trouvait aux portes de Washington. Simon Blaine avait-il décidé de rejoindre ses troupes à la veille de l'attaque ? Pourquoi avoir choisi un camp militaire ? Il ne pouvait s'agir d'une coïncidence, à quelques heures du jour N.

— J'imagine que ton père a gardé de nombreux contacts dans le monde du renseignement.

— Naturellement. Il a longtemps été correspondant du MI6 auprès de la CIA. Je l'ai découvert en consultant ses papiers un jour où il avait oublié de fermer son coffre.

322

— Tu dis qu'il prend l'avion demain matin ?

Elle lui prit le bras d'un geste impatient.

— Pas demain. *Ce* matin, puisqu'il est déjà 2 heures. Gideon, pourquoi toutes ces questions au sujet de mon père ? J'ai envie de parler de nous, de notre relation, de notre avenir. Je sais que c'est tout récent, que les mecs n'aiment pas qu'on les piège, mais je sais aussi que tu partages mes sentiments. Et puis tu sais comme moi que le temps nous est compté.

— Je suis désolé, Alida. Je ne cherchais pas à éluder le sujet.

Il lui fallait rapidement trouver une ligne de défense crédible.

— Simplement, j'étais persuadé que ton père allait nous aider. Au lieu de ça, il disparaît.

— Mais enfin, Gideon ! Il nous a aidés ! Et il ne disparaît pas le moins du monde. Nous sommes en sécurité ici, le temps de découvrir qui t'a tendu ce piège. Il faut mettre la main sur ce Willis. Quand il aura avoué, nous serons automatiquement réhabilités tous les deux.

Gideon acquiesça mollement.

— Oui, tu as raison.

Il vida son verre d'un trait.

Alida se tourna vers lui.

— Alors, Gideon ? Tu es enfin prêt à discuter, ou alors tu veux continuer à gagner du temps en me harcelant de questions sur mon père ? Je n'ai aucune envie de te forcer la main.

Il grimaça un sourire. Il aurait tout donné pour avoir un autre cocktail.

— Bien sûr.

— J'hésite à aborder la question, mais tu commences à me connaître un peu. Je suis très directe.

— Je sais, dit-il d'une voix mal assurée.

Elle se lança.

— Tu es probablement atteint d'une maladie mortelle, mais ça ne m'effraie pas. J'ai envie de m'engager dans une relation avec toi. J'y ai beaucoup réfléchi. Tu sais, je n'ai jamais ressenti ça pour un mec auparavant. Jamais.

Gideon osait à peine la regarder.

Elle lui prit la main.

— La vie est courte. Quand bien même tu n'aurais plus qu'un an à vivre, profitons-en pleinement. Ensemble. Toi et moi. Transformons ces douze mois en une vie d'amour tout entière. Qu'en dis-tu ?

56

Fordyce suivit Millard à travers les rangées de bureaux du QG de campagne. Il régnait une atmosphère étouffante sous les néons de l'entrepôt, et la journée s'annonçait magnifique dehors.

Fordyce observa son supérieur. Sous ses airs d'agent modèle, c'était un enfoiré de première. Les Allemands avaient un mot pour décrire l'attitude de ce genre de tordu : *Schadenfreude*, le plaisir pris au malheur des autres. Fordyce avait su de quoi il retournait en reconnaissant la voix onctueuse de son supérieur au téléphone.

— Comment allez-vous, Fordyce ? l'accueillit Millard avec une bienveillance feinte.

— Très bien, monsieur.

Millard secoua la tête.

— On ne dirait pas. Vous avez mauvaise mine. Très mauvaise mine, même.

Il plissa les paupières, donnant l'impression d'examiner une curiosité dans une vitrine de musée.

— Vous êtes au bout du rouleau, Fordyce.

— Pas du tout. Je me sens très bien.

Nouveau mouvement de tête.

— Non, non, vous êtes épuisé. J'apprécie votre conscience professionnelle, mais je n'ai pas le droit d'exiger de vous l'impossible.

L'heure de l'hallali était venue.

— Vous avez besoin de vacances, poursuivit-il.

— Vous m'avez déjà accordé quelques jours de congé.

— Je ne parle pas d'un simple break. Je parle de *longues* vacances.

Fordyce avait eu raison de se méfier.

— De longues vacances ? Pour quelle raison ?

— Vous avez besoin de recharger les batteries.

— De combien de temps parlons-nous ?

Millard haussa les épaules.

— Il est encore trop tôt pour le dire.

On avait donc décidé en haut lieu de le mettre en congé d'office. Fordyce comprit qu'il perdrait toute prérogative à l'instant où il sortirait de la pièce. S'il voulait réagir, c'était tout de suite.

— Novak s'est fait acheter, déclara-t-il.

Millard ouvrit de grands yeux, surpris par le tour que prenait la conversation.

— Novak ?

— Le chef de la sécurité informatique de la zone 5 de Los Alamos. Coincez-le et forcez-le à avouer ce qu'il sait.

Un silence interloqué lui répondit.

— Expliquez-vous, dit enfin Millard.

— Novak vit largement au-dessus de ses moyens. Deux voitures chères, une grande maison, des tapis persans. Tout ça avec un salaire annuel de 110 000 dollars.

Millard lui jeta un regard en coin.

— Et alors ?

— Alors, Novak est la seule personne qui avait la possibilité de placer ces e-mails dans l'ordinateur professionnel de Crew.

— Comment le savez-vous ?

Fordyce prit sa respiration avant de prononcer un aveu qui lui coûtait.

— Je l'ai interrogé.

Millard le fusilla du regard.

— Je le sais.

— Qui vous a mis au courant ?

— Novak s'est plaint en haut lieu. Ce qui n'a rien de surprenant, sachant que vous avez débarqué chez lui à minuit, sans ordre de mission, et sans respecter la procédure.

— Je n'avais pas le choix. Le temps presse. Ce type a menti à nos hommes en leur affirmant qu'il était impossible de placer ces e-mails sur l'ordinateur de Crew. Il a oublié de leur préciser que lui-même en avait la possibilité.

Millard afficha un air pincé.

— Vous sous-entendez que Novak a été acheté par les terroristes afin de piéger Crew ?

— Je prétends simplement que ce type n'est pas clair. Coffrez ce salaud, faites-le parler...

Millard était au bord de l'implosion.

— Vous dépassez les bornes, Fordyce. Votre conduite est inacceptable, je trouve insultantes vos recommandations.

Fordyce en avait assez entendu.

— Ma conduite est inacceptable ? Mais enfin, Millard ! L'attentat est censé avoir lieu demain. *Demain !* Et vous voudriez...

L'altercation entre les deux hommes fut interrompue par des cris aigus dans un box voisin. Un inconnu se plaignait d'avoir subi des brutalités policières.

Fordyce dressa l'oreille en entendant l'inconnu prononcer le nom de Gideon.

Intrigué, il quitta précipitamment le bureau de Millard et suivit les bruits de voix. À son grand étonnement, il reconnut le responsable de la secte de Ute Creek, Willis Lockhart. Le visage livide, la bouche écumante, ce dernier expliquait que Gideon Crew l'avait conduit de force jusqu'à une tombe fraîchement creusée en le menaçant de l'abattre s'il ne répondait pas à toutes sortes de questions relatives à une bombe nucléaire.

Gideon n'avait donc pas péri dans les rapides du Rio Grande, mais l'essentiel n'était pas là : s'il cherchait à délier la langue de Willis, Gideon était forcément innocent des crimes dont on l'accusait. Les e-mails avaient été placés à son insu dans son ordinateur. Par conséquent, Novak était en cheville avec le réseau terroriste.

— Vous ! Oui, vous !

Interrompu dans le cours de ses pensées, Fordyce releva la tête et vit que le gourou de la secte pointait dans sa direction un doigt accusateur.

— Ce salopard est venu au ranch la semaine dernière avec Crew. Ils ont déclenché une bagarre avec mes gens avant de tout démolir !

Fordyce sentit tous les regards converger vers lui, à commencer par celui de Millard qui lui avait emboîté le pas en le voyant quitter son bureau sans crier gare.

— Avez-vous également interrogé cet homme ? l'apostropha son chef.

— Interrogé ? s'étrangla Lockhart. Brutalisé, vous voulez dire. Ils s'en sont pris à une demi-douzaine de mes fidèles avec une tronçonneuse ! Arrêtez-le !

— Vous voyez bien que ce type est fou, rétorqua Fordyce d'une voix calme.

Un regard circulaire lui indiqua que ses collègues étaient tous prêts à le croire. Tous, sauf Millard.

Lockhart se rua brusquement sur Fordyce, aussitôt intercepté par plusieurs agents.

— Cet homme est le diable ! hurla Lockhart en griffant l'air. Lui et son complice Gideon Crew !

D'une droite bien placée, le gourou de la secte se débarrassa de l'un des agents qui tentaient de le maîtriser avant de s'en prendre à un autre. Profitant du chaos, Fordyce gagna discrètement la porte. Quelques instants plus tard, il montait dans sa voiture et démarrait précipitamment.

57

Gideon se leva avec les premières lueurs de l'aube, le crâne dans un étau. Il ramassa ses vêtements et s'habilla à la hâte, laissant Alida endormie, nue sur la peau d'ours devant la cheminée, auréolée de ses cheveux blonds. D'épais nuages obscurcissaient une partie du ciel et un vent porteur d'humidité fouettait les pins. Le temps était à l'orage.

Les souvenirs des événements de la nuit se bousculaient dans sa tête. Il avait trop bu, trop fait l'amour, et surtout trop promis. Comment avait-il pu se comporter de la sorte ? Comment avait-il pu trahir Alida, sachant qu'il soupçonnait son père d'appartenir à une organisation terroriste ?

Il ne pouvait tout de même pas la mettre dans la confidence. Jamais elle n'accepterait de croire que son père, le célèbre écrivain Simon Blaine, était l'un des responsables du complot. À présent qu'il avait menti à Alida, Gideon se voyait contraint de poursuivre Blaine avec l'espoir de l'arrêter à temps. Dans l'impossibilité de prendre l'avion puisqu'il était recherché par toutes les polices du pays, il allait devoir rejoindre le Maryland à bord de la jeep d'Alida.

Gideon s'en voulait terriblement, mais il n'avait pas le choix. Des milliers de vies étaient en jeu, et lui seul pouvait prévenir la catastrophe.

Son regard se posa sur le corps de la jeune femme, son visage, ses cheveux magnifiques. Jamais il n'aurait dû tomber amoureux d'elle.

Surtout, ne plus y penser.

Il essayait de détacher son regard de la silhouette endormie lorsqu'elle ouvrit les paupières.

— Aïe, gémit-elle en grimaçant. J'ai la gueule de bois.

Gideon s'efforça de lui répondre par un sourire.

— Moi aussi.

Elle se redressa.

— Tu as une tête à faire peur. J'espère que ce n'est pas à cause de moi, dit-elle avec un sourire entendu.

Il cacha son trouble en nouant ses lacets.

— Je te trouve bien matinal, poursuivit-elle.

Il releva la tête à regret.

— Je dois aller au ranch de Ute Creek, m'expliquer avec Willis.

— Tu as raison. Ce type-là est coupable, ça ne fait aucun doute à mes yeux. Je t'accompagne.

— Non, c'est trop dangereux. Et puis ta présence pourrait l'inciter à ne pas parler.

Elle hésita.

— Tu as raison, mais fais bien attention à toi.

— J'ai besoin de la jeep, dit Gideon, l'air de rien.

— Pas de souci. Veille à emprunter les petites routes de montagne.

Il hocha la tête.

Avant qu'il ait pu s'échapper, elle s'était levée, le prenait dans ses bras et l'embrassait longuement en collant son corps nu contre lui. Gideon rendit les armes en sentant sa chaleur traverser ses vêtements.

Elle le libéra enfin.

— C'était pour te porter chance, lui expliqua-t-elle.

Gideon acquiesça d'un air niais. Elle prit les clés de la jeep dans un tiroir et les lui lança.

— Dis-moi... aurais-tu de l'argent, au cas où je devrais prendre de l'essence ?

Elle ramassa son pantalon, roulé en boule par terre, et sortit un portefeuille de l'une des poches.

— Tu as besoin de combien ?

— Ce que tu as, si possible.

Elle lui tendit une liasse de billets de vingt dollars, un sourire radieux aux lèvres.

Paralysé par la honte, il ne trouvait plus la force de partir. Comment pouvait-il lui voler sa voiture et son argent, sachant qu'il se lançait à la poursuite de son père ? La réponse était simple : s'il restait là, des milliers de gens mourraient et il risquait de finir ses jours en prison ; s'il partait...

— J'ai pas mal de trucs à régler, j'en ai pour un petit moment, précisa-t-il. Ne m'attends pas ce soir.

Elle posa sur lui un regard inquiet.

— D'accord, mais évite les zones habitées. Mon père m'a dit qu'ils avaient établi des barrages sur les routes principales conduisant à Los Alamos et Santa Fe. Sois prudent.

— Promis.

Il fourra la liasse de billets dans sa poche, évita un dernier baiser et gagna précipitamment la jeep. Il s'éloignait au milieu d'un nuage de poussière lorsqu'il se retourna. Debout sur le seuil de la maison, sa silhouette nue nimbée d'une auréole blonde, Alida lui adressait un dernier signe de la main.

— Merde, merde, et merde, gronda-t-il entre ses dents en tapant du poing sur le volant.

Au détour du chemin, il aperçut le cabanon qui servait d'antre à Simon Blaine. Pris d'une inspiration, il stoppa devant la porte, cassa un carreau d'un coup de démonte-pneu et se glissa dans la pièce par la fenêtre. Quelques instants plus tard, il jetait l'ordinateur portable de Blaine sur la banquette arrière de la jeep et reprenait sa route.

58

Gideon avait décidé de faire une halte dans une friperie de Cerrillos Road. Il commença par garer la jeep loin de l'entrée, la jugeant trop voyante, puis il acheta un téléphone portable jetable dans un magasin Walgreen's avant de se rendre à la friperie. Il choisit quelques vestes, des chemises, des pantalons, ainsi que plusieurs paires de chaussures. Il se pourvut ensuite de lunettes noires et de bijoux voyants, fourra le tout dans une grande valise et régla avec l'argent d'Alida.

Il reprit la jeep et dénicha quelques rues plus loin un magasin d'articles de théâtre où il se procura des crayons de maquillage, des cicatrices factices, quelques perruques, une fausse calvitie et une barbe postiche, une bedaine artificielle et d'autres accessoires susceptibles de lui servir au cours de son périple.

La jeep le conduisit jusqu'à l'entrée de la ville. Là, il repéra un motel louche et se déguisa en un tourne-main. L'employé de la réception ne cilla pas le moins du monde en voyant un proxénète de bas étage lui demander le tarif horaire de son établissement. Affectant d'avoir perdu ses papiers, le faux maquereau glissa un billet de vingt dollars à son interlocuteur en lui recommandant de lui envoyer sans faute la « petite bourgeoise » censée venir le rejoindre.

Sa valise à la main, l'ordinateur de Blaine en bandoulière, Gideon s'enferma dans sa chambre et composa plusieurs tenues différentes en étalant ses trouvailles sur le lit.

Sa science du déguisement remontait à l'époque où il exerçait ses talents de cambrioleur dans les petits musées, en plein jour, aux heures les plus creuses. L'expérience lui avait montré que l'art du déguisement ne se limitait pas à l'apparence. Il s'agissait avant tout de changer de personnalité : marcher différemment, parler différemment, voire penser différemment.

Se couler dans la peau d'un personnage n'était pas aisé. Il fallait rester crédible, ne pas en rajouter et imaginer de petits détails conçus pour détourner l'attention, de façon à tromper les enquêteurs éventuels. Passer totalement inaperçu ne servait à rien ; à l'inverse, une excentricité trop marquée pouvait se révéler dangereuse. Le processus dans son ensemble nécessitait du temps et de l'imagination.

S'efforçant d'apparier les divers articles posés devant lui, il visualisa dans sa tête un individu bien précis : la quarantaine négligée, fraîchement divorcé, sans enfants, sans emploi, désireux de se retrouver en traversant le pays d'ouest en est au volant de sa voiture. L'homme n'aurait qu'à se prétendre écrivain. Un aspirant écrivain, plutôt, souhaitant partager ses observations sur l'Amérique avec ceux dont il croiserait la route. On lui avait volé son portefeuille le premier jour, mais il en éprouvait une certaine fierté, comme s'il avait acquis de ce fait une sorte d'indépendance qui le libérait des servitudes de la société.

À présent qu'il tenait son personnage, il lui restait à l'habiller. Il choisit une paire de mocassins, un jean noir, une chemise rayée, une veste en jean. Il compléta le tableau par une calvitie délimitée par une couronne de cheveux trop longs, un teint gris d'alcoolique, des Ray-Ban, un chapeau à large bord. Une petite cicatrice en croix au niveau de la joue droite et un peu d'embonpoint achevèrent la métamorphose.

L'opération lui rappela d'excellents souvenirs, au point qu'il en oublia Alida l'espace de quelques minutes.

Enfin prêt, il sortit l'ordinateur de son sac et l'alluma. Sur l'écran d'accueil s'affichait un cadre réservé au mot de passe. Gideon fit la grimace : pirater l'ordinateur serait long et fastidieux, et le temps lui était compté. Il rangea l'appareil dans la valise au milieu de ses nippes et retourna à la jeep. Il tapa Fort Detrick, Maryland sur le GPS. L'appareil lui indiqua qu'un trajet de 3 020 kilomètres l'attendait, estimé à trente heures de route. À condition de rouler dix kilomètres heure au-dessus de la limite autorisée et de s'arrêter uniquement pour faire le plein, il pouvait réduire le trajet de quatre ou cinq heures. Aller plus vite serait dangereux, il ne pouvait pas courir le risque d'être contrôlé pour excès de vitesse, faute de disposer d'un permis au nom de son personnage.

Il consulta sa montre. 10 heures du matin. Blaine avait précisé que son avion s'envolait tôt, il était donc déjà en route. Gideon avait consulté les horaires, aucun vol direct ne quittait Santa Fe à destination de Washington ce matin-là. Blaine avait donc une correspondance. Avec en sus deux heures de décalage horaire entre le Nouveau-Mexique et le Maryland, il ne rejoindrait pas Fort Detrick avant la fin de l'après-midi.

De son côté, Gideon pouvait espérer arriver dans le Maryland vers midi le lendemain, jour programmé pour l'attentat à en croire le calendrier de Chalker. Restait à savoir s'il parviendrait à retrouver Blaine à temps. À ce stade, il n'avait ni plan d'action, ni stratégie. *J'ai un peu plus de vingt-quatre heures devant moi pour y réfléchir*, se promit-il en démarrant.

59

Stone Fordyce donna un coup de volant et, plein d'appréhension, s'engagea sur le méchant chemin de terre conduisant au ranch de Blaine. Millard et Dart se fourvoyaient en croyant Gideon coupable. Il avait été victime d'un coup monté, Novak était de mèche avec les terroristes.

À force de retourner le problème dans tous les sens, une conclusion s'était imposée à Fordyce : Gideon, loin de chercher à fuir, était resté dans la région dans l'espoir de prouver son innocence en démasquant le vrai coupable. Comment expliquer autrement sa décision de se rendre à Los Alamos, puis d'aller menacer Lockhart ?

Restait à savoir où se cachait Gideon. Il s'était forcément servi d'une voiture pour se rendre au ranch de Ute Creek après avoir échappé à la noyade.

À qui donc avait-il pu en emprunter une ?

Fordyce avait deviné la réponse en se posant la question. Au cours de sa cavale avec Alida, Gideon avait réussi à convaincre la jeune femme de sa bonne foi. À son tour, celle-ci avait fait appel à son père, Simon Blaine. Comment les enquêteurs n'y avaient-ils pas pensé ?

En effectuant des recherches sur Internet, Fordyce avait appris que l'écrivain possédait un ranch dans les monts Jemez. De là à imaginer que Gideon s'y terrait, il n'y avait qu'un pas. Millard et ses hommes parviendraient, tôt ou tard, aux mêmes conclusions. Le tout était de les devancer.

Fordyce constata que tout était calme en arrivant en vue de la maison. Plusieurs bâtiments entouraient une cour centrale que traversait un ruisseau.

Il gara sa voiture le plus loin possible, sortit son arme de service et ouvrit sa portière. Aucun véhicule n'était visible, le plus grand silence régnait sur la propriété. Il s'approcha discrètement en profitant de la protection des arbres, s'arrêtant à plusieurs reprises afin de tendre l'oreille. Pas un bruit.

Soudain, une porte claqua et il vit Alida traverser la cour, ses longs cheveux blonds flottant dans son sillage.

Fordyce avança en tenant son badge d'une main, son pistolet de l'autre.

— Mademoiselle Blaine ? Police fédérale. Ne bougez pas.

Elle releva la tête, l'aperçut et s'enfuit à toutes jambes en direction des bois que l'on apercevait de l'autre côté du pré.

— Arrêtez ! cria-t-il. FBI !

Elle détala de plus belle et Fordyce se lança à sa poursuite. L'agent fédéral était un excellent coureur, mais la jeune femme avait des ailes. Si jamais elle parvenait à la forêt, elle pouvait lui échapper.

— Arrêtez !

Il redoubla d'efforts en sprintant de toutes ses forces. La distance qui les séparait ne tarda pas à diminuer. Elle atteignait les premiers arbres lorsqu'il se jeta sur elle.

Ils atterrirent sur un épais tapis d'aiguilles de pin. La jeune femme se débattait comme une lionne et il fallut toute la science de lutteur de Fordyce pour parvenir à la maîtriser.

— Vous êtes folle ou quoi ?! hurla-t-il. Vous avez de la chance que je ne vous aie pas tiré dessus.

— Il aurait fallu que vous ayez des couilles, lui cracha-t-elle à la figure en cherchant désespérément à lui échapper.

— Calmez-vous et écoutez-moi.

Un filet de sang coulait le long de la joue de Fordyce, là où elle l'avait griffé. Putain de tigresse !

— Je sais que Gideon a été victime d'un coup monté.

Elle se pétrifia en ouvrant de grands yeux.

— Je le sais, insista-t-il.

— N'importe quoi, c'est vous-même qui êtes venu l'arrêter.

Elle ne s'exprimait plus avec la même conviction.

— C'est peut-être n'importe quoi, mais je vous tiens en respect avec mon arme, alors vous allez m'écouter, bordel de merde. Compris ?

Elle afficha un air buté.

— Très bien, reprit Fordyce avant d'expliquer à sa prisonnière le cheminement qui l'avait conduit à croire à l'innocence de Gideon. Cela dit, conclut-il, personne ne veut m'écouter. Il va falloir continuer l'enquête par nos propres moyens.

— Laissez-moi me relever. Ce n'est pas très pratique de réfléchir quand vous m'écrasez de tout votre poids.

Il obtempéra prudemment. Alida se redressa, chassa de la main les aiguilles de pin et la poussière collées à ses vêtements.

— On sera plus tranquilles à la maison pour discuter, proposa-t-elle.

— Gideon est-il là ?

— Non. Il a quitté le ranch.

Il la suivit jusqu'au bâtiment principal et découvrit un vaste salon aux murs recouverts de tapis navajos.

Une peau d'ours s'étalait devant une grande cheminée en pierre au-dessus de laquelle était accroché un crâne d'élan.

— Un café ? proposa-t-elle.

— Volontiers. Et un pansement.

— À vos ordres.

Le café était délicieux. Tout en le savourant, Fordyce lorgnait discrètement Alida, occupée à chercher un pansement dans une boîte à pharmacie. Une femme de caractère. Comme Gideon.

— Qu'attendez-vous de moi ? s'enquit-elle en lui lançant le pansement qu'elle venait de dégoter.

— Je dois retrouver Gideon au plus vite. On a entamé cette enquête ensemble, je compte bien la terminer avec lui.

Elle réfléchit brièvement à ce qu'elle venait d'entendre.

— D'accord. Je suis partante.

— Il n'en est pas question. Vous n'avez pas idée des dangers qu'il nous faudra affronter. C'est notre métier, pas le vôtre. Vous seriez un handicap pour nous davantage qu'un atout. Sans parler des risques que vous pourriez encourir.

Alida se mura dans le silence.

— Bon, finit-elle par concéder du bout des lèvres. Je me range à vos arguments. Vous n'avez qu'à utiliser ce ranch comme quartier général avec Gideon.

— Impossible. Les équipes du Sun peuvent débarquer d'une minute à l'autre. C'est une question d'heures. Je vous conseille de filer d'ici au plus vite. En attendant, je dois remettre la main sur Gideon.

Elle pesa longuement le pour et le contre avant de rendre les armes.

— Très bien. Gideon est parti pour le ranch de Ute Creek avec la jeep. Il est persuadé que Willis et les autres cinglés de sa secte se trouvent derrière cette histoire.

Fordyce eut le plus grand mal à dissimuler sa surprise. Le ranch de Ute Creek ? Mais Gideon s'y était déjà rendu la veille !

— Vous dites qu'il est allé à Ute Creek... ce matin ?

— Oui. Il est parti à l'aube.

Pourquoi Gideon avait-il menti à la jeune femme ? S'il se méfiait d'Alida, il devait avoir ses raisons.

— Très bien, dit-il. Donnez-moi le numéro d'immatriculation de la jeep, je me débrouillerai.

Elle lui fournit l'information, qu'il nota scrupuleusement sur son carnet avant de se lever.

— Mademoiselle Blaine, puis-je me permettre un conseil ?

— Bien sûr.

— Partez vous cacher sans attendre. Je vous l'ai dit, les enquêteurs sont susceptibles d'assaillir ce ranch d'une minute à l'autre et je ne donne pas cher de votre peau. Dans la situation actuelle, ils ne prendront pas de gants. Votre vie sera en danger tant que Gideon et moi n'aurons pas découvert le coupable.

Elle opina.

— Très bien, approuva-t-il. Je vous remercie de votre aide.

60

Gideon s'arrêta dans un Stuckey's de Tucumcari avec l'intention de faire le plein. Il avait bien roulé car il était tout juste 13 heures. Il ressentait un certain soulagement à l'idée que sa fuite soit passée inaperçue, grâce à la jeep dont les enquêteurs n'avaient aucune raison de se méfier. Il manquerait sans doute d'argent avant la fin de son périple, mais il serait toujours temps de braquer une épicerie le moment venu.

Il pénétra dans le Stuckey's sous les oripeaux de son personnage solitaire en quête de lui-même et fit une provision de chips, de saucissons, de barres chocolatées, de Coca et de comprimés caféinés contre la fatigue. Après une brève hésitation, il ajouta à son panier un urinal en plastique qui lui permettrait d'économiser de précieuses minutes. Il régla le tout et regagna sa voiture. Il mettait le contact lorsqu'il sentit un objet métallique froid se poser sur sa nuque.

— Ne bouge pas, lui conseilla une voix rauque.

Gideon se figea sur son siège en jetant un coup d'œil discret sur la boîte à gants.

— Inutile. J'ai déjà récupéré ton .357.

Gideon reconnut la voix de Fordyce. Comment avait-il pu le retrouver ? L'opération tournait au désastre avant même de commencer.

— Écoute-moi bien, Gideon. Je sais à présent que tu es innocent. Tu as été victime d'un coup monté, avec la complicité du responsable de la sécurité informatique, Novak.

Gideon n'en croyait pas ses oreilles. À quoi jouait Fordyce ?

— L'enquête a complètement déraillé. Je vais avoir besoin de ton aide. Je te propose de recommencer à travailler en équipe, le temps de boucler notre mission. Tu es un sacré petit malin, Gideon. Je ne sais pas si je peux t'accorder ma confiance, mais à ce stade, nous sommes les seuls capables de prévenir la catastrophe nucléaire qui attend Washington.

L'explication tenait la route.

— Comment m'as-tu retrouvé ? demanda Gideon.

— J'ai lancé un avis de recherche avec le numéro de la jeep. Tu as rapidement été repéré en train de bomber sur l'Interstate 40 en direction de l'est, et me voici.

Il laissa à son interlocuteur le temps d'enregistrer ses paroles avant de poursuivre :

— Je sais que c'est dur à comprendre. Je me suis laissé berner comme tout le monde. J'étais persuadé de ta culpabilité, jusqu'à ce que je comprenne mon erreur. Je ne sais pas où tu vas, ni sur quelle piste tu t'es lancé, mais je sais que tu vas avoir besoin de moi.

Gideon croisa son regard dans le rétroviseur.

— Comment t'es-tu procuré le numéro de la jeep ?

— Comme tu t'étais enfui avec Alida, j'ai pensé que tu avais pris l'une des voitures des Blaine.

Gideon réfléchissait à toute vitesse. Le raisonnement de Fordyce lui apportait la preuve que le véhicule n'était pas aussi anonyme qu'il l'avait cru.

— Tiens, je te rends ton Python en signe de bonne foi, reprit Fordyce en lui tendant l'arme, encore chargée.

Gideon regarda à nouveau dans le rétroviseur et lut la sincérité dans les yeux de Fordyce.

— Alors allons-y, décida-t-il en mettant le contact. Le temps nous est compté.

— Attends une seconde. On ferait mieux de prendre ma voiture de service. Elle est équipée d'une sirène et d'un gyrophare.

— Tu as déserté l'enquête ?

— Non, ils m'ont mis en congé forcé.

— À mon avis, la jeep est plus sûre si jamais ils partent à ta recherche.

— Tu n'as pas tort.

Gideon quitta le parking du Stuckey's en direction de l'autoroute.

— Je vais t'expliquer ce que j'ai appris, proposa Gideon. En échange, tu me diras ce que tu sais. Il faudra aussi que tu essaies de faire parler l'ordinateur qui se trouve sur la banquette arrière. J'ai cru comprendre que tu avais travaillé dans les services informatiques du FBI.

— Je peux essayer.

Gideon régla le régulateur de vitesse sur cent vingt-cinq, cinq kilomètres au-dessus de la limite autorisée, et se lança dans une longue explication.

61

Ils s'arrêtèrent au Texas, près de la frontière avec l'Oklahoma, afin d'acheter un adaptateur permettant de brancher l'ordinateur sur l'allume-cigare. Gideon avait longuement expliqué à son compagnon le raisonnement qui lui avait permis de conclure à l'implication de Blaine dans le complot terroriste. À son tour, Fordyce avait raconté ses démêlés avec Novak.

— En revanche, précisa-t-il, je ne sais pas si Novak est affilié aux terroristes, ou bien s'il a été soudoyé.

— Ta description de sa maison semble indiquer des rentrées d'argent anormales depuis longtemps, dit Gideon. À mon avis, il est dans le coup depuis le début. Quant à Blaine, pas étonnant qu'il ait cherché à m'aider, même si mon histoire avec Alida ne devait pas forcément lui plaire. Tant que durait ma cavale, je continuais à dérouter les enquêteurs.

Il marqua une pause.

— En revanche, les motivations de Blaine restent un mystère à mes yeux. Pourquoi diable ce type-là veut-il rayer Washington de la carte ? Je ne vois pas où est son intérêt.

— Les gens agissent souvent pour des raisons très mesquines.

— Alida m'a expliqué qu'on avait refusé d'accorder le Nobel à son père à cause de son passé d'espion. Il a très bien pu en concevoir une grande amertume.

— Peut-être. Son ordinateur nous en apprendra peut-être davantage, suggéra Fordyce en allumant l'appareil.

Tout en conduisant, Gideon vit du coin de l'œil les messages habituels s'afficher à l'écran, suivis de la fenêtre de connexion.

— Il faut un mot de passe, marmonna-t-il.

— Homme de peu de foi, le railla Fordyce.

— Pourquoi ? Tu es capable de l'ouvrir quand même ?

— On va voir. Tu remarqueras que l'ordinateur fonctionne sur un système d'exploitation NewBSD, une variante d'UNIX. Curieux, de la part d'un écrivain.

— N'oublie pas qu'il a travaillé autrefois pour le MI6. Va savoir quel système ces gens-là utilisent !

— C'est vrai. Cela dit, je doute qu'il s'agisse de l'ordinateur de travail de Blaine, précisa-t-il en pointant l'écran du doigt. Regarde la version du système d'exploitation : NewBSD 2.1.1. Un système vieux d'au moins six ans.

— C'est grave, docteur ?

— Au contraire. La sécurité sera plus fragile. Tu n'as pas remarqué d'autres machines dans son bureau ?

— Je ne me suis pas attardé. J'ai attrapé le premier ordinateur qui traînait.

Fordyce hocha la tête et sortit son BlackBerry, sur lequel il pianota.

— Qui appelles-tu ? s'inquiéta Gideon.

— L'ordinateur de décryptage du FBI. Je vais en avoir besoin si je veux parvenir à mes fins.

Gideon vit son compagnon pianoter sur le clavier une longue série de codes. Fordyce poussa un grognement de satisfaction et glissa une mémoire flash dans le port USB du téléphone.

— Ce truc permet de pénétrer une bonne demi-douzaine de systèmes d'exploitation différents, expliqua-t-il en tapant du doigt la carte mémoire. On a de la chance que l'ordinateur de Blaine soit doté d'un port USB.

— Quelle est l'étape suivante ?

— Je vais tenter de découvrir son mot de passe en procédant à une attaque par dictionnaire.

— Bien joué.

— On a nos chances si le mot de passe de Blaine n'est ni trop long ni trop obscur, et si le nombre d'essais autorisés n'est pas limité.

— Ce type-là n'est pas un enfant de chœur, répondit Gideon en faisant une moue dubitative.

— Sans doute, mais ce n'est pas nécessairement un génie de l'informatique.

Fordyce retira la mémoire flash du port USB du BlackBerry et l'introduisit dans celui de l'ordinateur.

— Ce gadget est capable de tester deux cent cin-quante mille mots de passe à la seconde. Voyons un peu le degré de parano de Blaine.

Au cours des quatre-vingt-dix minutes suivantes, lan-cée à cent vingt-cinq kilomètres à l'heure, la jeep laissa successivement derrière elle Elk City, Clinton et Weatherford. Avec la tombée de la nuit, un ciel étoilé recouvrit l'immensité de la Prairie américaine. À l'approche d'Oklahoma City, Gideon marqua son impatience en constatant que Fordyce ne parvenait à aucun résultat. Dépité, l'agent fédéral retira brusque-ment la mémoire flash du port de l'ordinateur en jurant.

— C'est bon, bougonna-t-il en redémarrant l'appareil. Un à zéro pour Blaine.

— On est baisés ? lui demanda Gideon.

— Pas encore.

Fordyce attendit que l'écran se rallume, puis il enfonça une série de touches sur le clavier.

IDENTIFIANT : root
MOT DE PASSE : ****

Un déluge de texte se déroula aussitôt.

— Bingo ! s'écria Fordyce.

— Tu as réussi à entrer ?

— Non.

— Alors à quoi ça sert ?

— J'ai réussi à pénétrer le compte du système. Il suffisait de taper le mot « *root* » comme identifiant et comme mot de passe, et le jour était joué. Si tu savais le nombre d'utilisateurs qui n'y connaissent rien, ou qui sont trop paresseux pour modifier le mot de passe système sur ces vieux OS UNIX.

— Tu veux dire que tu peux accéder à ses dossiers à partir du compte système ?

Fordyce secoua la tête en signe de dénégation.

— Non, mais ce n'est pas forcément indispensable.

— Pourquoi ?

— Tout simplement parce que l'utilisateur système a accès au fichier de mot de passe.

Il brancha à nouveau la carte mémoire, entra une longue série de commandes et se cala confortablement sur son siège, le visage rayonnant.

— Regarde, dit-il fièrement en désignant l'écran sur lequel s'affichait une formule cabalistique :

BlaineS:Heqw3EZU5k4Nd:413:ADGFIRkgm~:/home/subdir/BlaineS:/bin/bash

— Il s'agit de son identifiant et de son mot de passe, protégés par DES.

— Data Encryption Standard ? Je croyais que cet algorithme de chiffrement symétrique était inviolable.

Fordyce afficha un sourire rusé en guise de réponse.

Gideon fronça les sourcils.

— Laisse-moi deviner... Les huiles de Washington ont doté le DES d'un accès secret.

— Je ne t'ai rien dit.

Au cours des dix minutes suivantes, Fordyce s'escrima sur le clavier en grommelant des paroles intelligibles chaque fois qu'il s'arrêtait pour observer l'écran. Il envoya soudain un coup de poing dans son siège.

— Ça ne donne rien ? s'inquiéta Gideon.

Fordyce secoua la tête.

— Je n'arrive pas à décoder l'algorithme. Blaine était infiniment plus prudent que je ne l'imaginais. Il a installé une variante du DES. Je suis coincé.

Le silence s'installa dans la jeep.

— On n'a pas le droit de laisser tomber, finit par déclarer Gideon.

— Tu as une idée ?

— On peut tenter de deviner le mot de passe.

Fordyce leva les yeux au ciel.

— L'attaque par dictionnaire a essayé plus d'un milliard de combinaisons en douze langues, y compris des noms de personnes et de lieux, sans parler du million de mots de passe les plus usités. Et tu t'imagines pouvoir *deviner* ?

Il secoua la tête d'un air dépité.

— Peut-être, répondit Gideon, mais ton attaque par dictionnaire est un simple logiciel qui ne réfléchit pas. Nous en savons infiniment plus que lui sur Simon Blaine. Et puis ça ne coûte rien d'essayer, d'autant qu'on a déjà son identifiant.

Gideon rassembla ses pensées.

— Il a pu utiliser le nom d'un héros de l'un de ses bouquins. Va sur son site avec ton BlackBerry et note tous les noms de personnages que tu trouveras.

Fordyce grogna son accord et obtempéra. En quelques minutes, il disposa d'une liste de douze noms.

— Dirkson Auger, dit-il en lisant le premier qu'il avait noté. Quand je pense qu'on paie ce type-là pour inventer des noms pareils.

— Essaie toujours.

— Je commence par Dirkson, fit Fordyce en pianotant sur le clavier.

Le mot « *Erreur* » s'afficha à l'écran.

— Auger.

Erreur.

— Essaie-les ensemble, suggéra Gideon.

Erreur.

— À l'envers, peut-être.

Erreur.

— Saloperie, jura Fordyce.

— Continue avec les autres noms.

Gideon n'avait pas parcouru vingt kilomètres que Fordyce levait les bras au ciel.

— C'est désespérant, geignit-il. J'ai tout essayé. Et quand bien même Blaine aurait choisi l'un de ses héros, il lui aura suffi de remplacer une lettre par un chiffre. C'est tout simplement introuvable, il y a trop de variantes possibles.

Gideon ne répondit pas immédiatement.

— L'inconvénient des mots de passe, c'est qu'il faut les mémoriser.

— Et alors ?

— Alors il ne s'agit pas forcément d'un personnage de ses romans. Il peut s'agir d'une personne réelle, qu'il ne risque pas d'oublier. La plus proche de Blaine est Alida.

— Ce serait trop simple, rétorqua Fordyce en tentant pourtant sa chance. Non, ce n'est pas ça.

— Essayons en remplaçant une lettre par un chiffre, comme tu le suggérais tout à l'heure.

— Je remplace la lettre « l » par le chiffre « 1 ».

Fordyce tenta sa chance.

— *Nada*.

— Remplace le « i » par le signe dollar.

— Toujours rien, réagit Fordyce.

Gideon se passa la langue sur les lèvres.

— J'ai lu quelque part que les meilleurs mots de passe étaient composés d'un mot suivi d'un suffixe. Tu n'as qu'à ajouter un truc après Alida.

— Mais encore.

— Je ne sais pas, moi. Xyz, ou alors 00.

Les doigts de Fordyce coururent sur le clavier.

— Je commence à fatiguer, rechigna Fordyce en constatant l'inanité de ses efforts.

— Attends une minute. Il me vient une idée. Blaine a donné un surnom à sa fille. Il l'appelle « Docteur Miracle », ou alors « Doc ». Essaie Alida en ajoutant Doc à la fin.

Fordyce s'escrima sur le clavier.

— Non. Ni au début, ni à la fin, ni au milieu.

Gideon soupira. Son compagnon avait sans doute raison.

— Essaie toutes les variantes possibles.

Fordyce s'appliqua en silence durant de longues minutes. Soudain, il laissa échapper un cri triomphal.

Gideon vit un long texte s'afficher à l'écran.

— Tu as trouvé ? demanda-t-il, incrédule.

— Tu l'as dit, bouffi !

— Quel était le mot de passe ?

— « Al$daDoC ». Nous avons affaire à un grand sentimental.

352

Fordyce s'enfonça confortablement dans son siège et entreprit de consulter le contenu de l'ordinateur alors que les premiers gratte-ciel d'Oklahoma City apparaissaient à l'horizon.

62

Douze heures plus tard, les deux hommes franchissaient la frontière du Tennessee. À la place du mort, Fordyce restait hypnotisé par l'écran. Il avait mis à profit le trajet pour consulter l'un après l'autre plusieurs centaines de fichiers sans rien découvrir d'intéressant. L'appareil contenait essentiellement des manuscrits, des révisions interminables, des courriers, des synopsis, des traitements cinématographiques et autres notes anodines. Blaine se servait uniquement de cet ordinateur pour écrire.

Gideon loucha en direction de son voisin.

— Rien de neuf ? demanda-t-il pour la trentième fois.

Fordyce fit non de la tête.

— Tu as regardé ses e-mails ?

— Rien d'intéressant. Aucun échange avec Chalker, Novak, ou qui que ce soit à Los Alamos.

Fordyce se fit intérieurement la réflexion que Gideon n'avait pas emporté le bon ordinateur en visitant le bureau de Blaine. Il préféra s'abstenir de tout commentaire.

Sur l'autoradio, la station publique NPR multipliait les hypothèses et les supputations au sujet de l'attaque nucléaire. Les enquêteurs avaient réussi à garder secrète la date du jour N, mais les mouvements de troupe, les ordonnances d'évacuation et d'autres mesures prises dans les grandes villes du pays n'avaient pas échappé à l'attention des médias. Le pays tout entier était plongé dans une angoisse qui allait croissant à mesure que les heures s'écoulaient.

Les ondes bruissaient des avis des pseudo-experts, des observateurs, des éditorialistes et des politiciens, tous prompts à critiquer le gouvernement en donnant un avis éclairé sur la question. À en croire certains, les terroristes avaient renoncé. D'autres étaient persuadés qu'ils avaient changé de cible, ou bien qu'ils attendaient sagement leur heure, s'ils n'étaient pas tous morts empoisonnés par les radiations de matière fissile. La gauche était responsable du chaos pour les uns, la droite pour les autres. Les terroristes étaient soit des communistes, soit des extrémistes des deux bords, ou bien encore des fondamentalistes, des anarchistes, des magnats de la finance. Chacun y allait de son couplet, personne n'en sortait indemne.

Partagé entre fascination et dégoût, Fordyce ne parvenait pas à demander à Gideon d'éteindre la radio.

La jeep arrivait en vue de Knoxville. L'agent fédéral s'étira et se replongea dans l'étude du contenu de l'ordinateur. Comment un écrivain pouvait-il posséder autant de fichiers ? Il en avait parcouru les trois quarts sans rien trouver, mais il ne pouvait se permettre de s'arrêter.

Il ouvrait le fichier suivant, baptisé *Opération Cadavre*, quand il sursauta en entendant une sirène de police derrière eux. Le clignotement d'un gyrophare troua la lunette arrière. D'un coup d'œil au compteur, il vit que Gideon roulait à cent vingt-cinq dans une zone semi-urbaine limitée à quatre-vingt-dix.

— Et merde, gronda-t-il entre ses dents en se débarrassant de l'ordinateur sur la banquette arrière.

— Je n'ai pas de permis, ajouta Gideon. Je suis foutu.

Un nouveau coup de sirène obligea Gideon à ralentir en mettant son clignotant afin de se ranger sur la bande d'arrêt d'urgence.

— Improvise, lui conseilla Fordyce. Dis-lui qu'on t'a volé ton portefeuille et que tu t'appelles Simon Blaine.

Le flic s'approcha en remontant son pantalon. Un grand type baraqué, crâne rasé, oreilles de boxeur, lunettes miroir, des lèvres épaisses retroussées en une moue dure. Il tapota d'un doigt à la vitre. Gideon s'empressa de la baisser.

— Votre permis et les papiers de la voiture, dit le flic en se penchant à l'intérieur du véhicule.

— Bonjour, monsieur l'agent, répondit Gideon d'une voix polie.

Il ouvrit la boîte à gants et récupéra les papiers de la jeep qu'il tendit au flic.

— On m'a volé mon portefeuille sur une aire d'autoroute en Arkansas. Je compte demander un nouveau permis dès mon retour au Nouveau-Mexique.

Le flic examina les papiers.

— Vous vous appelez Simon Blaine ?

— Oui.

Fordyce pria le ciel que le flic ne soit pas amateur de littérature.

— Vous dites que vous n'avez pas de permis ?

— J'ai un permis, mais on me l'a volé.

Vite, trouver un argument imparable.

— Je comprends votre méfiance. Mon père appartenait à la brigade routière, il a été abattu en service...

— Veuillez descendre du véhicule, le coupa le flic, imperturbable.

Gideon poursuivit sa petite histoire tout en cherchant des doigts la poignée de la portière.

— Un contrôle de routine, deux types qui venaient de braquer une banque... Saleté de portière...

— Je vous demande de sortir. Tout de suite.

Le flic appuya son ordre en posant la main sur la crosse de son arme.

Fordyce, comprenant que l'affaire s'annonçait mal, sortit son badge et le montra au flic.

— Agent Fordyce, du FBI.

Surpris, l'autre lui prit le badge des mains et l'examina longuement à travers ses lunettes miroir. Il le rendit à son propriétaire d'un air faussement blasé et s'adressa à nouveau à Gideon.

— Je vous ai demandé de descendre du véhicule.

Agacé, Fordyce ouvrit sa portière.

— Restez à l'intérieur du véhicule, monsieur, lui ordonna le flic.

— Excusez-moi, répliqua Fordyce en contournant la jeep par l'avant. Agent Mackie, c'est bien ça ? dit-il en lisant la plaque accrochée à la veste du policier. Je viens de vous l'expliquer, je travaille pour le Bureau de Washington. Mon collègue assure une mission de liaison avec le FBI, nous voyageons incognito dans le cadre de l'enquête sur l'attaque terroriste. Je vous ai montré mon badge, vous n'avez qu'à vérifier mes états de service, mais je suis au regret de vous dire que mon collègue ne vous montrera pas ses papiers, que ça vous plaise ou non. C'est compris ?

Mackie garda le silence.

— Je crois vous avoir posé une question, agent Mackie.

Mais le flic refusait de s'en laisser imposer.

— Je vais effectivement vérifier vos états de service. Puis-je vous demander à nouveau votre badge ?

Fordyce devait réagir, et vite. Si jamais Millard apprenait qu'il était dans le Tennessee à bord de la jeep de Simon Blaine, il était cuit. Seul point positif, le flic n'avait pas retenu son nom, puisqu'il lui demandait à nouveau son badge. Il fit un pas en avant et baissa la voix.

— Arrêtez vos conneries. Nous avons besoin d'aller à Washington au plus vite, d'où cet excès de vitesse. Vous vous doutez bien que nous promener avec un gyrophare ou une escorte nous empêcherait de voyager incognito. Je vous en prie, vérifiez mon identité. Mais au cas où vous n'auriez pas écouté la radio, nous sommes en situation de crise aiguë et ne comptez pas sur nous pour attendre les bras croisés que vous ayez procédé à vos petites vérifications.

Il dévisagea son interlocuteur, à la recherche d'une trace d'émotion. L'autre restait de marbre. Un dur à cuire. Fordyce joua son va-tout en haussant le ton.

— En tout cas, Mackie, je puis vous assurer que si jamais votre zèle nous coûte notre couverture, vous allez être dans la merde. Nous sommes chargés d'une mission de première importance et vous nous faites perdre un temps précieux.

Le flic devint rouge brique. La façade se fissurait enfin.

— Je fais mon boulot, se justifia-t-il, entre crainte et colère. Vous n'avez aucun droit de me parler comme ça.

Fordyce se calma instantanément. Il laissa échapper un long soupir et posa une main sur l'épaule de son interlocuteur.

— Veuillez m'excuser. Nous faisons *tous* notre boulot, dans un contexte difficile. Je regrette de vous avoir malmené, Mackie. Nous sommes extrêmement stressés, comme vous pouvez l'imaginer. Et nous sommes réellement pressés. Je vous laisse mon nom et mon matricule afin que vous puissiez procéder aux vérifications nécessaires, mais de grâce, ne nous retardez pas davantage.

L'homme se redressa.

— Bien, monsieur. Je comprends. Je vous laisse repartir. Je vais prévenir les autres brigades par radio en leur communiquant votre numéro d'immatriculation afin de les avertir de votre passage. Vous n'aurez pas à vous inquiéter de la limite de vitesse jusqu'à votre arrivée dans le Columbia.

Fordyce lui serra l'épaule.

— J'apprécie, Mackie. Vraiment.

Il reprit sa place à côté de Gideon et la jeep redémarra. Fordyce laissa quelques minutes s'écouler avant de briser le silence.

— Un père flic de la route, abattu en service ? L'argument manquait de poids, mon vieux. Heureusement que j'étais là pour te sortir du pétrin.

— Tu as un badge, pas moi, se défendit Gideon avant d'ajouter, presque à regret : Cela dit, tu t'en es tiré comme un chef.

— Un peu, mon neveu. Pour ce que ça va nous servir... Il nous reste sept heures de route avant d'arriver à Washington, et nous n'avons aucune idée des intentions de Blaine. Son ordinateur est blanc comme neige.

— Il doit pourtant bien contenir un indice quelconque. Je vois mal comment il aurait pu mettre au point un complot de cette ampleur sans en laisser des traces dans ses œuvres.

— Et s'il était innocent ?

Gideon se tritura longtemps les méninges avant de secouer la tête.

— D'un point de vue strictement personnel, j'aimerais sincèrement que ce soit le cas. Malheureusement, il est coupable. C'est la seule explication plausible.

Fordyce, poussé par sa conscience professionnelle, se replongea dans la lecture du fichier intitulé *Opération Cadavre*, sûr d'avance qu'il n'y trouverait rien d'autre que la prose d'un auteur à succès.

Opération Cadavre n'était pas un roman, mais un synopsis d'une dizaine de pages. Fordyce se frotta les yeux d'un air las et entreprit la lecture en diagonale de l'intrigue. Au bout de quelques lignes, son cœur fit un bond dans sa poitrine. Il battit des paupières à plusieurs reprises et reprit le texte depuis le début, en s'attachant cette fois à chaque mot.

Il parcourut le document dans son intégralité et se tourna vers Gideon.

— Mon Dieu, dit-il d'une voix grave. Tu ne me croiras jamais.

63

— Je viens de découvrir le synopsis d'un roman inédit intitulé *Opération Cadavre*, expliqua Fordyce.

Gideon ralentit machinalement, intrigué par le ton de
son compagnon.

— Le résumé d'un roman ?

— D'un thriller, plus exactement.

— Une histoire de terroristes armés d'une bombe
atomique ?

— Pas du tout. Une histoire d'épidémie de variole.

— La variole ? Quel rapport avec notre affaire ?

— Écoute plutôt, répondit Fordyce en rassemblant
ses pensées. Je dois d'abord te fournir quelques clés. Le
résumé du bouquin précise en préambule que la variole
a été éradiquée en 1977. Toutes les souches du virus qui
étaient conservées en laboratoire pour la fabrication du
vaccin ont été détruites. Toutes, *sauf deux*. La première
se trouve à l'Institut d'État de virologie et de biotechno-
logie de Koltsovo, en Russie. Quant à la seconde, elle
est conservée dans les locaux de l'IRMA, l'Institut de
recherche médicale des armées, à... je te le donne en
mille ? Fort Detrick, dans le Maryland.

Gideon sursauta.

— Tu déconnes ? C'est là que se rendait Blaine, d'après Alida.

— Dans le bouquin, un groupuscule vole la souche de variole de Fort Detrick et menace d'infecter toute la planète. Les terroristes exigent cent milliards de dollars et l'attribution d'une île dans le Pacifique afin de s'y établir. Ils gardent la variole en guise de garantie et coulent des jours paisibles dans le luxe et la volupté.

— Jusque-là, je ne vois pas le rapport.

— Tu vas comprendre en découvrant *comment* ils dérobent le virus : ils font croire qu'un groupe de djihadistes va rayer Washington de la carte à l'aide d'une bombe nucléaire.

Gideon regarda son compagnon.

— Tu déconnes.

— Tu n'as pas entendu le plus beau : pour accréditer la thèse d'un complot islamiste, ils abandonnent un cadavre gravement irradié dans un appartement new-yorkais en faisant croire qu'il a été blessé en manipulant de la matière fissile. L'appartement en question est truffé d'indices liant la victime à des groupes islamistes radicaux.

— Chalker, murmura Gideon.

— Exactement. Tout y est, y compris le calendrier indiquant la date supposée de l'attentat et un plan à moitié brûlé de Washington sur lequel figurent les cibles potentielles.

Les idées se bousculaient dans la tête de Gideon.

— Fort Detrick se trouve à une soixantaine de kilomètres à peine de Washington.

— Exactement, acquiesça Fordyce.

— On peut être certain que les forces de défense de la base auront été envoyées à Washington.

— Je ne te le fais pas dire.

— Incroyable !

— Dans le synopsis du livre, un complice leur fournit les codes d'accès au coffre dans lequel est enfermé le virus. Ils entrent comme dans un moulin, pénètrent dans le coffre sans difficulté et s'emparent des souches de variole. Celles-ci sont conservées dans de petits tubes congelés qui se glissent aisément dans la poche.

Fordyce tapota du doigt l'ordinateur portable.

— Tout est là. Dans le résumé d'un bouquin écrit par Blaine *il y a six ans*. Ce n'est pas tout : il est précisé en préambule que cette histoire est inspirée d'une opération baptisée « Viande hachée », lancée par les services secrets britanniques au cours de la Seconde Guerre mondiale. Les Anglais ont laissé dériver un cadavre au large des côtes espagnoles en faisant croire qu'il s'agissait d'un officier supérieur mort dans un accident d'avion. Les poches du mort contenaient des documents secrets signalant l'invasion imminente de l'Italie par la Grèce et la Sardaigne. En réalité, il s'agissait d'une diversion destinée à induire les Allemands en erreur. Les nazis sont tombés dans le panneau, Hitler le premier.

Gideon prit le temps de digérer l'information.

— Blaine appartenait au MI6.

— À la différence près que Chalker n'était pas un cadavre.

— L'illusion était encore plus efficace avec lui vivant, reconnut Gideon. Les radiations ne tuent pas instantanément, même employées à doses massives. J'imagine qu'ils l'ont enlevé avant de lui faire subir un lavage de cerveau quelconque.

— Souviens-toi de la niche découverte dans le labo clandestin. Si ça se trouve, elle n'a jamais servi à un chien, mais à ce malheureux.

— Quand Chalker prétendait avoir servi de cobaye, il disait la vérité. Il a été victime d'un coup monté. Comme moi.

Fordyce enfonça quelques touches du clavier.

— Laisse-moi te lire un passage. Le synopsis précise que, la variole ayant disparu depuis près de quarante ans, les gens n'ont plus aucune défense immunitaire. Le virus causerait instantanément des ravages. Écoute ça :

> *Variola major*, plus connue sous le nom de variole, est considérée par de nombreux épidémiologistes comme le pire fléau qu'ait jamais connu l'humanité. Certaines souches particulièrement virulentes ont un taux de morbidité de cent pour cent. La variole est aussi contagieuse qu'un rhume. Ceux qui n'en meurent pas en gardent des cicatrices à vie, quand ils ne perdent pas la vue.
>
> La variole provoque une mort atroce. Le mal déclenche de fortes fièvres, des douleurs musculaires et des vomissements. Des éruptions cutanées surviennent, qui font apparaître sur tout le corps de grosses pustules, jusque sur la langue et le palais. Sous sa forme fulminante, la variole entraîne des saignements au niveau des muscles et des principaux organes. Les yeux se gorgent de sang et deviennent tout rouges. Ces symptômes s'accompagnent souvent de troubles neurologiques, le patient étant sujet à de véritables crises de terreur à l'idée de mourir. Dans de nombreux cas, il s'agit d'une crainte justifiée.
>
> L'Organisation mondiale de la santé affirme qu'un seul cas de variole dans le monde provoquerait « une pandémie d'une gravité exceptionnelle », impliquant « une mise en quarantaine totale de la région concernée, accompagnée d'une campagne de vaccination d'urgence. Il serait très certainement nécessaire d'en appeler à l'armée pour imposer la mise en quarantaine de la zone infectée ».

Un silence pesant, rythmé par le chuintement des pneus sur l'asphalte, suivit la lecture de l'extrait.

— Blaine aura commencé par voir dans cette histoire matière à un excellent thriller, commenta Gideon. Il aura mis au point tous les détails et rédigé son synopsis, avant de s'apercevoir que l'idée était trop géniale pour donner naissance à un simple livre. Il a alors décidé de l'utiliser dans la réalité.

Fordyce acquiesça.

— Je parie que le déclic est survenu après sa rencontre avec Chalker, quand il a compris que le destin avait placé sur son chemin le cobaye idéal, suggéra Gideon. Quel meilleur bouc émissaire qu'un chercheur en physique nucléaire de Los Alamos converti à l'islam ?

— En effet, approuva Fordyce. À mon avis, nous avons affaire à un groupe de plusieurs personnes. Blaine doit avoir d'autres complices en plus de Novak. Ce n'est pas le genre d'opération que l'on peut réussir seul.

— Tu as raison. Je parie même qu'il y a un spécialiste des avions dans l'équipe.

— En revanche, je me pose la question suivante : comment ont-ils pu irradier Chalker s'ils n'avaient pas de matière fissile ?

Gideon fronça les sourcils.

— Il y a plusieurs solutions. La plus évidente consiste à utiliser les mêmes radio-isotopes que pour les examens médicaux.

— Ce genre de produit est donc facilement disponible ?

— Je n'emploierais pas le mot « facilement », mais on peut s'en procurer à condition de disposer des autorisations nécessaires. Les isotopes utilisés dans le domaine médical sont généralement de l'uranium ou du plutonium obtenus lors de réactions en chaîne contrôlées.

— C'est donc possible.

— Oui. Il suffit de simuler un accident nucléaire en laissant des traces de radio-isotopes médicaux aux doses adéquates.

— Comment expliquer la présence d'U-235 sur les mains de Chalker ?

— Rien de plus facile, à condition de disposer d'un complice à Los Alamos. Novak, par exemple. Quelques nanogrammes suffisent. Tu peux obtenir la quantité nécessaire en passant l'extrémité d'un doigt ganté sur un fragment d'U-235. Les quelques nanogrammes recueillis sur le gant peuvent ensuite être transmis à Chalker par une simple poignée de main.

— Dans ce cas, pourquoi n'a-t-on jamais imaginé qu'il pouvait s'agir d'un accident simulé ?

— C'était tellement tiré par les cheveux, répondit Gideon. Franchement, tu l'aurais deviné ?

Fordyce prit le temps d'examiner la question.

— Jamais, avoua-t-il.

— Blaine aura probablement loué l'appartement de Queens sous le nom de Chalker. Rien d'étonnant à ce que le malheureux ait passé son temps à répéter qu'il ne connaissait pas cet endroit. Il ne s'y était probablement jamais rendu auparavant. On l'a enfermé dans cette cage jusqu'à ce qu'il perde tous ses repères. Ensuite, on l'a irradié, on lui a mis un pistolet entre les mains et on l'a collé à Sunnyside avec une famille innocente. Tout ça pour de l'argent.

— Beaucoup d'argent, j'imagine.

Gideon secoua la tête.

— C'est dégueulasse.

Un panneau routier leur indiqua qu'ils pénétraient en Virginie. Gideon ralentit aussitôt.

— Nous sommes le jour N, remarqua Fordyce en jetant un œil à sa montre. Il nous reste tout juste six heures pour trouver le moyen d'arrêter l'opération.

64

Ils traversèrent les contreforts des Appalaches en silence. La route était quasi déserte dans leur sens, alors qu'ils croisaient le flot ininterrompu de ceux qui cherchaient à fuir la catastrophe. Les mains cramponnées au volant, Gideon réfléchissait au meilleur moyen d'agir. Tenter une nouvelle fois d'appeler Glinn ? Ce dernier avait des relations haut placées. Il écarta très vite cette idée. Garza lui avait bien fait comprendre qu'il devrait se débrouiller seul.

— Maintenant que nous connaissons leurs intentions, le plus simple est de contacter le Sun, déclara Fordyce. Il leur suffit de sécuriser le périmètre de Fort Detrick, et le tour est joué.

Voyant que son compagnon ne réagissait pas, Fordyce poursuivit :

— Il va sans dire que nous ne pouvons pas agir seuls.

Gideon restait muré dans le silence.

— Si tu es d'accord, j'appelle Dart, reprit Fordyce en sortant son portable.

— Une seconde, le tempéra Gideon. Qui te dit que Dart nous croira ?

— Nous avons l'ordinateur de Blaine avec le synopsis d'*Opération Cadavre*. Si ce n'est pas une preuve, je ne sais pas ce que c'est.

Fordyce posa un doigt sur le clavier de l'appareil.

— Je ne suis pas convaincu, prononça lentement Gideon.

Le doigt de Fordyce se figea.

— Tu n'es pas convaincu de quoi ?

— Dart ne nous croira jamais. Je suis un terroriste et tu es un agent sur la touche.

— Nous possédons la preuve de ce que nous avançons sur l'ordinateur.

— Sur un fichier Word que nous avons eu tout le loisir de fabriquer ou de modifier.

— Mais enfin ! Et le cryptage DES ?

— La belle affaire. L'ordinateur était protégé, pas le fichier lui-même. Réfléchis, Stone : les responsables de l'enquête ont placé toutes leurs billes dans la théorie du complot djihadiste. Je les vois mal tourner casaque d'un claquement de doigts.

— On ne leur demande pas de tourner casaque. Il suffit que Dart affecte une douzaine de soldats armés à la garde du coffre-fort où est conservée la souche de variole. C'est la prudence même.

Gideon secoua la tête.

— Dart n'est pas idiot, mais il est prisonnier du système. Il est incapable de penser en dehors des clous. Si tu l'appelles, tu peux être certain qu'il nous fera arrêter à l'instant où nous lui donnerons cet ordinateur. Il voudra l'examiner afin de s'assurer qu'il n'a pas été trafiqué. On nous interrogera pendant des heures, et Blaine aura tout le loisir de voler la variole. Quand on nous croira enfin, il sera trop tard.

— Peut-être, mais je connais un peu le FBI, tout de même ! Je peux t'assurer qu'ils voudront couvrir leurs arrières en déployant des troupes à Fort Detrick.

— Il ne s'agit plus du FBI, ni même du Sun. L'enquête est une hydre gigantesque que plus personne ne contrôle. Les enquêteurs sont empêtrés dans les fausses pistes, les manœuvres de diversion et les complots imaginaires. Tu crois peut-être qu'on parviendra à les ébranler en arrivant à la vingt-cinquième heure avec notre histoire de variole ? Dart ne réagira jamais à temps et l'ennemi aura tout le loisir de se procurer le virus. Si tu appelles Dart, tout est fichu. *Game over*.

Fordyce abattit son poing sur le tableau de bord.

— Mais putain, que proposes-tu d'autre ?

— C'est simple. On se rend à Fort Detrick où il nous sera facile d'entrer, surtout avec ton badge. On tend une embuscade à ces salauds et on les coince au moment où ils ressortent avec la variole. On récupère le virus et on appelle la cavalerie.

— Pourquoi ne pas les arrêter *avant* qu'ils pénètrent dans le coffre ?

— Parce qu'il nous faut les prendre la main dans le sac. Si on les coince à l'entrée, c'est nous qu'on arrêtera pendant la bagarre et ils s'en tireront sans une égratignure. Il nous faut des preuves.

Fordyce éclata d'un rire cynique.

— Voilà que tu te sens une âme de héros, maintenant ! Que fais-tu s'ils sont armés jusqu'aux dents ?

— Il n'y a aucun risque. Leur plan tout entier repose sur la discrétion : éloigner les forces de sécurité, entrer et sortir sans provoquer de vagues.

— Non. J'appelle Dart.

Gideon sentit la moutarde lui monter au nez.

— Je te dis que je *connais* Dart. Il dirigeait Los Alamos la première année où j'y travaillais. C'est un type intelligent, mais il est têtu et rigide. Jamais il n'acceptera de te croire et jamais il ne fera garder cette vacherie de virus. Il nous fera arrêter et nous posera trois mille questions jusqu'à ce qu'il soit trop tard. Une fois que les autres posséderont la variole, tout sera fichu. Il leur suffira de balancer un échantillon du virus dans la nature pour que les États-Unis soient à genoux. Les gens pètent de trouille face à cette prétendue bombe nucléaire, mais je peux t'assurer que la variole serait pire qu'une simple bombe. Infiniment pire.

Gideon lança un regard en coin à l'agent fédéral. Rouge de colère, il ne disait mot. Apparemment, le message était passé.

— Il est *hors de question* d'en référer à Dart, enchaîna Gideon. On agit seuls, ou alors je me retire.

— Comme tu veux, rétorqua Fordyce, les lèvres pincées.

Un mur de silence s'érigea entre les hommes, que Gideon rompit le premier.

— Tu veux savoir comment je compte m'y prendre ? demanda-t-il.

Fordyce acquiesça mollement.

— On pénètre sur la base en se servant de nos références. Tu surveilles l'entrée pendant que je descends au quatrième sous-sol où se trouve la souche de variole. J'endosse une combinaison antibactérienne, ce qui empêche quiconque de me reconnaître. Dès que Blaine pointe le bout du nez, tu m'appelles. Je lui tends une embuscade dans le labo, j'attends qu'il ouvre le coffre et je lui fourre mon arme sous le nez pendant que tu préviens la cavalerie. L'action se déroule au quatrième sous-sol ; quand bien même le virus se disséminerait, il sera facile de le contenir.

— Et s'ils sont armés ?

— J'en doute. C'est trop risqué pour eux. Comme je te le disais, leur plan tout entier repose sur une manœuvre de diversion. Mais si jamais ils sont armés, j'aurai l'avantage de la surprise. Crois-moi, je n'hésiterai pas à tirer si nécessaire.

Il avait à peine prononcé ces mots qu'il se demanda s'il trouverait la force de tuer le père d'Alida. Il s'empressa de repousser cette pensée.

— Ton plan peut fonctionner, reconnut Fordyce. Oui, il peut même très bien marcher.

65

Pénétrer dans Fort Detrick se révéla plus facile encore que les deux hommes ne l'avaient imaginé. Tandis que Gideon jouait le rôle de chauffeur de Fordyce, ce dernier agitait son badge à qui voulait le voir en expliquant qu'il effectuait une simple mission d'inspection dans le cadre de l'enquête, veillant soigneusement à ne jamais prononcer le mot « variole ». Le garde posté à l'entrée lui indiqua complaisamment la direction des bâtiments de l'Institut de recherche médicale des armées, allant jusqu'à leur fournir une photocopie du plan de la base que Gideon glissa dans sa poche. Le garde leur fit signe de passer et la jeep longea un terrain de golf avant d'arriver au cœur de la base.

Pour un début d'après-midi de semaine, Fort Detrick était étrangement désert. Un calme de fin du monde régnait sur les centaines d'hectares de pelouse de l'immense base ; parkings et bâtiments paraissaient abandonnés, seul le pépiement des oiseaux troublait le silence inquiétant qui enveloppait les lieux.

Les deux hommes remontèrent lentement la route goudronnée qui serpentait entre les bâtiments sur plusieurs kilomètres. L'endroit était plutôt attrayant. En plus d'un golf, Fort Detrick comptait plusieurs terrains de baseball, des lotissements de pavillons et de mobile homes pimpants, un aérodrome flanqué de plusieurs hangars, une caserne de pompiers, ainsi qu'un centre culturel. L'IRMA se trouvait à l'autre extrémité de la base, en face d'une aire sur laquelle s'alignaient des dizaines de véhicules militaires – jeeps, blindés, tanks... – gardés par un seul mécanicien.

L'Institut lui-même était un complexe datant des années 1970, précédé d'un écriteau : « Bienvenue à l'IRMA ». Les parkings entourant le bâtiment étaient quasiment déserts. Une atmosphère d'abandon planait sur les lieux.

— Blaine ne s'était pas trompé, remarqua Fordyce en balayant des yeux le centre de recherche. Espérons qu'il ne nous ait pas coiffés au poteau.

— Ce n'est pas idéal s'il reconnaît sa propre jeep garée devant l'entrée, ajouta Gideon.

Le temps de contourner le bâtiment et de ranger le véhicule derrière une camionnette, les deux hommes rejoignaient l'entrée en coupant à travers les pelouses.

Tandis qu'ils mettaient au point les détails de leur plan d'attaque pendant le trajet, Fordyce avait utilisé la carte 3G de l'ordinateur portable pour se rendre sur le site de l'Institut. Il avait ainsi pu récupérer de nombreuses informations. Ancienne plaque tournante du programme de guerre bactériologique des États-Unis, le centre abritait désormais les laboratoires de biologie du ministère de la Défense, dont la mission principale était d'assurer la protection du pays contre les attaques bactériologiques.

Les deux hommes pénétrèrent dans le bâtiment. Un agent de sécurité montait la garde derrière une vitre blindée. Fordyce pouvait aisément se présenter sous sa véritable identité ; de son côté, Gideon s'était inventé un nouveau personnage en puisant dans sa réserve d'accessoires et de déguisements. Faute de blouse, il avait endossé une veste en tweed qui lui donnait l'allure d'un universitaire distrait.

— Je sais, ça tient du cliché, avait-il reconnu lorsque Fordyce lui en avait fait la remarque. Mais les stéréotypes ont prouvé leur efficacité en matière de déguisement. Les gens s'attendent toujours à ce qu'un individu ressemble à l'idée qu'ils s'en font.

Fordyce s'approcha de l'agent de sécurité, son badge et sa carte du FBI à la main.

— Stone Fordyce, Bureau fédéral d'investigation, dit-il d'une voix tranchante qui pouvait laisser croire à son interlocuteur qu'il le soupçonnait du pire. Et voici John Martino du Centre de contrôle épidémiologique.

L'agent de sécurité, pris de court, se raidit sur son siège.

— Vous avez un rendez-vous ? s'enquit-il.

— Non, répondit Fordyce sur un ton abrupt.

— Euh… le but de votre visite ?

— Inspection de routine, répliqua Fordyce en affichant son impatience.

L'homme hocha la tête, prit sur son bureau un porte-bloc à pince qu'il glissa à travers la fente prévue à cet effet.

— Je vous demanderai de bien vouloir remplir le registre et de le signer. Tous les deux.

Fordyce s'exécuta, puis il tendit le porte-bloc à Gideon qui l'imita en gribouillant son nom d'une écriture illisible.

— Mettez-vous devant l'appareil photo, leur ordonna le planton.

Les deux hommes se présentèrent l'un après l'autre devant l'objectif. Quelques instants plus tard, le type glissait deux badges ornés de leur photo à travers la fente et leur ouvrait la porte vitrée en appuyant sur un bouton.

Fordyce se pencha vers l'agent de sécurité tandis que Gideon tenait la porte.

— J'aurais quelques questions à vous poser, dit-il sur un ton soupçonneux.

— Oui, monsieur, répondit son interlocuteur, très intimidé.

— Un certain Simon Blaine a-t-il pénétré dans le centre aujourd'hui ?

Le type eut une hésitation, puis il consulta son porte-bloc.

— Non, monsieur.

— Et M. Novak ?

— Non plus.

— Savez-vous si l'un ou l'autre a rendez-vous avec quelqu'un de l'Institut aujourd'hui ?

— Pas si j'en crois la liste qu'on m'a communiquée.

— Très bien. Le professeur Martino doit se rendre au quatrième sous-sol. En attendant, je vais avoir besoin de votre aide, monsieur Bridge, déclara Fordyce d'une voix autoritaire en lisant le nom de l'agent de sécurité sur son badge. Écoutez-moi bien.

Il baissa la voix.

— Je vais m'installer dans la petite pièce que nous apercevons là-bas, jusqu'à l'arrivée de M. Blaine. Ne lui dites surtout pas qu'un agent du FBI l'attend.

Le planton avala sa salive, soudain inquiet.

— Il y a un problème ? Je ferais peut-être mieux d'appeler mon responsable...

Fordyce l'arrêta d'un geste.

— Vous n'appelez personne. Si vous souhaitez vérifier mes antécédents, il vous suffit de contacter vous-même l'agent Mike Bocca, de l'antenne locale du FBI à Washington.

Tout en parlant, il avait sorti son téléphone, prêt à composer le numéro de son supérieur, le doigt en l'air, en affichant une mine maussade.

— Non, non, l'interrompit l'agent de sécurité. Ce ne sera pas nécessaire.

— Très bien. Continuez de monter la garde comme si de rien n'était.

— Bien, monsieur.

Fordyce remercia son interlocuteur d'un signe de tête, puis il gagna la petite salle vitrée d'où il pouvait discrètement observer les allées et venues. Rassuré, Gideon se dirigea vers les ascenseurs conduisant au quatrième sous-sol.

66

Gideon disparaissait tout juste au détour du couloir que Stone Fordyce composait le numéro du Sun sur son portable. Après avoir montré patte blanche, il obtint enfin de parler avec Myron Dart.

— Fordyce ? Pour quelle raison m'appelez-vous ? J'avais cru comprendre que vous aviez quelques jours de congé.

Fordyce prit une profonde respiration. Il avait longuement répété cette conversation dans sa tête, conscient qu'il n'avait pas le droit à l'erreur.

— Je suis actuellement dans le Maryland... avec Gideon Crew.

— Dans le Maryland ? *Avec Crew ?* J'attends vos explications, rétorqua Dart sur un ton glacial.

— Nous sommes sur une piste ahurissante. Une véritable bombe, sans mauvais jeu de mots. Je vous demande de bien vouloir m'écouter.

Fordyce entendit ce qui ressemblait à une conversation étouffée à l'autre bout du fil. Dart donnait probablement des ordres pour localiser l'appel. À sa place, il aurait agi de même.

— J'exige de savoir où vous êtes précisément, et pour quelle raison.

La voix de Dart avait encore fraîchi de plusieurs degrés.

Fordyce se lança.

— Je suis en possession d'un ordinateur portable dans lequel est stocké un fichier vieux de six ans détaillant l'action terroriste actuelle, du début à la fin. Tout y est. Tout.

Un long silence accueillit sa déclaration.

— À qui appartient l'ordinateur en question ?

— J'y viendrai dans un instant.

— Non. Répondez-moi immédiatement.

Fordyce fit la sourde oreille.

— Fournissez-moi une adresse e-mail et je vous fais parvenir le document en question.

— Vous passez les bornes, monsieur Fordyce. J'exige que vous arrêtiez Crew et que vous nous le livriez sans attendre, pieds et poings liés, sous peine d'être accusé de complicité.

— Donnez-moi un e-mail et je vous envoie ce document, insista Fordyce en s'efforçant de garder son calme.

L'affaire s'annonçait mal. Fordyce voulait encore croire que Gideon s'était trompé sur le compte de Dart. Le patron du Sun devait absolument lire *Opération Cadavre*.

Au terme d'une hésitation interminable, Dart lui fournit enfin l'adresse Internet demandée. Fordyce l'entra dans l'ordinateur et expédia le document sans attendre.

Les techniciens du Sun l'avaient forcément localisé, puisqu'il n'avait toujours pas raccroché. Comment s'y prendre autrement ? Quoi qu'en dise Gideon, cette histoire les dépassait. Le tout était de convaincre Dart.

Une minute s'écoula, puis une autre.

— Vous avez reçu le fichier ? s'inquiéta Fordyce.

— Une seconde, l'arrêta Dart d'un air distrait.

Fordyce entendait sa respiration à l'autre bout du fil. Lorsque Dart reprit enfin la parole, sa voix n'était plus la même. Elle avait brusquement gagné en assurance.

— Comment êtes-vous entré en possession de ce document ?

— Je l'ai découvert sur l'ordinateur personnel de l'écrivain Simon Blaine. Il s'agit du synopsis d'un thriller.

— Qui d'autre que vous est au courant ?

— Personne, à part Gideon.

— Quelle mouche vous a piqué de vous associer avec Crew ?

— C'est lui qui a trouvé l'ordinateur.

— Vous ne comprenez donc pas qu'il s'agit d'un faux ? explosa soudain Dart. Gideon a fabriqué ce document de toutes pièces et vous êtes tombé dans le panneau !

— Non, pas du tout. Le fichier se trouvait sur un ordinateur protégé par un système de cryptage que j'ai moi-même réussi à contourner.

— Je serais curieux de savoir où il a trouvé l'ordinateur en question.

— C'est une longue histoire. En attendant, nous sommes le jour N. En clair, cela signifie que le vol de la souche de variole aura lieu aujourd'hui.

Un blanc.

— Parce que vous *croyez* à toute cette histoire ?

— Absolument. Je suis convaincu de sa validité.

— Vous êtes actuellement à Fort Detrick ?

— Vous le savez très bien.

— Mon Dieu...

Comme Dart se taisait, Fordyce crut bon d'insister.

— Je vous en conjure, monsieur. Il faut envoyer des renforts le plus vite possible. Le temps presse.

— Encore faudrait-il me convaincre.

— Mais enfin, vous ne pouvez pas vous permettre de prendre un tel risque ! Une douzaine de soldats suffiraient à sécuriser l'Institut. Même s'il s'agit d'un canular, ce ne sont pas douze hommes de plus ou de moins qui changeront la donne à Washington.

— Je vois, mais... il se trouve que les troupes stationnées à Fort Detrick ont été affectées ailleurs. Il ne reste plus sur place qu'une poignée de civils, de sous-fifres et de chercheurs. Ne quittez pas, ajouta Dart après un bref silence.

Fordyce patienta en rongeant son frein. Plusieurs minutes s'écoulèrent avant que Dart ne reprenne son téléphone.

— J'ai une unité d'intervention rapide du Sun prête à intervenir par hélicoptère. Mes hommes seront à Fort Detrick dans dix minutes. Où vous trouvez-vous exactement ?

— Dans le hall d'entrée de l'IRMA.

— Et Crew ?

— Il est descendu au quatrième sous-sol, où il compte tendre une embuscade à Blaine...

Fordyce hésita avant de poursuivre :

— À vrai dire, je ne lui ai pas avoué que je vous appelais. Il avait décidé d'agir seul et refusait d'en démordre.

— Seigneur ! Bon, écoutez-moi bien. Sortez du bâtiment pour attendre l'équipe d'intervention du Sun. L'hélicoptère se posera sur le parking devant l'entrée. Ne dites surtout rien à Crew, je n'ai aucune confiance en lui. Il est trop imprévisible. L'équipe du Sun est composée de professionnels aguerris, formés pour gérer les situations de ce genre.

— Je ne suis pas certain qu'il soit prudent de ne pas avertir Crew.

— Curieuse réflexion de la part de quelqu'un qui m'a appelé derrière son dos. Vous savez pertinemment que cet homme est un électron libre. Mes équipes se chargeront de sa protection.

— Bien, monsieur.

— J'espère pour vous que vos informations sont fiables.

— Elles sont en béton.

— Votre mission s'arrête là. J'ai demandé à mes hommes d'assurer la sécurité du bâtiment et des locaux du quatrième sous-sol. Ils escorteront Crew à l'extérieur et appréhenderont Blaine dès son arrivée. *Si* toute cette histoire est vraie.

— Il serait dangereux de ne pas en tenir compte.

— J'en ai bien conscience.

Dart paraissait soulagé, et Fordyce y vit un encouragement.

— Je préfère assurer la sécurité du virus avec tout le professionnalisme requis, reprit le directeur du Sun. Sans drame, ni effusion de sang. Blaine et ses gens n'auront pas le temps de comprendre ce qui leur arrive. Je n'ai jamais été partisan de la manière forte. C'est compris ?

— Oui, monsieur. Je suis bien d'accord.

Fordyce pouvait enfin souffler. Gideon avait sous-évalué les capacités de réaction de Dart.

Il sursauta en voyant deux individus franchir la porte de verre de l'Institut. Il reconnut instantanément le premier, pour avoir vu son portrait sur les jaquettes de ses livres.

— Seigneur, murmura-t-il dans son portable. Blaine vient de pénétrer dans le bâtiment en compagnie d'un militaire. Un capitaine, précisa-t-il en voyant les deux barrettes argent qui ornaient la tenue de camouflage du gradé.

— Voilà qui confirme vos dires... Ne tentez pas de les arrêter, ils ne doivent se douter de rien. Éclipsez-vous à la première occasion et réfugiez-vous sur le parking. Sont-ils armés ?

— Le capitaine porte une arme à la ceinture. Je ne sais pas pour Blaine.

— Bon sang, marmonna Dart.

— Et Crew ? J'étais censé l'avertir de l'arrivée de Blaine.

— N'en faites rien. Tenez-vous-en à notre plan d'action. Mes hommes attendent mon feu vert avant de décoller. Pour l'amour du ciel, laissez-les agir. Il est hors de question de prendre le moindre risque avec ce virus. L'intervention de Crew pourrait tourner à la catastrophe.

Sur ces mots, Dart raccrocha.

67

Gideon n'en revenait pas de la facilité avec laquelle il avait pu s'introduire au cœur du bâtiment. Blaine avait vu juste, les mesures de sécurité avaient été réduites au strict minimum. À la vue de son badge visiteur, aucun des rares chercheurs présents dans les locaux ne s'était inquiété de sa présence. Les caméras fixées au plafond filmaient tous ses mouvements, mais rien n'indiquait que quiconque surveillât son manège du PC sécurité.

Gideon finit par découvrir l'entrée du laboratoire, protégée par une imposante porte blindée sur laquelle était apposé un sigle biorisque orange et noir, accompagné d'un avertissement rédigé dans une dizaine de langues.

Il coula un regard à travers le hublot. Un couloir s'ouvrait sur une salle de préparation au-delà de laquelle on devinait un sas et une douche de décontamination. Des combinaisons bleu ciel, rangées par taille, pendaient sur des cintres. Sur une paillasse reposaient des piles de boîtes de Petri et de coupelles, à côté de bioréacteurs et autres appareils de laboratoire.

La porte blindée n'était pas verrouillée. Gideon avança dans la salle de préparation et fit la grimace en constatant que l'accès au sas, orné lui aussi du logo bio-risque, était équipé d'un clavier, d'un lecteur de carte magnétique et d'un scanner rétinien.

Il lui fallait réviser son plan d'action. Faute de pouvoir surprendre Blaine à l'intérieur du coffre, il allait devoir l'arrêter lorsqu'il en ressortirait, armé du virus.

La salle de préparation était le lieu rêvé pour lui tendre une embuscade. Blaine ne serait que plus vulnérable en s'apercevant que Gideon lui bloquait la retraite.

Les cabines mises à la disposition des chercheurs pour se changer lui fournissaient une excellente cachette.

Il choisit une combinaison à sa taille et se réfugia dans l'un des box dont il laissa la porte entrouverte de façon à surveiller les allées et venues. Un coup d'œil à l'écran de son téléphone lui indiqua que le signal de réception était faible, mais qu'il passait à l'intérieur du sous-sol. Aucun risque de manquer l'appel de Fordyce.

Il achevait d'enfiler sa combinaison lorsqu'il vit deux silhouettes pénétrer dans la salle de préparation. Il reconnut Blaine, accompagné d'un militaire en tenue de camouflage. Il se retourna précipitamment et ajusta le casque de sa combinaison, furieux de n'avoir pas été prévenu par Fordyce. À quelques secondes près, il se laissait surprendre par les deux hommes.

Il lorgna discrètement ceux-ci. Le militaire, un jeune capitaine d'origine hispanique aux pommettes saillantes, portait un pistolet 9 mm à la ceinture.

Si les deux hommes avaient remarqué sa présence, ils ne donnaient pas l'impression de s'en soucier.

Blaine et son complice s'équipèrent à leur tour, puis le capitaine glissa une carte magnétique dans le lecteur, composa un code sur le clavier et approcha son œil du scanner rétinien. La diode surmontant l'appareil passa au vert. Le militaire pénétra dans le sas, aussitôt suivi par Blaine. La porte se referma sur les deux hommes avec un soupir.

Gideon sortit son Colt Python, s'assura qu'il était chargé, et attendit.

68

Simon Blaine suivit le capitaine Gurulé à l'intérieur du laboratoire blindé. Il était sur un nuage, ravi de constater que son plan avait fonctionné au-delà de ses espérances. Tous les acteurs du drame avaient joué leur rôle à la perfection, qu'il s'agisse des hommes politiques, des journalistes ou du grand public. La simplicité apparente de l'opération n'en était pas moins le résultat d'une préparation minutieuse : il avait dû peaufiner son scénario, recruter et convaincre les bonnes personnes, imaginer des solutions de secours, envisager toutes les éventualités avant de passer à l'action. Ce travail de bénédictin, réalisé à grands frais, portait enfin ses fruits.

Blaine était pourtant tombé sur un os : cet excité de Gideon, qui l'avait plongé dans le désarroi en venant sonner à sa porte dès le début de l'enquête. Surtout, cet idiot avait eu la mauvaise idée de séduire Alida et de l'entraîner dans ses aventures. Un accident de parcours regrettable. *Bah*, pensa Blaine. Sa fille s'en tirerait car elle ne manquait pas de ressource, comme lui. Une fois en possession de la variole, il trouverait bien le moyen de la rallier à sa position. Elle l'avait toujours suivi jusqu'à présent. Toujours. Le lien qui les unissait était indestructible.

— Monsieur ?

Blaine releva vivement la tête. Le jeune capitaine lui tendait un tuyau d'arrivée d'air descendant du plafond de la pièce.

— Il vous suffit de le fixer sur la prise de votre combinaison. Un simple quart de tour dans le sens des aiguilles d'une montre, précisa-t-il en montrant l'exemple.

— Je vous remercie, capitaine.

Blaine s'exécuta. Le clip se referma avec un soupir, une bouffée d'air frais chargé d'une forte odeur de plastique lui caressa les narines.

— Vous avez remarqué cet homme, dans la salle de préparation ? demanda-t-il au capitaine, sa voix étouffée par son casque.

— Je ne l'ai pas reconnu, mais ne vous inquiétez pas. Il ne s'agit pas de l'un des chercheurs disposant d'un accès au coffre.

Blaine hocha la tête. Il ne regrettait pas d'avoir placé sa confiance dans son compagnon. Gurulé était l'un des microbiologistes les plus prometteurs de l'Institut, l'un des rares habilités à pénétrer dans le saint des saints. Médecin et titulaire d'un doctorat de la prestigieuse Penn State University, c'était un garçon aussi compétent qu'efficace. Un allié de rêve. Le contacter et le convaincre n'avait pas été facile, mais Blaine n'aurait jamais pu réaliser l'opération sans lui.

Le laboratoire du quatrième sous-sol était quasiment désert, comme il s'en doutait. Des caméras les filmaient en permanence, mais le temps que les enquêteurs se penchent sur ces images, le monde entier aurait appris la vraie nature de l'opération. La fausse attaque nucléaire avait brouillé les cartes à merveille.

Quelques minutes plus tard, Blaine et son complice rejoignaient la zone dans laquelle était congelé le virus de la variole, dans un immense coffre-fort parfaitement hermétique. La porte blindée, semblable à celle d'un coffre de banque, avait été adaptée à la demande de l'Institut pour résister à des températures très basses. Ainsi que l'avait expliqué le capitaine Gurulé à son commanditaire, ce coffre renfermait une large palette de microbes naturels ou artificiels, tous plus dangereux les uns que les autres.

Gurulé composa un nouveau code, inséra sa carte dans le lecteur et tourna le volant. L'énorme porte circulaire, mue par un système électronique, s'écarta sur ses gonds. Un nuage de condensation, provoqué par le brusque changement de température à l'intérieur de la chambre froide, embua les visières des casques. Blaine se sentit enveloppé par un courant d'air glacial.

D'épais manteaux pendaient à un portant à l'entrée du coffre.

— Inutile de les enfiler, déclara Gurulé. Nous n'en avons pas pour longtemps.

La lourde porte se referma derrière eux dans le claquement sec des mécanismes de verrouillage. Blaine attendit que la buée de sa visière se dissipe et regarda le décor avec intérêt.

Le coffre, immense, était meublé en son centre de plusieurs tables en acier. Dédaignant une longue série de niches munies de portes, les deux hommes pénétrèrent dans une petite pièce après en avoir déverrouillé le battant. Un coffre jaune vif couvert d'avertissements était boulonné dans un châssis métallique sur le mur du fond.

— Je vous demanderai de rester en arrière, monsieur, recommanda le capitaine à son compagnon.

Blaine lui obéit, impatient d'assister à la suite.

Gurulé s'approcha de l'enceinte de sécurité biologique, composa un code et introduisit une clé spéciale dans une fente aménagée en façade. En tournant la clé,

il déclencha une alarme tandis qu'une lampe jaune cli-
gnotait au plafond.

— Que se passe-t-il ? s'enquit Blaine d'une voix
anxieuse.

— C'est normal, le rassura Gurulé. L'alarme retentit
tant que l'enceinte de sécurité est ouverte. Il n'y a personne pour s'en inquiéter.

Blaine coula un regard à l'intérieur de l'enceinte et
découvrit la série des cylindres congelés contenant les
souches de *variola*. Il frissonna en pensant au cocktail
de souffrance et de mort contenu dans chacun de ces
petits cylindres.

Le jeune capitaine sortit l'un d'eux de son encoche. Il
examina attentivement la série de chiffres gravée sur le
tube. Il hocha machinalement la tête, prit dans la poche
de sa combinaison un cylindre identique qu'il déposa à
la place de celui qu'il venait de retirer.

Chaque cylindre était conçu pour conserver le virus
congelé un minimum de soixante-douze heures. Plus de
temps qu'il ne leur en fallait.

Gurulé referma la porte de l'enceinte de sécurité, la
verrouilla, et le hululement grave s'arrêta. Il regagna
ensuite avec Blaine la première pièce du coffre-fort et
déposa le cylindre sur l'une des tables en acier. L'étape
suivante s'annonçait délicate, et Blaine retint son
souffle.

Gurulé plaça le cylindre sur la platine d'un stéréo-
microscope. Il examina le tube pendant cinq bonnes
minutes avant d'y apposer une marque. Sortant un scalpel de la poche de sa combinaison, il découpa avec une
précision chirurgicale le petit carré de plastique blanc
contenant la puce d'identification et la jeta par terre.

Blaine fut à nouveau parcouru d'un frisson. Ses
doigts commençaient à s'engourdir sous l'effet du froid.
À l'inverse, son compagnon paraissait imperméable à la

température, de l'ordre de moins quarante degrés, qui régnait à l'intérieur du coffre.

— Je vais récupérer ceci, si ça ne vous ennuie pas, dit-il au capitaine en désignant le cylindre.

Gurulé le lui tendit.

— Je vous engage à la plus grande prudence. Si jamais vous le faites tomber, le monde tel que nous le connaissons cessera d'exister.

Quelques instants plus tard, ils quittaient enfin le coffre. Il leur fallut attendre plus longtemps cette fois que la vitre de leur casque se désembue, mais l'opération se déroulait jusque-là sans encombre.

Ils regagnèrent le sas où les attendait la douche de décontamination. Le sas ne pouvant accueillir qu'une personne à la fois, Gurulé y pénétra le premier. La porte se referma automatiquement avec un bruit mat et Blaine reconnut le sifflement caractéristique signalant l'aspersion de produits chimiques. La porte se rouvrit et l'écrivain prit place à son tour dans le sas. Il se sentit arrosé par un jet puissant tandis qu'une voix métallique lui demandait de lever les bras et de pivoter sur lui-même.

L'opération terminée, la porte donnant sur la salle de préparation s'ouvrit. Avant même qu'il ait pu avancer d'un pas, le canon d'une arme se posa sur la visière de son casque.

— Donnez-moi la souche de variole, lui ordonna une voix qu'il reconnut instantanément comme étant celle de Gideon Crew.

69

Stone Fordyce entendit le bourdonnement de l'héli-coptère quelques instants avant de voir apparaître un Black Hawk UH-60 volant en rase-mottes. L'appareil se posa à l'extrémité du parking, près des engins mili-taires, et l'agent fédéral dut se réfugier derrière un Humvee afin d'échapper à la puissance du souffle. Les rotors ralentirent, la porte latérale de l'hélico s'ouvrit et six commandos jaillirent de la carlingue, lourdement harnachés et armés de fusils M14.

Une silhouette en civil se laissa tomber sur le sol à leur suite. À la fois surpris et soulagé, Fordyce recon-nut Myron Dart. Sa présence à Fort Detrick était bien la preuve qu'il avait eu raison de ne pas écouter Gideon.

Dart et les commandos se regroupèrent devant l'entrée de l'Institut. Voyant Fordyce sortir de sa cachette, le directeur du Sun lui fit signe de le rejoindre.

L'agent fédéral s'approcha au pas de course et les commandos, un lieutenant, un adjudant et quatre hommes de troupe, se déployèrent en éventail autour de lui.

— Ils sont toujours à l'intérieur ? demanda Dart en avançant.

Fordyce hocha la tête.

— Et Crew ?

— À ma connaissance, il est toujours au quatrième sous-sol. Je ne l'ai pas appelé, conformément à vos instructions.

— Aucun signe d'affrontement ?

— Non.

— Aucune alerte ? Aucune alarme ?

— Rien à signaler. Tout est calme.

— Parfait.

Dart regarda sa montre.

— D'après mes calculs, ils sont à l'intérieur depuis quatorze minutes.

Il fronça les sourcils avant d'enchaîner.

— Excellent travail, agent Fordyce. À présent que votre mission est terminée, laissons agir les professionnels. Afin d'éviter toute anicroche, je vous demanderai de bien vouloir me confier votre arme de service.

Fordyce sortit son pistolet de son étui et le tendit machinalement à Dart, crosse en avant.

— Pourquoi avez-vous besoin de mon arme ? s'enquit-il, intrigué.

Dart inséra une balle dans le canon en tirant la culasse vers l'arrière, puis il pointa l'arme sur la poitrine de Fordyce.

— Pourquoi ? Tout simplement parce que j'en ai besoin pour vous tuer.

Une détonation assourdissante, accompagnée d'un éclair aveuglant, et Fordyce se sentit projeté en arrière, frappé de plein fouet par le projectile. Il n'avait jamais été aussi surpris de toute son existence. Les yeux écarquillés, il vit basculer sur lui un ciel d'été d'un bleu improbable sans avoir pu comprendre ce qui lui était arrivé. Une fraction de seconde plus tard, le bleu virait définitivement au noir.

70

Blaine se pétrifia en voyant le canon du Python se poser sur la visière de son casque. Profitant de l'effet de surprise, Gideon glissa la main dans la poche de l'écrivain. Ses doigts se refermèrent sur le cylindre congelé qu'il empocha délicatement. Tout en tenant Blaine en respect, il retira son propre casque de façon à mieux voir et respirer.

— Gideon, murmura Blaine d'une voix tremblante.

— Allongez-vous tous les deux à plat ventre, les bras au-dessus de la tête, ordonna Gideon à ses deux prisonniers.

— Écoutez-moi, de grâce... tenta Blaine d'une voix étouffée par le casque.

Gideon tira en arrière le chien du Colt.

— Faites ce que je vous dis.

Il avait du mal à contenir le tremblement de ses mains. L'idée de tuer le père d'Alida l'horrifiait, mais la situation était trop grave pour qu'il puisse s'autoriser la moindre faiblesse.

Le vieil homme et le capitaine s'allongèrent sur le sol, les bras tendus. Les deux hommes avaient conservé leurs pistolets sous leur combinaison, les désarmer ne serait pas aisé. Gurulé pourrait bien donner à Gideon du fil à retordre. Le Colt au poing, il saisit son portable et composa le numéro de Fordyce.

La sonnerie résonna dans le vide et l'appel bascula sur messagerie.

Gideon rangea son portable. Fordyce se trouvait certainement dans un endroit où le signal ne passait pas. Voilà qui expliquait le silence de l'agent fédéral au moment de l'arrivée de Blaine. Gideon allait devoir se débrouiller seul.

Il se pencha au-dessus du capitaine.

— Retirez votre casque d'une main en gardant l'autre bien en vue. Si vous tentez quoi que ce soit, je vous abats sans hésitation.

Gurulé s'exécuta.

— À votre tour, Blaine.

L'écrivain avait à peine ôté son casque qu'il ouvrait la bouche.

— Gideon, vous devez absolument m'écouter...

— Taisez-vous.

Gideon en avait la nausée. Il se tourna vers le jeune officier.

— Levez-vous très lentement. Retirez votre combinaison avec la main gauche en maintenant le bras droit loin du corps. Au moindre mouvement, je tire, ajouta-t-il à l'adresse des deux prisonniers.

Gurulé s'exécuta sans rien tenter. Le ton de Gideon ne laissait planer aucun doute sur la réalité de ses intentions.

Débarrassé de sa combinaison, le capitaine se remit en position allongée. Gideon le fouilla et le délesta de son 9 mm avant de lui entraver les poignets derrière le dos à l'aide de fil chirurgical trouvé sur l'une des paillasses de la pièce.

— À votre tour, dit-il à Blaine. Retirez votre combinaison comme le capitaine.

— Pour l'amour d'Alida, je vous conjure de m'écouter...

— Un mot de plus et je vous tue, gronda Gideon, les joues en feu.

Il s'était efforcé de repousser le plus loin possible le visage d'Alida, et voilà que son enfoiré de père sortait la seule carte maîtresse dont il disposait.

Blaine se tut et retira sa tenue bleue.

Gideon le fouilla et trouva sur lui un Colt Peacemaker de calibre .45 à la crosse en corne qu'il glissa dans son dos.

— Allongez-vous.

Blaine obéit et Gideon lui lia les poignets à son tour.

Pourquoi Fordyce n'était-il pas là ? Il aurait dû rejoindre Gideon depuis longtemps. Et s'il avait été tué par Blaine et son complice ? Impossible. Les deux hommes ne soupçonnaient rien en arrivant à l'Institut. Fordyce avait-il été arrêté ?

Gideon avait impérativement besoin d'aide, le moment était venu de contacter Glinn.

Il dépliait son portable lorsqu'un bruit de bottes résonna dans le couloir. Il recula précipitamment en voyant la porte s'ouvrir à la volée. Une escouade de soldats se rua dans la pièce, l'arme au poing.

— *Personne ne bouge !* cria le leader du groupe d'intervention. *Lâchez votre arme !*

Submergé par le nombre, Gideon vit avec consternation une demi-douzaine d'armes automatiques se braquer sur lui. *Putain, voilà pourquoi je n'avais plus de nouvelles de Fordyce ! La sécurité m'a repéré grâce aux caméras de surveillance et on m'envoie la cavalerie.* Il leva les mains en l'air, veillant à garder le Python et le 9 mm bien en vue.

Dart fit irruption dans la salle de préparation au même moment.

— Dart ? s'exclama Gideon en ouvrant de grands yeux. Que se passe-t-il ?

— Tout va bien, répondit le directeur du Sun d'une voix posée. Je prends le relais.

— Qu'avez-vous fait de Fordyce ?

— Il est resté près de l'hélicoptère. C'est lui qui m'a contacté, à votre insu. Il m'a tout expliqué. Je constate que vous vous êtes bien débrouillé jusqu'à présent, mais nous prenons l'affaire en main.

Gideon n'était toujours pas revenu de sa surprise.

— Ne vous inquiétez pas, je suis au courant de tout. Le synopsis de Blaine, le virus de la variole, le chantage. Tout va bien.

Fordyce avait donc appelé le Sun. Et Dart l'avait cru, au point de se déplacer en personne. Incroyable. Gideon se sentit envahi par un immense soulagement à présent que le cauchemar était terminé.

— Qui a le virus ? l'interrogea Dart.

— Moi.

— Donnez-le-moi, je vous prie.

Gideon hésita, pris d'un mauvais pressentiment.

Dart tendit la main.

— Donnez-le-moi, répéta-t-il.

— Commencez par passer les menottes à ces deux fripouilles et évacuez-les, rétorqua Gideon. Pendant ce temps, je remets moi-même le virus à l'abri dans le coffre.

Les traits de Dart se crispèrent.

— Pourquoi tant d'histoires ?

Gideon aurait été bien incapable de répondre, sinon que Dart semblait un peu trop empressé à son goût.

— Je ne fais pas d'histoires. Je pense simplement qu'il est préférable de le replacer tout de suite dans le coffre.

— Pourquoi pas, après tout ? Mais vous allez devoir abandonner vos armes, à cause du portique de sécurité.

Gideon recula d'un pas.

— Le capitaine est entré dans le coffre avec son 9 mm sans la moindre difficulté. Il n'a franchi aucun portique de sécurité.

Son cœur battait à tout rompre. Dart était-il en train de l'embobiner ?

Le patron du Sun se tourna vers ses hommes.

— Désarmez cet homme.

Les M14 se relevèrent d'un même mouvement, sans que Gideon esquisse un geste.

Le lieutenant de l'unité d'intervention sortit un pistolet de l'étui qu'il portait à la ceinture et posa le canon de l'arme sur la tempe de Gideon.

— Vous avez entendu. Je compte jusqu'à cinq. *Un, deux, trois...*

Gideon lui tendit le Python, le 9 mm et le Peacemaker.

— Le virus, à présent.

Gideon chercha à déchiffrer les traits de Dart. Celui-ci le croyait-il impliqué dans le complot ? Non, l'explication ne tenait pas debout.

Son attitude s'expliquait autrement.

— Faites appeler le directeur de l'Institut, proposa Gideon. Je lui donnerai le virus en personne.

— Vous allez me le donner à *moi*, lui rétorqua Dart.

Gideon n'avait pas le choix. Ses adversaires avaient tous les atouts en main.

— Très bien. Dites au lieutenant de reculer. Je ne vous rends rien du tout tant que j'aurai un pistolet braqué sur la tempe.

Dart adressa un geste au leader de l'unité d'intervention, qui fit un pas en arrière, sans cesser de mettre en joue Gideon.

Gideon sortit le cylindre de sa poche.

— Doucement, lui conseilla Dart.

Gideon tendit la main. Dart s'approcha, prêt à saisir le cylindre.

— Tuez-le, ordonna-t-il à ses hommes.

71

Dart avait parlé trop tôt. Les doigts serrés autour du cylindre, Gideon repoussa le directeur du Sun d'un coup d'épaule et brandit le virus au-dessus de sa tête.

— Ne tirez pas ! hurla Blaine, toujours allongé au sol.

Le temps donna l'impression de s'arrêter. À l'image de Dart, le lieutenant et ses hommes s'étaient figés.

— Lâchez tous vos armes, leur ordonna Gideon.

Il fit mine de jeter le cylindre par terre. Dart bondit en arrière.

— Pour l'amour du ciel, ne le faites pas tomber ! s'écria Blaine en se relevant difficilement, embarrassé par ses poignets ligotés dans le dos.

Il se tourna vers Dart.

— Vous avez agi comme un imbécile. Il ne fallait pas employer la manière forte avec lui.

Dart, le front dégoulinant de sueur, était livide.

— Commencez par me libérer, enchaîna Blaine en soulignant son ordre d'un mouvement de menton en arrière.

Dart saisit un scalpel sur une paillasse et cisailla le fil chirurgical.

Blaine se massa les poignets et posa ses yeux bleus sur Gideon tout en s'adressant au capitaine :

— Relevez-vous, Gurulé. Inutile de poursuivre cette mascarade plus longtemps. Quant à vous, lieutenant, ordonnez à vos hommes de baisser leurs armes !

Dart, après une hésitation, signifia son accord à ses hommes.

— Mon Colt, gronda Blaine, la main tendue en direction de Dart.

Celui-ci obtempéra. Blaine soupesa le Peacemaker, fit rouler le cylindre et coinça l'arme dans sa ceinture, tandis que Gurulé récupérait à son tour le 9 mm.

Gideon observait la scène, le cylindre brandi au-dessus de sa tête.

— Je vous jure que je brise le cylindre de virus si vous ne vous allongez pas tous par terre. Immédiatement !

— Gideon, Gideon, le tempéra Blaine d'une voix douce en secouant la tête. Écoutez au moins ce que j'ai à vous dire.

Gideon ressentit un pincement au cœur. *Si jamais il prononce le nom d'Alida...*

— Savez-vous ce qui nous a poussés à monter cette opération ?

— Vous avez l'intention de rançonner la planète. J'ai lu votre synopsis. Seul l'argent vous intéresse.

— Je vois, rétorqua Blaine en étouffant un petit rire. Vous vous trompez complètement sur nos motivations. Cette histoire de rançon était bonne pour un thriller, mais elle ne correspond pas à la réalité dans le cas présent. L'argent ne nous intéresse nullement. Notre but est beaucoup plus noble. Souhaitez-vous en savoir davantage ?

Gideon était curieux d'entendre Blaine s'expliquer.

L'écrivain désigna Dart.

— Mon ami Myron, à qui je soumettais parfois mes idées de roman, m'a convaincu un jour que l'intrigue d'*Opération Cadavre* valait mieux qu'un simple scénario de thriller. Il était convaincu que l'opération pouvait réussir dans la réalité.

Gideon l'écoutait en silence.

— Je vous raconte tout ceci car je suis à peu près certain que vous aurez à cœur de vous joindre à nous. Vous êtes l'un des êtres les plus intelligents que je connaisse, je ne doute pas que vous compreniez. Et puis vous aimez ma fille.

Le visage de Gideon se ferma.

— Laissez Alida en dehors de tout ça.

— Vous perdez votre temps, Blaine ! s'interposa Dart.

— Pas du tout, répondit calmement l'écrivain en adressant un sourire à Gideon. Surtout si ces quelques minutes nous permettent d'éviter un accident. Franchement, Gideon, je vous vois mal briser ce cylindre, au risque de provoquer des millions de morts.

Il haussa un sourcil d'un air inquisiteur.

— Je n'hésiterai pas si c'est le prix à payer pour vous empêcher de vous en emparer.

— Mais enfin ! Vous ne savez même pas à quelles fins nous comptons utiliser ce virus ! plaida Blaine sur un ton affable.

Gideon afficha un air buté.

— J'ai travaillé autrefois pour le MI6, le renseignement britannique. Le capitaine Gurulé, ici présent, appartient à la CIA. Quant à Dart, il n'est pas seulement le directeur du Sun, il a également œuvré un temps pour la DIA, l'Agence du renseignement pour la défense. Notre implication dans le monde du renseignement nous a tous convaincus d'une réalité qui échappe au commun des mortels : l'Amérique d'aujourd'hui est en guerre. Elle affronte un ennemi qui fait passer les Soviétiques pour des enfants de chœur.

Gideon attendait la suite.

— Il en va de la survie de la nation tout entière, continua Blaine. L'ennemi dont je vous parle n'a aucun état d'âme. Il est travailleur, sobre, et intelligent. Il possède la deuxième économie de la planète et dispose d'une croissance cinq fois supérieure à la nôtre. Il est doté d'une armée puissante, de missiles sophistiqués et d'un arsenal nucléaire en pleine expansion.

» L'ennemi en question économise quarante pour cent de ses revenus, possède plus de jeunes diplômés qu'il n'y a de citoyens américains. Dans son pays, plus de gens apprennent actuellement l'anglais qu'il n'existe d'anglophones à travers la planète. Ses ressortissants savent tout de nous alors que nous ne savons rien d'eux. Poussé par ses visées coloniales, il occupe et asservit la plupart des nations indépendantes situées à ses portes.

» Cet ennemi s'est ouvertement emparé de nos brevets, nous privant de plusieurs milliers de milliards de dollars de revenus. En échange, il nous inonde de produits douteux tout en refusant de se plier aux règles du commerce international. Ses dirigeants sont corrompus, bafouent ouvertement la liberté d'expression comme la liberté religieuse, assassinent et incarcèrent quotidiennement journalistes et dissidents. Faute de posséder du pétrole, cet ennemi est passé maître dans la conception et la commercialisation des énergies solaire, éolienne et nucléaire, menaçant de succéder à l'Arabie Saoudite dans le leadership du marché énergétique. Il a réussi à accumuler près de deux mille milliards de dollars de nos propres réserves en appliquant une politique commerciale inique. Cette dette, si elle était brusquement négociée sur le marché mondial, suffirait à anéantir notre économie en l'espace de vingt-quatre heures. Pour résumer la situation, l'ennemi dont je vous parle nous tient par les couilles.

» Pire, il nous méprise. À la vue de notre système politique fédéral, il a conclu à l'échec de la démocratie. Ses dirigeants pensent que les Américains sont faibles, paresseux, geignards, prétentieux et suffisants, ce en quoi ils n'ont pas entièrement tort.

Emporté par sa diatribe, Blaine transpirait à grosses gouttes. Gideon, abasourdi par ce qu'il venait d'entendre, brandissait toujours le cylindre de plastique et de verre contenant le virus.

— Fort de sa supériorité démographique et financière, cet ennemi a décidé de nous mettre à genoux. Pendant ce temps, l'Amérique reste les bras ballants. La guerre qui nous oppose est perdue d'avance car l'ennemi est prêt à se battre, alors que nous avons déjà rendu les armes.

L'écrivain se pencha vers Gideon, les yeux brillants.

— Eh bien, je peux vous dire que nous ne sommes pas disposés à nous rendre sans combattre. Ceux qui sont présents ici, avec l'aide d'une poignée d'individus tout aussi décidés, refusent de céder. En un mot, nous avons choisi de sauver notre patrie.

Gideon peinait à rassembler ses pensées, hypnotisé par son interlocuteur.

— À quelles fins comptez-vous utiliser la variole ? demanda-t-il.

— Vous l'avez probablement deviné. La prochaine étape consiste à infecter cinq de leurs plus grandes villes. La surpopulation de l'ennemi constitue son point faible. À l'annonce de l'épidémie, le reste du monde le mettra en quarantaine, conformément aux préconisations détaillées dans un rapport ultraconfidentiel de l'Otan.

Il ponctua sa phrase d'un sourire triomphal, comme si l'opération était déjà en cours.

— L'ennemi se trouvera brusquement confiné à l'intérieur de ses propres frontières. Les liaisons routières, ferroviaires, portuaires et aériennes seront bloquées. Le temps que l'ennemi vienne à bout du fléau qui le frappe, son économie retrouvera son niveau des années cinquante. Des années *1850* !

— Ils répliqueront en déclenchant une guerre atomique.

— Sans doute, mais leur arsenal nucléaire est limité, et de piètre qualité. Nous parviendrons à détruire en vol la plupart de leurs missiles. Si d'aventure certaines de nos villes étaient touchées, nous réagirions de façon massive. La guerre a toujours un prix.

Gideon le dévisagea avec un regard horrifié.

— Vous êtes complètement fou. Ces gens-là ne sont pas nos ennemis. Votre plan est démoniaque.

— Ne me dites pas que vous êtes idiot à ce point ! le supplia Blaine. Joignez-vous à nous, Gideon. Allons, donnez-moi ce virus.

Gideon se rapprocha de la porte à reculons.

— Je refuse de me rendre complice d'une telle folie.

— Ne me décevez pas. Vous êtes suffisamment intelligent pour comprendre que j'ai raison. Je vous demande de réfléchir. N'oubliez pas que l'ennemi en question a assassiné trente millions de ses propres citoyens il y a moins de cinquante ans. Ces gens-là n'ont pas le même respect de la vie humaine que nous. Ils n'hésiteraient pas à nous tuer s'ils en avaient les moyens.

— Ce que vous dites est monstrueux. Vous parlez d'assassiner des millions d'individus. J'en ai assez entendu.

— Pensez à Alida…

— *Fichez-moi la paix avec Alida !* s'énerva Gideon.

Dart et ses hommes reculèrent, affolés, en le voyant agiter le virus d'une main tremblante.

— Non ! tenta de l'arrêter Blaine. Attendez !

— Dites à vos hommes de lâcher leurs armes ! À mon tour de compter jusqu'à cinq. *Un… !*

— Au nom du ciel, ne faites pas ça ! l'implora Blaine. Pas ici, aussi près de Washington ! En répandant cette souche de variole dans la nature, vous feriez précisément ce que nous avions l'intention de...

— Dites à vos hommes de déposer leurs armes ! *Deux... !*

— Mon Dieu, murmura Blaine d'une voix tremblante. Gideon, je vous en supplie...

— *Trois...*

— Vous n'en aurez pas le courage.

— Regardez-moi dans le blanc des yeux si vous ne me croyez pas. *Quatre...*

Blaine sursauta en voyant Gideon tendre le bras en arrière.

— Baissez vos armes ! ordonna-t-il aux soldats de l'unité d'intervention. Posez-les par terre !

— *Cinq !* hurla Gideon.

— Vite ! Vite !

Les soldats, terrifiés, jetèrent leurs fusils avec fracas sur le sol. Le lieutenant et Dart les imitèrent.

— Les mains en l'air ! aboya Gideon.

Une forêt de bras se levèrent.

— Ne faites pas ça, espèce de salopard ! grinça Dart.

Gideon disposait de quelques secondes à peine. Le bras levé, il recula jusqu'à la porte qu'il ouvrit d'un coup de pied en arrière. Au moment de franchir le seuil, il jeta le cylindre de toutes ses forces sur le sol de la salle de préparation et remonta le couloir à toutes jambes.

Tout en s'enfuyant, il entendit la fiole se briser sur le carrelage dans un tonnerre de cris. Au-dessus de la mêlée s'éleva le hurlement poussé par Blaine : le rugissement d'un lion blessé à mort.

72

Simon Blaine, frappé d'horreur, vit le cylindre éclater en mille morceaux sur le sol, son contenu se répandre dans un bref nuage de condensation et fondre au contact du carrelage.

Il poussa un hurlement animal en voyant défiler devant ses yeux horrifiés les images atroces d'une Amérique touchée au cœur par le virus : la mise en quarantaine de la région de Washington, la propagation de la maladie, les tentatives de vaccination désespérées et tardives, l'épidémie galopante, l'intervention de la Garde nationale, les émeutes, les ports fermés, les frontières bouclées, le couvre-feu, l'état d'urgence, les bombardements, la guerre avec le Canada et le Mexique, l'effondrement inéluctable de l'économie américaine. Le drame qui se déroula sous ses yeux en un éclair était d'autant plus réaliste qu'il en avait mesuré toute l'horreur lors des simulations par ordinateur effectuées avec ses complices.

Lui et ses compagnons étaient infectés, cela ne faisait guère de doute à ses yeux. La quantité de virus stockée dans le cylindre aurait suffi à infecter cent millions de personnes. Le virus avait déjà pénétré leurs poumons, tous ceux qui se trouvaient dans la pièce étaient des morts en sursis.

Les cris des soldats le ramenèrent à la réalité.

— Ne bougez pas, ordonna-t-il d'une voix autoritaire. Arrêtez de crier et de vous exciter, c'est le seul moyen d'éviter que l'air circule. Taisez-vous !

Un silence de mort lui répondit.

— Commençons par boucler le bâtiment, poursuivit-il avec un calme dont il était le premier surpris. Tout de suite ! À condition de ne laisser sortir personne, nous parviendrons peut-être à contenir le virus.

— Et nous ? lui demanda Dart, le visage livide.

— Nous sommes fichus, répondit froidement Blaine, mais nous pouvons encore sauver le pays.

Pris de terreur, l'un des soldats se rua dans le couloir en poussant un hurlement. Sans l'ombre d'une hésitation, Blaine ramassa son revolver, visa et tira. Le vieux Peacemaker tressauta dans sa main en aboyant et le soldat s'effondra.

— Rien à foutre de vos conneries. J'enfile une combinaison, réagit Dart d'une voix brisée. Nous serons en sécurité dans le coffre !

Dans sa précipitation, il fit tomber plusieurs combinaisons que les soldats s'arrachèrent aussitôt dans la plus grande confusion.

Blaine observait la scène avec désespoir. La réaction de ses comparses était le préambule du mouvement de panique généralisé qui attendait le pays.

Son regard s'arrêta sur les traces humides laissées par le virus congelé sur le carrelage. Comment Gideon avait-il pu commettre un crime aussi monstrueux ? Ce réflexe suicidaire cadrait mal avec le personnage.

Intrigué, il se mit à quatre pattes et ramassa les débris du cylindre brisé. Un minuscule numéro de série figurait sur l'un des éclats du tube de verre, accompagné de la mention :

GRIPPE A/H9N2

— Gideon nous a roulés ! s'écria-t-il. Il ne s'agit pas de la variole, mais d'un virus de grippe ! Il a trouvé le moyen d'échanger les échantillons à notre insu. Vite ! Fouillez le bâtiment ! *Il a gardé le virus de la variole sur lui !*

73

Gideon remonta le couloir au pas de course, prévoyant de quitter le bâtiment par l'arrière. Dart pouvait fort bien avoir posté plusieurs de ses hommes dans le hall d'entrée. En outre, le parking où il avait garé la jeep se trouvait derrière l'Institut.

Encore lui fallait-il trouver une issue de secours.

Il grimpa les marches quatre à quatre jusqu'au rez-de-chaussée et courut vers le fond du bâtiment, armé du précieux cylindre. Il perdit de précieuses secondes en détours inutiles, contraint de revenir sur ses pas chaque fois qu'il rencontrait une porte verrouillée.

Le temps lui était compté. Sa ruse pouvait être éventée à tout instant. Ses talents d'escamoteur lui avaient été d'un précieux secours, une fois de plus. Aucun de ses adversaires ne l'avait vu prendre un cylindre posé sur l'une des paillasses alors qu'il gagnait la porte à reculons.

À force d'errer dans les profondeurs de l'Institut, il découvrit un long couloir débouchant sur une salle d'attente aux parois de verre au fond de laquelle il aperçut une issue de secours barrée d'un écriteau rouge et blanc : « Attention alarme ». Il se dirigeait vers la porte lorsqu'une silhouette lui bloqua le passage : le capitaine Gurulé.

Seigneur, le répit aura été de courte durée...

Gideon fonça sur le jeune officier et le repoussa violemment contre l'issue de secours en faisant voler l'arme qu'il tenait au poing. La porte s'ouvrit brutalement en déclenchant une sirène. Gurulé, un instant hébété, se releva d'un bond et sauta sur Gideon qu'il étrangla d'une clé. Gideon se défendit en écrasant le nez de son adversaire du plat de la main. Gurulé lâcha prise et Gideon en profita pour se libérer.

Les deux hommes s'affrontèrent du regard. Gurulé s'ébroua afin de chasser le sang qui lui coulait du nez. De son côté, Gideon s'assura que la fiole contenant le virus était intacte au fond de sa poche.

Gurulé pivota sur lui-même et visa du pied l'aine de son adversaire. Gideon se jeta de côté et le coup l'atteignit à la hanche, à quelques centimètres du précieux cylindre. Projeté contre le mur, il se recroquevilla sur lui-même dans l'espoir de protéger la fiole. Gurulé lui envoya une droite en pleine mâchoire et Gideon s'effondra sur le sol.

— La variole ! hoqueta-t-il, du sang plein la bouche. Ne... !

Gurulé, trop enragé pour l'écouter, lui martela la poitrine avec les poings avant de lui assener un coup de pied dans les côtes. Sous la violence du choc, la fiole s'échappa de la poche de Gideon et roula dans un coin. Pétrifiés par la peur, les deux hommes la virent rebondir contre la plinthe avant de s'immobiliser un peu plus loin, intacte.

Gurulé se rua sur le cylindre, mais Gideon, enfin délivré de sa dangereuse cargaison, le roua de coups à hauteur des reins. Le capitaine ploya sous le choc et Gideon lui expédia un coup de pied au menton. Gurulé se releva à la vitesse de l'éclair, pivota sur lui-même avec agilité, lança une jambe en l'air et projeta Gideon à terre avant de se jeter sur lui et de lui mordre cruellement l'oreille. Aiguillonné par la douleur, Gideon se dégagea d'un coup de poing à la gorge, puis il se retourna, saisit Gurulé par les cheveux et le secoua comme un prunier avant de lui enfoncer le genou en plein visage. L'officier s'écroula en arrière et Gideon acheva de l'assommer en lui frappant la nuque contre le sol à plusieurs reprises.

Il ramassait le pistolet tombé un peu plus loin lorsque deux soldats firent irruption dans la salle vitrée. Gideon abattit le premier d'une balle. Le second se réfugia précipitamment derrière une cloison et tira une rafale qui fit voler en éclats l'une des portes de verre.

Gideon se rua par l'issue de secours ouverte et zigzagua à travers le parking dans l'espoir d'éviter les projectiles qui pleuvaient autour de lui en ricochant sur l'asphalte. Il se réfugia derrière la voiture la plus proche qui fut instantanément criblée de balles. Tout en ripostant, il chercha des yeux le cylindre contenant le virus : la fiole se trouvait toujours contre la plinthe qui avait arrêté sa course.

Avant d'avoir pu réfléchir au moyen de la prendre, il vit Blaine surgir dans la salle d'attente, récupérer le virus et disparaître dans les profondeurs du bâtiment en criant à ses hommes de le suivre.

— Non ! hurla Gideon.

Il pressa la détente, mais il était trop tard, les soldats s'étaient évanouis après avoir tiré une ultime rafale dans sa direction.

La variole était entre les mains de ses adversaires.

Pris de vertige, Gideon s'appuya un instant contre la carrosserie de l'auto qui l'avait protégé. Le corps endolori, du sang plein la bouche, il quitta son abri et contourna l'Institut au pas de course. L'hélicoptère de Dart, un Black Hawk UH-60, attendait face à l'entrée, prêt à décoller. Blaine et Dart avaient déjà pris place à bord, les derniers soldats montaient dans l'appareil. Au pied de l'appareil, baignant dans une mare de sang, gisait un corps sans vie.

Fordyce.

Une bouffée d'impuissance et de rage le submergea.

Le Black Hawk s'élevait dans les airs lorsqu'une rafale s'échappa de l'habitacle. Gideon se jeta derrière un véhicule dont la carrosserie crépita sous les impacts de balles. Emporté par la fureur, il prit appui des deux coudes sur le capot de la voiture sans se soucier des projectiles qui lui sifflaient aux oreilles, visa le rotor principal et tira à deux reprises avec le 9 mm de Gurulé. Un bruit sourd, accompagné d'une pluie d'écailles de peinture et d'un grincement sinistre, lui confirma que l'une des balles avait fait mouche. Indifférent aux rafales de l'adversaire, il fit feu une troisième fois. Un nuage de fumée noire s'échappa du bloc moteur en enveloppant les pales. L'appareil oscilla dans l'air de façon indécise, tournoya sur lui-même et retomba de travers avec un bruit de ferraille. Le rotor de queue frappa le macadam de plein fouet, ses pales explosèrent en projetant des éclats dans toutes les directions.

Trois soldats sautèrent de la carcasse en ouvrant le feu à l'aide de leurs fusils M14, suivis par Dart et Blaine. Les balles déchiquetèrent la carrosserie de la voiture derrière laquelle était tapi Gideon. Ce dernier, protégé par le bloc moteur, baissa la tête pour échapper à la tornade de verre et de ferraille qui s'abattait sur lui.

Les tirs cessèrent brusquement. Gideon coula un regard au-dessus du capot et vit ses adversaires monter dans le Humvee à bord duquel était arrivé Blaine. Les portières du véhicule claquèrent et il démarra sur les chapeaux de roue au moment où l'hélicoptère en feu explosait dans un fracas de fin du monde.

Gideon se protégea du souffle brûlant de la déflagration en se couvrant la tête avec les bras, puis il se releva d'un bond, contourna la carcasse fumante de l'hélico en courant de toutes ses forces et vida son chargeur en direction du Humvee dans un réflexe de rage.

Le souffle court, il regarda désespérément les alentours. La jeep était garée trop loin, jamais il ne pourrait rattraper Dart et Blaine s'il allait la chercher.

Le garage de la base représentait encore sa meilleure chance. Il traversa la chaussée en quelques enjambées, escalada la porte grillagée d'un bond et se laissa retomber de l'autre côté. Il courut jusqu'au Humvee le plus proche et glissa un œil dans l'habitacle. Pas de clé. Il répéta la manœuvre avec les suivants, en vain.

Poussé par l'énergie du désespoir, il se retourna et aperçut des tanks M1, des blindés MRAP, ainsi que plusieurs Stryker d'allure inquiétante, avec leurs tourelles et leurs énormes roues.

Le mécanicien entraperçu à son arrivée avec Fordyce jaillit d'un hangar, une clé anglaise à la main.

— Qu'est-ce qui se passe ? demanda-t-il, ahuri, en découvrant la carcasse fumante de l'hélicoptère.

Gideon le délesta de sa clé anglaise d'une manchette et lui fourra le canon de son 9 mm vide sous le nez.

— Il se passe qu'on va monter tous les deux dans ce blindé, rétorqua Gideon en l'entraînant vers le Stryker.

74

Le mécanicien grimpa de mauvaise grâce à bord du blindé, suivi par Gideon.

— Donne-moi ton arme, lui ordonna ce dernier.

Le mécanicien détacha l'étui qu'il portait à la ceinture et obéit.

— Maintenant, passe-moi les clés.

Le type fouilla ses poches et tendit à Gideon une clé de contact. Le temps de la glisser dans le démarreur et le diesel du Stryker ronronnait. Tout en surveillant son prisonnier du coin de l'œil, Gideon examina hâtivement le tableau de bord et les commandes. Si le volant, le levier de vitesse, les pédales de frein et d'accélérateur n'étaient pas différents de ceux d'un camion, l'électronique embarquée et les nombreux écrans du tableau de bord trahissaient un maniement infiniment plus complexe.

— Tu sais te servir de cet engin ? demanda Gideon.

— Va te faire voir.

Une fois passé le premier moment de surprise, le soldat avait repris ses esprits. La colère et la révolte se lisaient sur ses traits. Tout maigre avec une coupe en brosse, tout juste la vingtaine, il affichait un air déterminé. Son nom s'étalait en lettres capitales sur sa combinaison de mécanicien : JACKMAN.

Gideon s'obligea à se calmer. Sans le mécanicien, jamais il ne parviendrait à conduire cet engin.

— Écoute-moi, Jackman. Désolé de t'avoir menacé avec ce pistolet, mais je devais réagir dans l'urgence. Les occupants de l'hélico se sont emparés d'un virus mortel conservé à l'Institut avant de s'enfuir à bord d'un Humvee. Ce sont des terroristes. Ils ont l'intention de lâcher ce virus dans la nature.

— Je les ai vus. C'était des soldats, le contredit Jackman.

— Ils étaient *déguisés* en soldats.

— C'est toi qui le dis.

Vite, trouver un argument convaincant.

— Tu as vu ce corps sur le parking ?

Jackman acquiesça.

— C'est celui de mon coéquipier, l'agent Stone Fordyce du FBI. Ces salauds l'ont abattu de sang-froid. Ils ont dérobé une fiole contenant le virus de la variole. Ils comptent l'utiliser pour déclencher une guerre.

— Tu crois peut-être que je vais gober ces conneries ? s'énerva le mécano.

— Je te *supplie* de me croire.

— Tue-moi si tu veux, mais compte pas sur moi pour t'aider.

Gideon, proche du désespoir, se creusa la cervelle. Il lui fallait absolument le convaincre, et vite. Chaque seconde comptait.

Il sonda du regard Jackman, dans les yeux duquel se lisait un mélange de peur et de détermination.

— On va inverser les rôles. Si tu ne me crois pas, je te laisse libre de me tuer, se lança Gideon en tendant son 9 mm au mécano.

Jackman saisit l'arme timidement, visiblement ébranlé. Il examina le pistolet dont il éjecta le chargeur vide.

— Bien joué. Tu n'avais plus de munitions, laissa-t-il tomber en se débarrassant de l'arme.

Saloperie.

Gideon transpirait à grosses gouttes. Jouant son va-tout, il rendit à Jackman l'arme de service confisquée quelques minutes plus tôt.

— Celle-ci est chargée, dit-il.

Jackman passa précipitamment un bras autour du cou de Gideon et posa le canon de l'arme sur sa tempe.

— Vas-y. Tire. Je te préviens tout de suite, si jamais ces salauds s'en sortent, je n'ai aucune envie de rester en vie pour voir le résultat.

L'index de Jackman se crispa sur la détente.

Une poignée de secondes mortelles s'écoula.

— Tu as entendu ? Ils sont en train de s'enfuir. Je te laisse le choix. Soit tu es avec moi, soit tu m'abats.

— Je... je... bredouilla Jackman, désemparé.

— Regarde-moi bien et décide-toi, bon sang.

Les deux hommes s'affrontèrent du regard. Jackman hésita un dernier instant, puis ses traits s'adoucirent et il rengaina son pistolet.

— Et puis merde. C'est bon, je suis avec toi.

Gideon glissa un œil dans le périscope surmontant le volant, puis poussa le levier de vitesse. Le blindé tressauta en reculant dans le Humvee garé derrière lui.

— Pas comme ça ! l'arrêta Jackman. Les vitesses sont inversées.

Gideon tira le levier vers lui et le lourd véhicule s'ébranla lentement. Gideon enfonça la pédale d'accélérateur et le Stryker prit peu à peu de la vitesse, handicapé par son poids.

— Ce putain d'engin ne va donc pas plus vite ? s'énerva Gideon.

— On les rattrapera jamais, répondit Jackman. Le Stryker ne dépasse pas le cent à l'heure, alors qu'un Humvee fait dans les cent cinquante.

Gideon retira son pied de l'accélérateur, au comble du découragement. Soudain pris d'une idée, il sortit de sa poche le plan de la base que le planton lui avait remis à son arrivée et le tendit à Jackman.

— Guide-moi. La route d'accès serpente à travers la base. On peut encore les coincer si on rejoint le portail d'entrée en ligne droite.

— Mais... il n'y a pas de route directe, balbutia le mécano.

— Pas besoin de route avec un engin comme celui-ci. Contente-toi de m'indiquer la bonne direction, on va prendre les chemins de traverse. Et tiens-toi prêt à tirer dès qu'on atteindra l'entrée de la base.

75

Cramponné au volant du Stryker, Gideon enfonça la pédale d'accélérateur. Le blindé contourna l'hélicoptère en feu à plus de quatre-vingts kilomètres heure et s'engagea sur la route de la base dans le ronflement de ses huit énormes pneus.

Jackman se pencha sur le plan de la base.

— Prends un cap de cent quatre-vingt-dix degrés sud. Tiens, sers-toi de ça, précisa-t-il en désignant la boussole électronique du tableau de bord.

Gideon s'exécuta. Le Stryker franchit le trottoir d'un bond et s'engagea dans un champ en direction d'un rideau d'arbres.

— De quel arsenal disposons-nous ? demanda Gideon.

— Une batterie de 50, un lance-grenades automatique Mk.19 et des grenades fumigènes.

— Le Stryker est-il assez puissant franchir ce petit bois ?

— On va pas tarder à le savoir. Le mieux est de passer en mode huit roues motrices.

Gideon tira le levier que lui désignait son compagnon, puis accéléra en faisant rugir le puissant moteur diesel. Les arbres n'étaient pas assez espacés pour laisser passer l'engin. Il se dirigea vers ceux qui lui semblaient les plus minces.

— Cramponne-toi, annonça-t-il.

Le véhicule faucha un premier arbre avec un bruit sourd, puis un deuxième, et poursuivit sa course dans une pluie de feuilles et de branches arrachées. Une minute plus tard, les deux hommes traversaient une clairière lorsqu'un voyant rouge s'alluma et qu'une voix électronique les alerta : « *Attention, vitesse mal adaptée aux conditions de terrain. Ajustement automatique de la pression des pneumatiques.* »

— Merde. De très gros chênes nous bloquent le passage.

— Ralentis. Je vais essayer de les dégager au lance-grenades.

Jackman enclencha quelques interrupteurs et un écran s'alluma.

— Ça y est, dit-il, l'œil rivé au périscope réservé à l'artilleur.

De violents sifflements enveloppèrent le blindé et les chênes disparurent dans un mur de flammes, de terre et de feuilles. Gideon n'avait pas attendu que le passage soit dégagé pour accélérer. Le Stryker franchit d'un bond les troncs abattus et poursuivit son chemin dans le bois en cisaillant les arbustes qui lui bloquaient le passage. *Schlac, schlac, schlac !*

Le blindé émergea du bois et traversa à toute allure une route le long de laquelle s'étalaient des pavillons dans un lotissement protégé par un grillage.

— Vacherie, murmura Gideon en découvrant les rangées de maisonnettes entourées de pelouses miniatures.

Par chance, le lotissement était désert, suite aux ordres d'évacuation. Gideon choisit le secteur le moins dense. Le grillage s'enroula autour de l'engin comme un ruban de tissu avant d'exploser dans une pluie de mailles métalliques. Le Stryker tangua au milieu d'un petit jardin en pulvérisant un portique de jeux et une piscine gonflable dont le contenu se déversa sur la pelouse en une gerbe spectaculaire.

— Putain ! s'écria Jackman.

Gideon pesa de tout son poids sur la pédale d'accélérateur et le Stryker prit lentement de la vitesse. La route qui traversait le lotissement dessina brusquement un coude.

— Cramponne-toi ! s'exclama Gideon. Je n'arriverai jamais à négocier le virage.

Comprenant qu'il ne parviendrait pas à éviter le pavillon de plain-pied situé sur sa trajectoire, Gideon tourna le volant en direction du garage. Le blindé rugit en enfonçant un volet roulant, chassa un pick-up dans un tonnerre de ferraille et traversa le mur du fond dans un nuage de plâtre.

— *Attention*, répéta la voix électronique. *Vitesse inadaptée aux conditions de terrain.*

— T'es sûr de pas vouloir effectuer un second passage ? grinça Jackman, les dents serrées. Il reste encore un bout de maison à démolir.

Gideon enfonça le grillage qui signalait la fin du lotissement. De l'autre côté d'un parking vide se dressaient plusieurs rangées de hangars en tôle ondulée, séparées les unes des autres par des allées. Gideon chercha des yeux la moins étroite et fit la grimace en comprenant que le Stryker ne passerait jamais. Le blindé se fraya un chemin entre les hangars qu'il réduisait en miettes à mesure de son avancée.

Un terrain de baseball les attendait un peu plus loin. Le lourd véhicule balaya les gradins comme des fétus de paille, traversa un mur de brique et déboucha soudain sur le terrain de golf que Gideon se souvenait d'avoir aperçu en arrivant à la base. Ils approchaient du but.

Le Stryker laboura le fairway, traversa un ruisseau dont il remonta la berge dans un jaillissement de boue, puis il partit à l'assaut d'une butte qui dominait les alentours.

À moins de quatre cents mètres se dressait l'entrée de la base. Un véhicule remontait à vive allure la route longeant le golf, en direction des guérites : le Humvee de Blaine et Dart.

— Là ! s'écria Gideon. Vite ! Bloque-leur la route avec le lance-grenades. Pour l'amour du ciel, ne touche surtout pas au Humvee ! Le virus se répandrait instantanément dans l'atmosphère !

Jackman s'activa sur les commandes.

— Arrête-toi que je puisse viser !

Gideon freina brutalement, traçant deux traînées de terre parallèles dans le fairway. Jackman, l'œil rivé au périscope, régla la distance et enfonça un bouton. Le Stryker donna l'impression de s'ébrouer et deux gerbes de feu s'élevèrent devant le Humvee. Le véhicule dérapa dangereusement alors que s'abattaient sur lui des fragments de macadam. Le conducteur enclencha la marche arrière et voulut contourner l'obstacle en roulant sur le green du golf.

— Recommence ! hurla Gideon.

De nouvelles explosions retentirent, mais la manœuvre était vouée à l'échec. Le golf offrait toute latitude au conducteur du Humvee de gagner l'entrée de la base.

Gideon redémarra dans l'espoir de couper la route de ses adversaires, mais le Humvee possédait une avance confortable.

Les soldats postés à l'entrée de la base, affolés par la scène à laquelle ils venaient d'assister, s'agitaient dans tous les sens autour des guérites.

— Appelle-les et dis-leur de barrer la route du Humvee, suggéra Gideon en criant pour couvrir le hurlement du moteur.

— Impossible, on n'a pas de téléphone.

Vite ! Trouver une solution...

— Les grenades fumigènes ! suggéra-t-il. On peut encore les noyer dans un nuage de fumée.

Le Stryker traversa une trappe de sable et se posta sur un point haut. Jackman appuya sur un bouton. Les fumigènes tracèrent un arc de cercle dans le ciel et rebondirent devant le Humvee en laissant échapper d'énormes nuages de fumée blanche au milieu desquels disparut le véhicule.

— Tu as un détecteur infrarouge sur ce truc ? demanda Gideon en se dirigeant vers sa proie.

— Allume la vidéo conducteur et règle-la sur chaleur thermique, lui conseilla Jackman.

Voyant son compagnon examiner le tableau de bord d'un air perplexe, le jeune mécano appuya sur une touche et l'un des nombreux écrans s'anima.

— La vidéo conducteur, lui expliqua-t-il.

— Super, approuva Gideon en s'enfonçant dans l'épais nuage de fumée. Les voilà !

Le Humvee se trouvait tout près à présent. Son conducteur, handicapé par le manque de visibilité, avait fortement ralenti. Sur son écran, Gideon constata que le véhicule se dirigeait à l'aveugle vers un bouquet d'arbres.

— Merde ! Ils vont s'écraser !

— Laisse-moi faire, le calma Jackman.

L'instant suivant, la mitrailleuse de 50 lâchait une rafale qui souleva des mottes de terre juste derrière le Humvee.

— Putain, fais gaffe ! s'écria Gideon.

Jackman ajusta son tir et déchiqueta les pneus arrière. Le Humvee dérapa sur le côté et s'immobilisa en zigzaguant.

Les yeux rivés sur son écran, Gideon vit les portières s'ouvrir à la volée. Les trois soldats rescapés jaillirent du véhicule et tirèrent au jugé dans le brouillard. Blaine et Dart descendirent à leur tour et Gideon les vit s'enfuir à toutes jambes en direction de l'entrée du camp militaire.

— Je pars à leur poursuite, décida Gideon. J'ai besoin de ton arme.

Quelques secondes plus tard, il s'enfonçait au milieu du nuage de fumée en évitant du mieux qu'il le pouvait les soldats, se fiant aux tirs qui crépitaient autour de lui. Il suivit le fairway dans la direction approximative prise par Blaine et émergea du nuage en même temps que les soldats. Ces derniers ouvrirent le feu en l'apercevant. Il eut tout juste le temps de se jeter à terre, avant que la mitrailleuse du Stryker n'entre en action et ne déchiquette ses adversaires sous ses yeux.

Il se releva d'un bond et reprit sa course. Blaine, distancé par Dart qui fuyait sans demander son reste, devançait Gideon de quelques mètres, mais son âge ne lui permettait pas de courir vite et il perdait rapidement son avance.

L'écrivain se retourna en entendant un bruit de course dans son dos. Il sortit le Peacemaker de sa poche et fit feu tout en continuant à fuir. La balle s'écrasa dans l'herbe aux pieds de Gideon. Blaine tira une seconde fois, ratant à nouveau son poursuivant qui en profita pour le plaquer au sol. Les deux hommes roulèrent à terre. D'un revers de main, Gideon désarma le vieil homme en envoyant voler son revolver dans l'herbe, puis il l'immobilisa et lui fourra le pistolet de Jackman sous le nez.

— Pauvre imbécile ! s'exclama Blaine, la bave aux lèvres.

Sans un mot, Gideon glissa une main dans la poche intérieure de Blaine. Ses doigts se refermèrent sur la fiole de virus. Il l'enferma dans sa propre poche et se releva.

— Pauvre imbécile ! répéta Blaine d'une voix faible.

Une détonation retentit. Dans un réflexe, Gideon se jeta à terre. Dart s'était retourné dans sa fuite et lui tirait dessus.

Gideon regarda autour de lui, à la recherche d'un abri. À défaut de pouvoir se mettre à couvert, il s'aplatit sur le fairway et visa lentement Dart. La seconde balle trouva sa cible et le directeur du Sun s'écroula.

Au même moment, un bourdonnement se fit entendre au-dessus de sa tête. Il leva les yeux et distingua deux Black Hawk dans le ciel. Les hélicoptères, menaçants, ralentirent et se mirent en position d'atterrissage.

Des renforts, sans nul doute appelés par Blaine et Dart.

— Lâchez votre arme et donnez-moi le virus, résonna une voix dans son dos.

En se retournant, Gideon découvrit Blaine. L'écrivain s'était relevé et tenait le Peacemaker à la main.

À l'idée d'être passé si près du but, Gideon en avait la nausée.

— Vous m'avez entendu ? Donnez-moi le virus. Et lâchez votre arme.

Les mains de Blaine tremblaient.

Gideon restait comme pétrifié, incapable du moindre geste. Les deux hélicos venaient de se poser sur le fairway, déversant des soldats en armes qui avancèrent dans leur direction en se déployant en éventail. Gideon lança un regard dans leur direction avant de se tourner à nouveau vers Blaine. Ce dernier avait le visage baigné de larmes.

— Vous donner le virus ? Jamais, laissa tomber Gideon en mettant à son tour son adversaire en joue.

Les deux hommes s'affrontèrent du regard, l'arme tendue. Gideon eut l'intuition que l'écrivain ne tirerait pas, de peur d'atteindre la fiole de virus. Lui-même ne courait pas le même risque.

Son doigt se crispa sur la détente, mais il comprit soudain qu'il serait incapable de tuer le père d'Alida.

Un soldat aboya un ordre dans son dos :

— Lâchez votre arme ! Maintenant ! Mettez-vous à terre !

Tout était fini.

Une rafale d'arme automatique crépita. Gideon serra les paupières, attendant la fin.

Il rouvrit les yeux, surpris de ne rien sentir, et vit avec stupéfaction Blaine basculer en avant et s'écrouler dans l'herbe, le Peacemaker serré entre ses doigts.

— Lâchez votre arme ! répéta l'un des soldats.

Gideon écarta les bras en laissant tomber à terre son pistolet. Un soldat s'approcha prudemment en le tenant sous la menace de sa mitraillette. Il le fouilla et le délesta du cylindre contenant la variole.

Un lieutenant avança à grandes enjambées.

— Gideon Crew ?

Gideon hocha la tête.

— Tout va bien. Il s'agit du coéquipier de Fordyce, déclara l'officier en s'adressant à ses hommes, avant de se tourner vers Gideon : Où est Fordyce ? Dans le Stryker ?

— Fordyce ?!!

Abasourdi, Gideon comprit enfin. Fordyce ne s'était pas contenté de joindre Dart. Fidèle au service qui l'employait, il avait également averti sa hiérarchie au sein du Bureau. Les occupants des deux hélicoptères n'étaient pas des conspirateurs à la solde de Dart, mais la cavalerie tant espérée. Et, comme souvent, la cavalerie arrivait un peu tard.

Gideon sursauta en entendant une faible toux s'échapper de la poitrine de Blaine. L'écrivain avait trouvé la force de relever le buste et rampait dans sa direction.

— La... variole... demanda-t-il dans un râle.

425

Un flot de sang s'échappa de ses lèvres, l'empêchant de parler, mais il avançait toujours.

L'un des soldats leva le canon de sa mitraillette. Gideon l'arrêta d'un geste.

— Non !

Les yeux écarquillés, il vit alors Blaine se redresser, sa main armée se soulever lentement.

— Bande d'imbéciles, parvint-il à gargouiller avant de retomber en avant, définitivement terrassé.

Gideon détourna le regard, le cœur lourd.

76

La salle d'attente du neurologue, lambrissée de bois blond, était d'une propreté irréprochable : des canapés et des fauteuils en cuir arrangés de façon harmonieuse, une table basse sur laquelle les quotidiens du jour côtoyaient des magazines d'architecture et de décoration, une boîte de jouets en bois. Une lumière agréablement tamisée pénétrait dans la pièce à travers des voilages. Un épais tapis persan achevait de conférer à l'ensemble un caractère cossu.

Gideon avait les mains moites, malgré la climatisation. Il avança vers la secrétaire, postée derrière un guichet de verre, et lui indiqua son nom.

— Vous avez rendez-vous ? demanda la femme.

— Non.

Elle posa un regard rapide sur son écran d'ordinateur.

— Je suis désolée, mais le docteur Metcalfe n'a aucun créneau disponible aujourd'hui.

— Je vous en prie. Je dois absolument le voir.

La femme leva la tête et le regarda pour la première fois.

— De quoi s'agit-il ?

— J'aurais voulu obtenir les résultats d'une… d'une IRM que j'ai passée dernièrement. On a refusé de me les communiquer par téléphone.

— C'est juste, approuva-t-elle. Nous ne donnons jamais ce genre de résultat par téléphone. Cela ne signifie pas pour autant qu'ils sont mauvais. Je constate que vous ne vous êtes pas présenté au rendez-vous qui vous avait été fixé, ajouta-t-elle en regardant son écran. Je peux vous en proposer un autre demain matin.

— Je vous en prie… insista Gideon.

Elle posa sur lui un regard bienveillant.

— Je vais poser la question.

Elle quitta son poste et disparut derrière une porte. Quelques minutes plus tard, elle était de retour.

— Prenez le couloir de droite, puis celui de gauche. Salle d'examen n° 2.

Gideon la remercia d'un mouvement de tête et suivit ses instructions. Une infirmière munie d'un porte-bloc l'accueillit avec un large sourire et l'invita à s'asseoir sur la table d'examen. Elle achevait de prendre sa tension lorsqu'une haute silhouette en blouse blanche s'encadra dans la porte. L'infirmière tendit le porte-bloc au nouveau venu et quitta la pièce.

Le médecin s'approcha, son visage souriant auréolé par une masse de cheveux bouclés, éclairés en contre-jour par le soleil du matin qui pénétrait à flots dans la salle d'examen. On aurait dit un ange géant.

— Bonjour, Gideon, dit-il en serrant la main de son patient. Asseyez-vous, je vous en prie.

Gideon, qui s'était levé à l'arrivée du médecin, reprit sa place sur la table d'examen. Le docteur Metcalfe préféra rester debout.

— J'ai ici les résultats de l'IRM crânienne réalisée il y a huit jours.

428

Gideon devina la nature du verdict au ton du neurologue. Le cœur battant, les tempes bourdonnantes, il s'obligea à se calmer.

Le docteur Metcalfe laissa s'installer le silence, puis posa une fesse sur un coin de la table d'examen.

— L'imagerie nous indique la présence d'un amas de vaisseaux sanguins dans le cerveau. Ce que nous appelons dans notre jargon une MAV, une malformation artério-veineuse.

Gideon se leva précipitamment.

— C'est bon. C'est tout ce que je voulais savoir. Merci.

Le médecin lui posa doucement la main sur le bras.

— J'en déduis, à votre réaction, que vous étiez au courant et que vous souhaitiez un second avis médical. Je me trompe ?

— Non, avoua Gideon qui bouillait de s'en aller.

— Très bien. Ce que je vais vous dire devrait néanmoins vous intéresser. Si vous consentez à m'écouter, évidemment.

Gideon surmonta son envie de fuir.

— D'accord, mais pas de baratin. Et, de grâce, épargnez-moi les apitoiements.

— Fort bien. Votre MAV se situe au niveau de la grande veine cérébrale de Galien. Il s'agit d'une malformation congénitale inopérable. Les anomalies de ce type ont tendance à grossir avec le temps, et tout indique que c'est le cas de la vôtre. L'artère est reliée directement au réseau veineux, et la différence de pression sanguine entraîne une dilatation de la veine de Galien et, plus généralement, de la MAV elle-même.

Il laissa à Gideon le temps de digérer ses paroles.

— Ma description est-elle trop technique ? s'inquiéta-t-il.

— Non.

Gideon ne mentait pas. D'une certaine façon, le jargon médical diminuait l'horreur du tableau.

— Le pronostic n'est pas encourageant. Je dirais qu'il vous reste entre six mois et deux ans à vivre, avec une échéance probable de l'ordre d'une année, peut-être un peu moins. Cela dit, les annales de la médecine regorgent de miracles. Nul n'est capable de dire ce qui peut réellement se produire.

— Quel est le taux de survie à... disons, cinq ans ?

— Il est extrêmement faible, mais pas nul.

Le médecin hésita.

— Il existerait bien un moyen d'en savoir davantage.

— Je ne suis pas certain de vouloir en savoir davantage.

— C'est compréhensible. L'angiographie cérébrale nous en apprendrait néanmoins beaucoup plus sur votre état. Cette technique consiste à introduire un cathéter dans l'artère fémorale, au niveau de l'aine, et de le guider jusqu'à la carotide. On diffuse alors un agent bloquant qui se répand à l'intérieur du cerveau et nous permet d'obtenir une radiographie précise de la MAV. Une telle intervention nous permettrait de savoir combien de temps il vous reste à vivre avec davantage de précision, voire de savoir dans quelle mesure il est possible d'intervenir.

— Intervenir ? De quelle façon ?

— Une opération. Il est impossible de retirer la MAV, mais il existe d'autres possibilités chirurgicales. En opérant en marge de la zone concernée, pour parler simple.

— Avec quel résultat ?

— Un prolongement possible de votre existence.

— De combien de temps ?

— Tout dépend de la rapidité avec laquelle la veine se dilate. Quelques mois, peut-être un an.

Un long silence accueillit le verdict du médecin.

— Une opération de ce genre comporte-t-elle des risques ? finit par demander Gideon.

— Des risques importants, oui. Notamment sur le plan neurologique. Dix à quinze pour cent des patients meurent au cours de l'opération, quarante autres pour cent en ressortent avec des séquelles.

Gideon chercha des yeux le regard de son interlocuteur.

— À ma place, prendriez-vous un tel risque ?

— Non, répondit le médecin sans hésiter. Je ne souhaiterais pas continuer à vivre avec des fonctions cérébrales altérées. Je ne suis pas joueur de nature. Une chance sur deux, c'est trop à mes yeux.

Le neurologue soutint le regard de son patient avec un air bienveillant. Gideon comprit qu'il était en présence d'un sage. L'un des rares qu'il lui avait été donné de croiser au cours d'une existence trop courte, et globalement impitoyable.

— Je me passerai de cette angiographie, décida-t-il.

— Je comprends.

— Comment dois-je vivre en attendant ? Dois-je modifier mes habitudes ?

— Pas du tout. Vous êtes libre de mener des activités normales. La fin, lorsqu'elle surviendra, sera certainement très brutale.

Le médecin marqua une pause.

— Je voudrais vous donner un conseil qui n'a rien de médical. À votre place, je me consacrerais à ce qui représente l'essentiel à mes yeux. Si le temps qui vous reste à vivre peut servir à aider les autres, tant mieux.

— Je vous remercie.

Le neurologue lui serra brièvement l'épaule et baissa la voix.

— La vie est courte pour nous tous. La vôtre est un peu plus courte, c'est tout.

77

Gideon quitta North Guadalupe Street, franchit le vieux portail de style espagnol du cimetière Santa Fe National, puis remonta l'allée de gravier blanc au volant de son Suburban. Une douzaine de véhicules étaient garés devant le bâtiment de l'administration. Il se gara à côté d'eux, descendit du 4 × 4 et regarda les alentours. À l'horizon, la silhouette vert sombre des monts Sangre de Cristo se découpait dans le ciel de porcelaine de cette chaude matinée d'été. Les rangées de stèles blanches s'étalaient sous ses yeux, entre ombre et soleil.

Il remonta l'allée dont le gravier crissait sous ses pas. La partie la plus ancienne du cimetière avait été érigée à l'intention des soldats de l'Union morts lors de la bataille de Glorieta Pass. Au-delà d'un rideau de pins et de cèdres, le long des flancs d'une petite colline, le désert laissait place à un gazon d'un vert irréel. Là, à mi-hauteur, quelques personnes étaient rassemblées autour d'une tombe ouverte.

Gideon embrassa du regard les rangées de croix et d'étoiles de David blanches.

Bientôt, c'est moi dont on viendra honorer la mémoire dans un lieu tel que celui-ci.

Cette pensée, venue spontanément, céda la place à une autre, infiniment plus sournoise : *Ce jour-là, qui viendra se recueillir sur ma tombe ?*

Il s'approcha du petit groupe en deuil.

Les journaux ne s'étaient pas fait l'écho du rôle joué par Simon Blaine dans le complot terroriste. Gideon s'était attendu à découvrir une foule nettement plus nombreuse à ses obsèques, sachant à quel point le romancier était estimé. Or, c'est tout juste si une vingtaine de personnes se pressaient autour de la fosse. La voix du prêtre lui parvint, récitant l'ancienne version épiscopalienne du texte de saint Jean :

> *Avec les saints fais reposer, ô Christ, ton serviteur*
> *Là où s'effacent le chagrin et la souffrance,*
> *Où les soupirs laissent place à la vie éternelle.*

Il quitta l'ombre des arbres et avança dans la lumière. Il chercha Alida des yeux. Elle était vêtue d'une robe noire toute simple et d'un chapeau à voilette. De longs gants blancs lui couvraient les avant-bras. Il prit place discrètement à l'arrière du groupe et regarda la jeune femme, debout de l'autre côté de la fosse. La voilette relevée par une épingle, elle fixait le cercueil, les yeux secs. Gideon ne pouvait détacher ses yeux de ce visage ravagé par la douleur. Elle releva la tête et leurs regards se croisèrent, l'espace d'un instant terrible.

> *Nous te confions ton serviteur Simon, ô Seigneur de miséricorde...*

Au cours de la semaine qui avait suivi le drame de Fort Detrick, Gideon avait tenté d'entrer en contact avec elle à plusieurs reprises. Il souhaitait lui expliquer ce qui s'était passé. Il en éprouvait le besoin. Il aurait aimé lui dire à quel point il s'en voulait d'avoir trahi sa confiance, lui montrer qu'il n'avait pas eu le choix. Que son père était le premier responsable de ce qui lui était arrivé, ce qu'elle devait bien évidemment savoir.

Chaque fois qu'il avait appelé, elle avait raccroché. À son dernier appel, une voix mécanique lui avait signalé qu'elle avait changé de numéro.

Il avait alors monté la garde devant la maison de Blaine, dans l'espoir qu'elle l'aperçoive et le laisse s'expliquer... Les deux fois où elle était sortie au volant de sa voiture, elle ne lui avait pas accordé un regard.

En désespoir de cause, Gideon avait décidé de venir à l'enterrement, prêt à toutes les humiliations pour la voir, lui parler, lui expliquer. Sans entretenir l'espoir que leur relation reprenne, il aurait aimé lui tendre une dernière fois la main. L'idée que leur relation puisse se terminer dans l'amertume et la haine lui était intolérable.

Le film de leur cavale repassait en boucle dans sa tête : leur course à cheval, la colère initiale d'Alida, l'apparition progressive des sentiments amoureux. Grâce à elle, à son intelligence de cœur et d'esprit, Gideon avait connu l'amour pour la première fois de son existence.

Au milieu de la vie, nous sommes dans la mort ;
À qui demanderons-nous du secours,
Si ce n'est à toi, Seigneur,
Qui t'es courroucé justement, à cause de nos péchés ?

Gideon, taraudé par le sentiment de violer une intimité qui n'était pas la sienne, redescendit la colline en longeant les sépultures jusqu'à la partie ancienne du cimetière. Là, enveloppé par l'ombre fraîche d'un cyprès, il attendit patiemment au bord de l'allée de gravier qu'elle passe à sa hauteur en regagnant sa voiture.

Quelles avaient été ses paroles, déjà ? *Quand bien même tu n'aurais plus qu'un an à vivre, profitons-en pleinement. Ensemble. Toi et moi. Transformons ces douze mois en une vie d'amour tout entière.* Il la revoyait, nue sur le seuil du ranch, aussi belle qu'une vierge de Botticelli, le jour où il l'avait quittée à bord de la jeep, décidé à détruire son père.

La cérémonie se poursuivait, le long des flancs de la colline. Le vent lui apportait, par bribes, le murmure lointain du prêtre. Le cercueil descendit dans la fosse, et puis tout fut consommé. Le petit groupe rassemblé autour de la tombe commença à se disperser.

Gideon attendit à l'ombre du cyprès que la procession redescende lentement le petit chemin. Il n'avait d'yeux que pour Alida qui acceptait les condoléances de tous. Certains la serraient dans leurs bras, d'autres lui prenaient la main. Il était sur des charbons ardents, miné par cette attente interminable. Il vit passer devant lui les fossoyeurs, puis un groupe de femmes d'un certain âge discutant entre elles à voix basse, quelques jeunes gens, des couples et, enfin, le prêtre qui lui adressa un sourire de circonstance, accompagné d'un mouvement de tête.

Alida fermait la marche. Gideon s'était attendu à ce qu'elle soit accompagnée par des proches, mais elle avait laissé s'éloigner les membres de l'assistance avant de s'en retourner, seule. Elle avançait d'un pas digne malgré son chagrin, la tête droite. Elle ne semblait pas avoir remarqué sa présence. Gideon sentit ses intestins se nouer. Elle n'était plus qu'à quelques mètres et il ne savait comment réagir. Lui parler, s'approcher d'elle, lui tendre la main ? Il entrouvrit les lèvres, mais aucun son ne sortit de sa bouche. Frappé de mutisme, il la regarda passer lentement devant lui, le regard fixe, le visage impassible, refusant de le voir.

Il la suivit des yeux jusqu'à ce que sa silhouette noire disparaisse. Les voitures quittèrent le cimetière les unes après les autres sans qu'il fasse mine de bouger, pétrifié sur place. La poitrine secouée par un sanglot, il regagna à son tour le parking où l'attendait le 4×4.

78

Gideon demanda au chauffeur de le déposer à l'entrée du parc de Washington Square, emporté par l'envie de profiter de cette belle journée d'été en parcourant à pied les quelques centaines de mètres qui le séparaient des locaux d'EES sur la 12e Rue Ouest.

Trois semaines s'étaient écoulées depuis les obsèques de Blaine, que Gideon avait mises à profit pour pêcher, réfugié dans son cabanon des monts Jemez où il avait coupé portable, ligne fixe et ordinateur. Le cinquième jour, il avait enfin réussi à attraper la truite sauvage qui lui donnait tant de fil à retordre depuis si longtemps. Un animal magnifique, au corps charnu et brillant habillé d'une robe vermillon, qu'il avait initialement l'intention de relâcher, comme à son habitude. Curieusement, il ne l'avait pas fait. De retour dans le cabanon, il avait nettoyé sa prise avant de la poêler avec des amandes, puis il l'avait dégustée accompagnée d'un puligny-montrachet au goût de silex. En savourant ce repas tout simple, seul au milieu de ses montagnes, il avait brusquement éprouvé un sentiment de bonheur et d'apaisement. En y réfléchissant, il avait attribué cet état d'esprit étrange aux certitudes qui l'assaillaient : celle de sa mort prochaine, et la conviction qu'il ne reverrait jamais Alida.

Paradoxalement, cette double vérité provoquait chez lui un effet libérateur. Elle lui donnait la conscience de ce qui l'attendait, comme de ce qu'il ne connaîtrait jamais. Elle le laissait libre de suivre les conseils du neurologue : se recentrer sur l'essentiel, en aidant les autres. Il aurait pu commencer par relâcher la truite, c'est vrai, mais la déguster lui avait procuré un plaisir encore plus précieux. Ce repas avait pris un sens particulier. *Au milieu de la vie, nous sommes dans la mort...* Une pensée sage, valable pour les truites comme pour les humains.

Ces trois semaines lui avaient permis de régler un certain nombre de problèmes mineurs. À commencer par l'obtention d'un congé maladie auprès de son employeur à Los Alamos.

Au retour de ses vacances, lorsqu'il avait rebranché son portable, il avait découvert un message de Glinn sur sa boîte vocale. Le patron d'EES souhaitait lui confier une nouvelle mission, soulignant qu'elle était d'une « importance capitale ». Gideon s'apprêtait à effacer le message sans y répondre lorsqu'il avait été pris d'un doute. Pourquoi pas, après tout ? Quitte à aider les autres...

Il n'en voulait même plus à Glinn de l'avoir abandonné en pleine mission. Gideon avait compris que la méthode de son commanditaire, si elle était impitoyable, était sans doute la plus efficace : Glinn avait clairement refusé de lui apporter son soutien parce qu'il savait que Gideon avait davantage de chances de réussir en agissant seul.

Gideon avait donc repris le chemin de New York, prêt à enrichir sa courte existence d'un nouveau chapitre. Il s'emplit les poumons en regardant autour de lui. Le parc de Washington Square débordait de vie en ce superbe après-midi. Il arpentait les allées d'un pas léger, enchanté par tant d'animation : des percussionnistes dominicains dont les rythmes joyeux faisaient danser l'air ; des gamins en rollers, avec casques et protège-genoux, couvés par un groupe de mères inquiètes ; deux messieurs à l'élégance raffinée fumant le cigare ; un vieux hippie faisant la manche, une guitare à la main ; un mime qui s'amusait à suivre, en imitant leurs démarches, des promeneurs agacés ; un joueur de bonneteau pratiquant son art tout en surveillant du coin de l'œil la présence éventuelle de flics ; un clochard assoupi sur un banc. Une tranche d'humanité, dans toute sa richesse, sa diversité et sa complexité. Le New York qu'il découvrait ce jour-là était riant comme jamais. Sans commune mesure avec la mégalopole égoïste entrevue lors de son séjour précédent, lorsqu'il s'était fait souffler un taxi sous le nez par un yuppie cynique à moitié soûl. La menace terroriste qui avait fait fuir la moitié de la population s'était dissipée, et les habitants en paraissaient transformés : mieux en phase avec leur environnement, plus tolérants, plus joyeux.

Gideon aussi avait changé. *On ne devrait jamais perdre de vue l'essentiel*, pensa-t-il. L'épreuve qu'avaient traversée les New-Yorkais les avait rappelés à ce précepte simple, tout comme lui.

Tandis que la vie du pays reprenait son cours normal, les problèmes de Gideon s'étaient résolus d'eux-mêmes : les images des caméras de surveillance de l'Institut de recherche médicale des armées, l'ordinateur de Simon Blaine ou encore Dart, interrogé sur son lit d'hôpital, avaient permis de combler les trous et de rétablir la vérité. Novak avait été arrêté avec tous ceux qui avaient participé au complot, à Los Alamos comme au ministère de la Défense et dans les services de renseignement. Les détails de l'opération avaient permis de blanchir Chalker, désormais considéré comme une victime. Glinn était intervenu personnellement afin de s'assurer que le rôle joué par Gideon demeurerait secret. L'ancien chercheur avait beaucoup insisté sur ce point. Pas question que sa fin de vie soit gâchée par la célébrité. Il frissonnait d'effroi à l'idée qu'on puisse le transformer en héros national en affichant sa photo à la une de tous les journaux.

Et puis il y avait Alida, disparue à jamais de sa vie. Il lui fallait oublier leur amour, faute de pouvoir bouleverser le cours du destin.

Il contourna la fontaine et s'arrêta devant les percussionnistes dominicains. Le visage hilare, du bonheur plein les yeux, ils enchaînaient les rythmes les plus complexes. La pulsation qui s'échappait de leurs mains n'était pas sans évoquer le cœur qui se met soudain à battre à l'aube de la vie, dans une version mille fois plus puissante, instinctive, délirante.

Il se sentait en paix avec lui-même. Un sentiment inédit, auquel il ne s'était pas encore accoutumé. Ses semblables avaient-ils l'habitude de se sentir aussi bien ? Grâce au docteur Metcalfe, il laissait derrière lui les angoisses, les peurs, les peines, les bouffées de rage et de haine, les envies de vengeance qui l'avaient handicapé depuis l'enfance. Par une étrange ironie du sort, Gideon se sentait libéré par le mal qui le condamnait.

Il regarda sa montre. Il serait en retard, mais tant pis. Les rythmes des Dominicains étaient bien plus importants. Il demeura près d'une heure à les écouter avant de se diriger vers Greenwich Avenue en traversant Waverly Place, en direction de l'ancien quartier des abattoirs.

Son arrivée chez EES fut particulièrement impersonnelle. L'interphone resta muet lorsqu'il appuya sur la sonnette, et personne ne prit la peine de l'accompagner à travers l'immense laboratoire désert en direction de l'ascenseur. Son ascension achevée, la cabine s'ouvrit sur un couloir vide qu'il remonta jusqu'à la salle de réunion, dont la porte était close. Tout était silencieux.

Il toqua et la voix tendue de Glinn lui donna l'autorisation d'entrer.

À peine avait-il franchi le seuil de la pièce qu'un tonnerre d'applaudissements et de hourras l'accueillit. Glinn s'avança dans son fauteuil roulant, tendit son bras racorni et embrassa Gideon sur les deux joues, à la française. Garza prit le relais en serrant chaleureusement la main de Gideon avant de le gratifier d'une tape amicale dans le dos, imité par tous les autres. Au total, une centaine de personnes des deux sexes, de tous âges et de toutes origines, certains en blouse, d'autres en costume, d'autres encore en sari ou kimono, tous prompts à le féliciter avec un enthousiasme contagieux.

Le silence se fit brusquement, et Gideon comprit qu'il était censé prononcer un discours. Il s'éclaircit la gorge, sous le choc de l'accueil inattendu qui lui était réservé.

— Je vous remercie, commença-t-il, mais puis-je vous demander à tous qui vous êtes ?

Un éclat de rire général répondit à sa question.

Glinn prit la parole.

— Gideon, sont réunis ici l'ensemble des employés d'EES que vous n'avez pas encore eu l'occasion de rencontrer. La plupart d'entre eux sont des travailleurs de l'ombre, notre petite organisation leur doit beaucoup. Vous ne les connaissez pas, mais tous vous connaissent. Et tous ont tenu à venir personnellement vous remercier.

Nouvelle salve d'applaudissements.

— Rien de ce que nous pourrions vous dire ne saurait traduire notre gratitude, aussi ne m'y risquerai-je pas.

Gideon, très ému, ne savait comment réagir. À force de mentir et d'inventer des histoires, il en avait quasiment oublié la signification du mot « sincère ».

Il se racla à nouveau la gorge.

— Que vous dire, sinon que je suis infiniment heureux d'avoir pu aider ce monde de folie. Cela dit, rien n'aurait été possible sans mon coéquipier Stone Fordyce. Stone n'a pas hésité à donner sa vie, c'est lui le véritable héros de cette aventure. Personnellement, je n'y ai laissé que quelques dents.

Des applaudissements saluèrent son humour.

— Je tiens à vous remercier tous. Sans vraiment savoir qui vous êtes et quel rôle vous avez joué, je peux vous dire que c'est très agréable de découvrir vos visages. Si vous saviez à quel point je me suis senti seul, à certains moments. Votre présence aujourd'hui m'apporte la preuve qu'en réalité, je ne l'étais pas. D'une certaine façon, EES est devenu ma maison. Je pourrais presque dire ma famille.

Un murmure d'approbation salua la fin du discours de Gideon.

— Comment se sont déroulées ces vacances ? s'enquit Glinn, meublant le silence.

— J'ai mangé une truite.

Gideon fit taire d'un geste les rires et les applaudissements.

— J'ai fait une découverte ces derniers jours : j'ai trouvé ma voie. J'ai décidé de continuer à travailler pour vous, pour EES. Il me semble que je peux me rendre utile. Et puis...

Il balaya la foule du regard.

— Et puis je n'ai rien d'autre dans la vie, à part vous. Je sais, ce n'est pas très gai, mais c'est ainsi.

Un long silence ponctua sa confession. L'ombre d'un sourire apparut sur le visage de Glinn.

— Merci à vous, salua-t-il ses collaborateurs en leur signifiant poliment leur congé.

La pièce se vida rapidement et il ne resta bientôt plus que Gideon, Garza et Glinn. Ce dernier invita son hôte à prendre un siège.

— Êtes-vous sûr de votre décision, Gideon ? l'interrogea-t-il à mi-voix. Après tout, vous avez traversé de rudes épreuves. Je ne parle pas uniquement de fatigue physique, mais également du choc émotionnel que vous avez subi.

Gideon avait appris à ne plus s'étonner de la perspicacité de son interlocuteur.

— Sûr et certain, répondit-il.

Gideon l'observa attentivement pendant quelques instants, puis il hocha la tête.

— Excellent. Je suis heureux de vous compter parmi nous, surtout à un moment aussi intéressant. Je crois vous en avoir déjà parlé, la bibliothèque Morgan proposera d'ici à quelques jours une exposition fort intéressante. L'événement aurait dû se dérouler il y a plusieurs semaines, il a été retardé par les événements récents. Quoi qu'il en soit, le gouvernement irlandais accepte de prêter le *Livre de Kells* à la Ville de New York de façon tout à fait exceptionnelle. Accepteriez-vous d'aller l'admirer avec moi ? Je suis personnellement grand amateur de manuscrits enluminés. Une page différente doit être exposée chaque jour.

Gideon hésita.

— J'avoue que les enluminures ne sont pas vraiment ma tasse de thé.

— Moi qui comptais sur vous, dit Glinn. Vous verrez, vous allez adorer. Le *Livre de Kells* est non seulement le plus grand trésor national irlandais, mais également le plus bel ouvrage enluminé au monde. C'est la deuxième fois qu'il quitte l'Irlande et l'exposition ne dure qu'une semaine. Il serait dommage de rater une telle occasion. Allons-y lundi matin.

— Très peu pour moi, se défendit Gideon en riant.

— Je crois pouvoir vous faire changer d'avis, insista Glinn.

— Comment ça ? fit Gideon, intrigué par le ton de son interlocuteur.

— En vous disant que votre prochaine mission consiste à le dérober.

10899

Composition
FACOMPO

Achevé d'imprimer en Slovaquie
par NOVOPRINT SLK
le 11 août 2014

Dépôt légal août 2014
EAN 9782290078655
L21EPNN000291N001

ÉDITIONS J'AI LU
87, quai Panhard-et-Levassor, 75013 Paris

Diffusion France et étranger : Flammarion